해커스
IFRS
정윤돈
객관식 재무회계

공인회계사(CPA)·세무사(CTA) 1차 시험 대비

정답 및 해설

해커스

목차

해커스 IFRS 정윤돈 객관식 재무회계

PART 1

중급회계
정답 및 해설

기초 유형 확인

01 ② 중요성은 기업 특유 관점의 목적적합성을 의미하므로 회계기준위원회는 중요성에 대한 획일적인 계량임계 치를 정하거나 특정한 상황에서 무엇이 중요한 것인지를 미리 결정할 수 없다.

02 ① 검증가능성은 합리적인 판단력이 있고 독립적인 서로 다른 관찰자가 어떤 서술이 충실하게 표현되었다는 데 대체로 의견이 일치할 수 있다는 것을 의미한다.

03 ② 비용의 기능별 분류방법은 성격별 분류방법보다 자의적인 배분과 상당한 정도의 판단이 더 개입될 수 있다.

04 ① 재무자본유지개념은 자산의 측정기준을 제한하고 있지 않다.

05 ③ ① 매입채무 그리고 종업원 및 그 밖의 영업원가에 대한 미지급비용과 같은 유동부채는 기업의 정상영업주 기 내에 사용되는 운전자본의 일부이므로, 이러한 항목은 보고기간 후 12개월 후에 결제일이 도래하더 라도 유동부채로 분류한다.
② 기업이 기존의 대출계약조건에 따라 보고기간 후 적어도 12개월 이상 부채를 차환하거나 연장할 것으로 기대하고 있고, 그런 재량권이 있다면, 보고기간 후 12개월 이내에 만기가 도래한다 하더라도 비유동부 채로 분류한다. 그러나 기업에게 부채의 차환이나 연장에 대한 재량권이 없다면, 차환가능성을 고려하지 않고 유동부채로 분류한다.
④ 중요한 오류수정과 회계정책의 변경은 소급법을 적용하므로 이러한 수익과 비용은 당기손익이 아니고 전기 이전 손익이 되어 당기 초 이익잉여금에 반영된다.
⑤ 비용을 기능별로 분류하는 기업은 감가상각비, 기타 상각비와 종업원급여비용을 포함하여 비용의 성격 에 대한 추가 정보를 주석 공시한다. 비용을 성격별로 공시하는 경우 비용의 기능에 대한 추가 정보를 주석으로 공시하지 않는다.

06 ② ① 한국채택국제회계기준은 재무제표만을 그 적용범위로 한다.
③ 경영진이 기업을 청산하거나 경영활동을 중단할 의도를 가지고 있거나 청산 또는 경영활동의 중단의도 가 있을 경우에는 청산기업 가정에 따라 재무제표를 작성한다.
④ 한국채택국제회계기준의 요구사항을 모두 충족하지 않더라도 일부만 준수하여 재무제표를 작성한 기업 은 그러한 준수 사실을 기재할 수 없다.
⑤ 변경된 표시방법의 지속가능성이 낮아 비교가능성을 저해하더라도 재무제표이용자에게 신뢰성 있고 더 욱 목적적합한 정보를 제공한다고 판단되더라도 재무제표의 표시방법을 변경할 수 없다.

07 ① 목적적합성과 표현충실성이 없는 재무정보는 더 비교가능하거나, 검증가능하거나, 적시성이 있거나, 이해가 능하더라도 유용한 정보가 아니다.

01 ② 회계정보는 경제적 실체 내에서 자원의 이동에 영향을 미칠 뿐만 아니라, 희소한 자원을 보다 생산성 높은 기업으로 배분하도록 하여 경제적 실체 간의 자원이동에 관한 의사결정에도 직접적인 영향을 미친다.

02 ③ 연결범위에는 「주식회사 등의 외부감사에 관한 법률」에 의한 외부감사대상이 아닌 소규모회사도 포함된다.

03 ⑤ 금융위원회는 이해관계인의 보호, 국제적 회계처리기준에의 합치 등을 위하여 필요하다고 인정되는 때에는 증권선물위원회의 심의를 거쳐 한국회계기준원에 대하여 회계처리기준의 내용을 수정할 것을 요구할 수 있으며, 이 경우 한국회계기준원은 정당한 사유가 없는 한 이에 응하여야 한다.

04 ⑤ 보고기업의 경제적 자원 및 청구권은 지분상품과 채무상품의 발행과 같이 재무성과 외의 사유로도 변동될 수 있다.

05 ⑤ 보고기업의 경영진은 일반목적재무보고서에 의존할 필요가 없다.

06 ④ 주요정보이용자도 정보제공을 보고기업에 직접 요구할 수 없다.

07 ③ 보고기업의 경제적 자원 및 청구권의 변동은 그 기업의 재무성과뿐만 아니라 채무상품이나 지분상품의 발행과 같은 그 밖의 사건이나 거래에서 발생한다. 보고기업의 미래 순현금유입액에 대한 전망과 기업의 경제적 자원에 대한 경영진의 수탁책임을 올바르게 평가하기 위하여 정보이용자는 이 두 가지 변동을 구별할 수 있는 능력이 필요하다.

08 ⑤ 비교가능성은 목표이고 일관성은 그 목표를 달성하는 데 도움을 주는 수단이다.

09 ⑤ 추세분석 등에의 사용으로 일부 정보는 보고기간 말 후에도 적시성을 잃지 않을 수 있다.

10 ⑤ 한 보고기업 내에서 기간 간 또는 같은 기간 동안에 기업 간, 동일한 항목에 대해 동일한 방법을 적용하는 것은 일관성을 말한다.

11 ② 개념체계는 한국채택국제회계기준의 근간이 될 뿐 동일한 개념은 아니다.

12 ③ 계량화된 정보가 검증가능하기 위해서 단일 점추정치이어야 할 필요는 없다.

13 ② 유용한 재무정보의 질적특성은 재무제표에서 제공되는 재무정보에 적용되며, 그 밖의 방법으로 제공되는 재무정보에도 적용될 수 있다.

14 ② ① 비대칭이란 자산이나 수익을 인식하기 위해서는 부채나 비용을 인식할 때보다 더욱 설득력 있는 증거가 뒷받침되어야 한다는 구조적인 필요성을 말한다. 그러한 비대칭은 유용한 재무정보의 질적특성이 아니다. 그럼에도 불구하고, 나타내고자 하는 바를 충실하게 표현하는 가장 목적적합한 정보를 선택하려는 결정의 결과가 비대칭성이라면, 특정 회계기준에서 비대칭적인 요구사항을 포함할 수도 있다.
③ 신중을 기한다는 것은 자산이나 수익의 과소평가나 부채나 비용의 과대평가를 허용하지 않는다는 것을 의미한다. 그러한 그릇된 평가는 미래기간의 수익이나 비용의 과대평가나 과소평가로 이어질 수 있다.

④ 원가 제약요인을 적용함에 있어서, 회계기준위원회는 특정 정보를 보고하는 효익이 그 정보를 제공하고 사용하는 데 발생한 원가를 정당화할 수 있을 것인지 평가한다. 본질적인 주관성 때문에, 재무정보의 특정 항목 보고의 원가 및 효익에 대한 평가는 개인마다 달라진다.

⑤ 원가는 재무보고로 제공될 수 있는 정보에 대한 포괄적 제약요인이다. 재무정보의 보고에는 원가가 소요되고, 해당 정보 보고의 효익이 그 원가를 정당화한다는 것이 중요하다.

15 ③ 중립적 정보는 목적이 없거나 행동에 대한 영향력이 없는 정보를 의미하지는 않는다.

16 ⑤ 재무제표는 일반적으로 보고기업이 계속기업이며 예측가능한 미래에 영업을 계속할 것이라는 가정하에 작성된다. 따라서 기업이 청산을 하거나 거래를 중단하려는 의도가 없으며, 그럴 필요도 없다고 가정한다. 만약 그러한 의도나 필요가 있다면, 재무제표는 계속기업과는 다른 기준에 따라 작성되어야 한다. 그러한 경우라면, 사용된 기준을 재무제표에 기술한다.

17 ① 보고기업이 지배-종속관계로 모두 연결되어 있지는 않은 둘 이상 실체들로 구성된다면 그 보고기업의 재무제표를 '결합재무제표'라고 부른다.

18 ④ ① 지출의 발생과 자산의 취득은 밀접하게 관련되어 있으나 양자가 반드시 일치하는 것은 아니다. 따라서 기업이 지출한 경우 이는 미래경제적효익을 추구했다는 증거가 될 수는 있지만, 자산을 취득했다는 확정적인 증거는 될 수 없다. 마찬가지로 관련된 지출이 없더라도 특정 항목이 자산의 정의를 충족하는 것을 배제하지는 않는다.

② 기업은 기업 스스로부터 경제적 효익을 획득하는 권리를 가질 수는 없다.

③ 잠재력이 있기 위해 권리가 경제적 효익을 창출할 것이라고 확신하거나 그 가능성이 높아야 하는 것은 아니다. 권리가 이미 존재하고, 적어도 하나의 상황에서 그 기업을 위해 다른 모든 당사자들에게 이용가능한 경제적 효익을 초과하는 경제적 효익을 창출할 수 있으면 된다. 경제적 효익을 창출할 가능성이 낮더라도 권리가 경제적 자원의 정의를 충족할 수 있고, 따라서 자산이 될 수 있다. 그럼에도 불구하고, 그러한 낮은 가능성은 자산의 인식 여부와 측정방법을 포함하여, 자산과 관련하여 제공해야 할 정보와 그 정보를 제공하는 방법에 대한 결정에 영향을 미칠 수 있다.

⑤ 권리가 기업의 자산이 되기 위해서는, 해당 권리가 그 기업을 위해서 다른 모든 당사자들이 이용가능한 경제적 효익을 초과하는 경제적 효익을 창출할 잠재력이 있어야 한다.

19 ④ 재무자본유지개념을 사용하기 위해서는 특정한 측정기준의 적용을 요구하지 아니하며, 실물자본유지개념은 현행원가기준의 적용을 요구한다.

20 ①

현금 ①	기말현금	B/S	20×1년 말
	2,100,000	자본금 ②	기초현금
			1,000주 × 1,500 = 1,500,000
		자본유지 ③	기말가격 × 기초현금/기초가격 - 기초현금
			4,000 × 1,500,000/3,000 - 1,500,000
			= 500,000
		당기순이익 ④	대차차액
			100,000

> **⚡ Self Study**
>
> 실물자본유지개념에서는 기업의 자산과 부채에 영향을 미치는 모든 가격 변동은 해당 기업의 실물생산능력에 대한 측정치의 변동으로 간주되어 이익이 아니라 자본항목(자본유지조정)으로 처리된다.

21 ②   1) 기말 자산: (100,000 - 40단위 × @2,000) + 40단위 × @3,000 = 140,000
        2) 유지해야 하는 자본: (100,000 ÷ @2,000)단위 × @2,500 = 125,000
        3) 기말 자본유지조정: 125,000 - 100,000 = 25,000
        4) 이익: 140,000 - 125,000 = 15,000

22 ②   1) 자본의 개념

구분	재무적 개념	실물적 개념
정의	투자된 화폐액/구매력	기업의 생산능력
정보이용자의 주요 관심	명목상 투하자본 or 투하자본의 구매력 유지	기업의 조업능력 유지
측정기준	특정되지 않음	현행원가

        2) 가격 변동효과의 처리

가격 변동효과	재무적 개념		실물자본
	명목화폐단위	불변구매력단위	
일반물가수준변동분	이익처리	자본유지조정	자본유지조정
일반물가수준변동 초과분	이익처리	이익처리	자본유지조정

       ● 재무자본유지개념은 사용을 위한 측정기준을 특정하고 있지 않다.

23 ⑤   계약의 모든 조건(명시적 또는 암묵적)은 실질이 없지 않는 한 고려되어야 한다. 암묵적 조건의 예로 법령에 의해 부과된 의무가 포함될 수 있다. 반면에 실질이 없는 조건은 무시된다. 어떠한 조건이 계약의 경제적 측면에서 구별될 수 있는 영향을 미치지 않는다면, 그 조건은 실질이 없다.

24 ①   원가와 수익의 대응은 개념체계의 목적이 아니다. 개념체계는 재무상태표에서 자산, 부채, 자본의 정의를 충족하지 않는 항목의 인식을 허용하지 않는다.

25 ④   부채의 현행원가는 측정일 현재 동등한 부채에 대해 수취할 수 있는 대가에서 그날에 발생할 거래원가를 차감한다.

26 ②   1) 역사적 원가: 100,000 + 20,000 = 120,000
        2) 현행원가: 110,000 + 5,000 = 115,000
        3) 공정가치: 98,000 + 20,000 = 118,000
       ● 역사적 원가 > 공정가치 > 현행원가

27 ⑤   원칙적으로, 한 기간에 기타포괄손익에 포함된 수익과 비용은 미래기간에 기타포괄손익에서 당기손익으로 재분류한다. 이런 경우는 그러한 재분류가 보다 목적적합한 정보를 제공하는 손익계산서가 되거나 미래기간이 기업 재무성과를 보다 충실하게 표현하는 결과를 가져오는 경우이다.

28 ⑤ 경제적 자원은 경제적 효익을 창출할 잠재력을 지닌 권리이다. 경제적 자원이 잠재력을 가지기 위해 권리가 경제적 효익을 창출할 것이라고 확신하거나 그 가능성이 높아야 하는 것은 아니다.

29 ④ 사용가치와 이행가치는 자산을 취득하거나 부채를 인수할 때 발생하는 거래원가를 포함하지 않는다.

30 ⑤ 이행가치는 부채가 이전되거나 협상으로 결제될 때보다는 특히 이행될 경우에 예측가치를 가질 수 있다.

31 ③ 재무제표이용자들에게 자산이나 부채 그리고 이에 따른 결과로 발생하는 수익, 비용 또는 자본변동에 대한 목적적합한 정보와 충실한 표현을 모두 제공하는 경우 자산이나 부채를 인식한다.

32 ①

구분	내용		비고
관측가능한 시장 존재 ○	1순위: 주된 시장		거래의 규모와 빈도가 가장 큰 시장
	2순위: 가장 유리한 시장		수취할 금액 - 거래원가 - 운송원가를 고려하여 가장 유리한 시장 판단. 단, 공정가치측정 시는 운송원가만 차감

* 거래원가는 가장 유리한 시장을 판단하는 경우에만 고려하고 공정가치를 측정할 때에는 거래원가를 차감하지 않는다.

33 ③ 현금흐름위험회피 파생상품평가손익은 위험회피대상이 당기손익에 영향을 미칠 때 당기손익으로 재분류조정된다.

34 ② 유동부채로 분류해야 하는 항목을 비유동부채로 분류할 수 있으려면 보고기간 말 이전에 채권자가 약정위반을 이유로 상환을 요구하지 않기로 합의하여야만 비유동부채로 분류할 수 있다.

35 ① 재고자산에 대한 재고자산평가충당금과 매출채권에 대한 손실충당금과 같은 평가충당금을 차감하여 관련 자산을 순액으로 측정하는 것은 상계표시에 해당하지 않는다.

36 ④ 영업이익 산정에 포함된 항목 이외에도 기업의 고유 영업환경을 반영하는 그 밖의 수익 또는 비용 항목은 영업이익에 추가하여 별도의 영업성과 측정치를 산정하여 조정영업이익으로 주석에 공시할 수 있다.

37 ④

구분	내용	재분류 시기
재분류 조정 ○	FVOCI금융자산(채무상품)에 대한 투자에서 발생한 손익	처분 시
	해외사업장의 환산차이	해외사업장 매각 시
	현금흐름위험회피수단 평가손익	예상거래가 당기손익 인식 시
재분류 조정 ×	순확정급여부채(자산)의 재측정요소	해당사항 없음
	유형·무형자산의 재평가잉여금의 변동손익	
	FVOCI금융자산(지분상품)에 대한 투자에서 발생한 손익	
	FVPL금융부채(지정)의 신용위험 변동으로 인한 공정가치 변동손익	

❿ 확정급여제도의 재측정요소는 재분류조정이 되는 기타포괄손익이 아니다.

38 ② 보고기간 말 이후에 상환을 요구하지 않기로 합의하는 경우는 수정을 요하지 않는 보고기간후사건에 해당하여 유동부채로 분류한다.

39 ② 나. 법률적 형식은 자산과 부채의 정의를 충족하기 위한 필수적 요건이 아니다.
　　라. 청산기업 가정에 의하여 재무제표를 작성하여야 한다.

40 ① ② 각각의 재무제표는 전체 재무제표에서 동일한 비중으로 표시한다.
③ 중요하지 않은 항목이라도 성격이나 기능이 유사한 항목과 통합하여 표시할 수 있다.
④ 동일 거래에서 발생하는 수익과 관련 비용의 상계표시가 거래나 그 밖의 사건의 실질을 반영하는 경우 그러한 거래의 결과는 상계하여 표시할 수 있다.
⑤ 공시나 주석 또는 보충 자료를 통해 충분히 설명한다면 부적절한 회계정책도 정당화될 수 없다.

41 ② 계속기업의 가정이 적절한지의 여부를 평가할 때 기업이 상당 기간 계속 사업이익을 보고하였고 보고기간 말 현재 경영에 필요한 재무자원을 확보하고 있는 경우에는, 자세한 분석 없이 계속기업을 전제로 한 회계 처리가 적절하다는 결론을 내릴 수 있다.

42 ③ 비용의 기능별 분류 정보가 비용의 성격에 대한 정보보다 미래현금흐름을 예측하는 데 유용하지 않다.

43 ① ② 한국채택국제회계기준은 재무제표 이외에 연차보고서 및 감독기구 제출서류에는 적용할 수 없다.
③ 서술형 정보의 경우에는 당기 재무제표를 이해하는 데 목적적합하다면 비교정보를 포함한다.
④ 재무상태표에 자산과 부채는 유동자산과 비유동자산, 그리고 유동부채와 비유동부채를 구분하여 표시하며, 유동성순서에 따른 표시방법은 허용한다.
⑤ 한국채택국제회계기준의 요구에 따라 공시되는 정보가 중요하지 않다면 공시하지 않는다.

관련 유형 연습

01 ⑤ 회계원칙은 논리적 추론과정을 거쳐 회계원칙을 도출하는 연역적 방법뿐만 아니라 관찰된 사실을 기반으로 하는 회계원칙을 설정하는 귀납적 방법으로도 형성된다.

02 ⑤ 일반목적재무보고는 현재 및 잠재적 투자자, 대여자 및 기타 채권자를 주요 정보이용자로 보고 있다.

03 ④ 재무보고서는 모든 정보이용자의 이해를 위해 작성될 수는 없다.

04 ④ ① 가장 효율적이고 효과적인 일반적 절차를 제시하고 있다.
② 일관성은 수단이고, 비교가능성은 그 목표이다.
③ 사용되는 절차의 선택과 적용 시 절차상 오류가 없음을 의미하므로 충실한 표현이란 모든 측면에서 정확함을 의미하는 것은 아니다.
⑤ 모든 수준의 정보이용자들이 자력으로 이해할 수 있도록 작성되지 않는다.

05 ② 현행가치측정치는 측정일의 조건을 반영하기 위해 갱신된 정보를 사용하여 자산, 부채 및 관련 수익과 비용의 화폐적 정보를 제공한다. 이러한 갱신에 따라 자산과 부채의 현행가치는 이전 측정일 이후의 변동, 즉 현행가치에 반영되는 현금흐름과 그 밖의 요소의 추정치의 변동을 반영한다.

06 ⑤ 일반목적재무제표는 기업의 가치를 보여주도록 설계되지 않았기 때문에 자본의 총장부금액은 일반적으로 다음과 동일하지 않을 것이다.
㉠ 기업의 사문정구권에 대한 시가총액
㉡ 계속기업을 전제로 하여 기업 전체를 매각하여 조달할 수 있는 금액
㉢ 기업의 모든 자산을 매각하고 모든 부채를 상환하여 조달할 수 있는 금액

07 ① 1) 시장 A가 주된 시장인 경우 공정가치: 260 - 20 = 240
2) 시장 B가 주된 시장인 경우 공정가치: 250 - 20 = 230
3) 주된 시장이 없는 경우
   (1) 가장 유리한 시장은 시장 B(자산으로 수취할 순금액이 시장 A보다 크다)
      ① 시장 A에서 자산으로 수취할 순금액: 260 - 30 - 20 = 210
      ② 시장 B에서 자산으로 수취할 순금액: 250 - 10 - 20 = 220
   (2) 공정가치: 250 - 20 = 230

08 ⑤ 미래현금흐름 예측 목적으로는 성격별 정보가 더 유용하다. 그렇기 때문에 비용을 기능별로 분류하는 경우에는 성격별 분류에 따른 정보를 추가로 주석 공시한다. 그러나 성격별로 분류하는 경우에는 추가적인 공시가 필요 없다.

09 ⑤ 이연법인세자산(부채)은 비유동자산(부채)으로 분류한다.

10 ⑤ ① 유동, 비유동 구분하여 표시하지 않고 유동성 순서에 따라 표시할 수도 있다.
② 포괄손익계산서와 재무상태표를 연결시키는 역할은 총포괄이익이다.
③ 손익계산서와 포괄손익계산서로 작성되는 두 개의 보고서도 작성가능하다.
④ 당기손익으로 재분류도 가능하다.

11 ② 매출액 300,000 - 매출원가 128,000 - 손상차손 4,000 - 급여 30,000 - 감가상각비 3,000
- 임차료 20,000 = 115,000

12 ⑤ 중요한 오류의 수정효과는 전기이월이익잉여금에 반영하여 소급 수정한다.

실력 점검 퀴즈

01 ③ 개념체계는 재무제표의 작성자가 한국채택국제회계기준을 해석 적용하여 재무제표를 작성 공시하거나, 특정한 거래나 사건에 대한 회계기준이 미비된 경우에 적용할 수 있는 지침을 제공할 뿐 구체적인 회계처리 방법을 제공하는 것은 아니다.

02 ④ 감독당국이나 투자자, 대여자 및 기타 채권자가 아닌 일반대중은 일반목적재무보고서의 주요 대상이 아니다.

03 ③ 공통된 정보 수요에 초점을 맞추기 위해서 주요 이용자의 특정한 일부에게 가장 유용한 추가적인 정보가 배제되어야 하는 것은 아니다.

04 ② 이용자가 과거, 현재 또는 미래의 사건을 평가하거나 과거의 평가를 수정하도록 도와준다면 확인가치를 갖는다.

05 ④ 정보이용자들이 미래 결과를 예측하기 위해 사용하는 절차의 투입요소로 재무정보가 사용될 수 있다면, 그 재무정보는 예측가치를 갖는다. 재무정보가 예측가치를 갖기 위해서 그 자체가 예측치 또는 예상치일 필요는 없다. 예측가치를 갖는 재무정보는 정보이용자 자신이 예측하는 데 사용된다.

06 ④ 충실한 표현은 모든 면에서 정확한 것을 의미하지는 않는다.

07 ② 일관성에 대한 설명이다.

08 ③ 기업이 채택한 회계정책이 목적적합성과 표현의 충실성인 질적특성이 확보되지 않았는데도 특정 거래나 그 밖의 사건에 대해 동일한 방법으로 계속 회계처리하는 것은 적절하지 않다. 또한 목적적합성과 표현의 충실성을 제고할 수 있는 대체적 방법이 있음에도 기존의 회계정책을 유지하는 것도 적절하지 않다.

09 ④ ① 물리적 형태는 자산의 정의에 있어서 필수적이지 않다.
② 소유권은 자산의 존재를 판단함에 있어서 필수적이지 않다.
③ 현금 지출 여부는 자산의 정의에 있어서 필수적이지 않다.
⑤ 현금유출을 감소시키는 능력도 자산과 관련된 미래경제적효익과 관련이 있다.

10 ② 부채는 현재시점에서 상환하는 경우 유출되는 현금이나 현금성자산의 할인하지 아니한 금액으로 평가한다.

11 ⑤ 자산과 부채에 대한 재평가 또는 재작성은 자본의 증가나 감소를 초래한다. 이와 같은 자본의 증가 또는 감소는 수익과 비용의 정의에 부합하지만, 이 항목들은 특정 자본유지개념에 따라 포괄손익계산서에는 포함하지 아니한다. 그 대신 자본유지조정 또는 재평가적립금으로 자본에 포함한다.

12 ① 비용으로 인식하는 회계처리는 경영진이 그 지출과 관련하여 미래경제적효익을 창출하려는 의도가 없었거나 의사결정이 잘못되었다는 것을 의미하지는 않는다. 이는 단지 당해 회계기간 후 관련된 경제적 효익이 기업에 유입될 가능성의 정도가 자산의 인식을 정당화하기에는 불충분하다는 것을 의미할 뿐이다.

13 ③ 공통된 정보 수요에 초점을 맞추기 위해 보고기업으로 하여금 주요 이용자의 특정한 일부에게만 가장 유용한 추가적인 정보를 포함하지 못하게 하는 것이 정당화될 수 없다.

14 ⑤ ① 보고기업의 경제적 자원과 청구권의 성격 및 금액에 대한 정보는 정보이용자가 보고기업의 유동성과 지급능력, 추가적인 자금조달의 필요성 및 그 자금조달이 얼마나 성공적일지를 평가하는 데 도움을 줄 수 있다.
② 재무보고서에는 보고기업에 대한 경영진의 기대 및 전략과 기타 유형의 미래전망 정보에 대한 설명 자료가 포함되어 있다.
③ 일정한 기간 동안의 보고기업의 현금흐름에 대한 정보는 정보이용자가 기업의 미래 순현금유입 창출 능력을 평가하는 데 도움이 된다.
④ 목적적합한 재무정보는 정보이용자가 해당 정보를 다른 원천을 통하여 이미 이를 알고 있는 경우에도 의사결정에 차이가 나도록 할 수 있다.

15 ⑤ 원가 제약요인을 적용함에 있어서, 회계기준위원회는 특정 정보를 보고하는 효익이 그 정보를 제공하고 사용하는 데 발생한 원가를 정당화할 수 있을 것인지 평가한다.

16 ④ 기업이 상당 기간 당기순이익(중단영업이익 포함)을 보고하였고, 보고기간 말 현재 경영에 필요한 재무자원을 확보하고 있는 경우에는 자세한 분석이 없이도 계속기업을 전제로 한 회계처리가 적절하다는 결론을 내릴 수 있다.

17 ② ① 재무자본유지는 명목화폐단위 또는 불변구매력단위로 측정하여야 한다.
③ 실물자본유지개념을 사용하기 위해서는 순자산을 현행원가기준에 따라 측정해야 한다.
④ 실물자본유지개념하에서 기업의 자산과 부채에 영향을 미치는 모든 가격변동은 해당 기업의 실물생산
능력에 대한 측정치의 변동으로 간주되어 자본의 일부인 자본유지조정으로 처리된다.
⑤ 초인플레이션하에 있는 통화로 보고해야 하는 기업의 경우에는 불변구매력자본을 이용하여 재무제표를
작성하여야 한다.

18 ③ 당기순손익에 기타포괄손익을 가감하여 산출한 포괄손익의 내용은 포괄손익계산서의 본문에 표시하며, 이
경우 기타포괄손익의 각 항목에 관련된 법인세효과가 있다면 그 금액을 차감한 후의 금액으로 표시할 수도
있고, 차감하는 형식으로 표시할 수도 있다.

19 ④

B/S				명목화폐	불변구매력화폐	실물자본
현금	15,000	기초자본금	10,000	10,000	10,000	10,000
		자본유지조정		–	2,000	4,000
		이익		5,000	3,000	1,000

20 ③ 한국채택국제회계기준을 준수하여 재무제표를 작성하는 기업은 그러한 준수 사실을 주석에 명시적으로 제
한 없이 기재하여야 하며, 재무제표가 한국채택국제회계기준의 요구사항을 모두 충족한 경우가 아니라면
한국채택국제회계기준을 준수하여 작성되었다고 기재하여서는 안 된다.

21 ② 기업은 현금흐름 정보를 제외하고 발생기준회계를 사용하여 재무제표를 작성한다.

22 ③ 유동자산은 ⊙ 기업의 정상영업주기 내에 실현될 것으로 예상하거나, 정상영업주기 내에 판매하거나 소비
할 의도가 있는 자산, ⓒ 단기매매 목적으로 보유하고 있는 자산, ⓒ 보고기간 후 12개월 이내에 실현될
것으로 예상되는 자산과 ② 현금이나 현금성자산으로서, 교환이나 부채 상환 목적으로의 사용에 대한 제한
기간이 보고기간 후 12개월 이상이 아닌 자산을 말하며 이를 제외한 모든 자산은 비유동자산으로 분류한다.

23 ② 보고기간 후 12개월 이내에 결제일이 도래하는 경우에 보고기간 후 재무제표 발행승인일 전에 장기로 차환
하는 약정 또는 지급기일을 장기로 재조정하는 약정이 체결되어도 한국채택국제회계기준 제1010호 '보고
기간후사건'에 따라 이를 유동부채로 분류한다.

24 ② 수익과 비용의 어느 항목도 당기손익과 기타포괄손익을 표시하는 보고서 또는 주석에 특별손익의 항목으로
표시할 수 없다.

25 ③ 일부 기타포괄손익은 재분류하지 않고 이익잉여금으로 대체한다.

26 ① 기준서 제1113호에서는 공정가치를 측정일에 시장참여자 사이의 정상거래에서 자산을 매도하면서 수취하
거나 부채를 이전하면서 지급하게 될 가격인 유출가격으로 정의한다.

기초 유형 확인

01 ③ 선적지인도조건으로 매입하여 아직 도착하지 못한 상품과 도착지인도조건으로 판매하여 아직 도착하지 못한 상품은 모두 기말 창고에 존재하는 재고자산에 가산한다.

02 ① 미인도청구판매분은 기말 실사 재고자산에서 차감한다. 또한 반품조건부 판매의 경우 반품률을 합리적으로 추정할 수 없더라도 이를 반환재고회수권이라는 별도의 자산으로 기재하고 재고자산으로 보지 않는다. 그러므로 반품조건부 판매의 경우 기말재고자산에 가감할 금액은 없다.

03 ⑤ 차입금으로 담보를 제공하였어도 담보권이 실행되기 전까지는 회사의 재고자산이고, 현재 창고에 보관 중이므로 별도로 고려할 사항은 없다. 재매입약정 판매의 경우 현재 기업이 동 거래로 손해를 보고 행사할 가능성이 높으므로 금융약정으로 보아 해당 재고자산의 원가에 해당하는 금액을 기말재고자산에 가산하여야 한다.

04 ④ 1) 평균단가
    (1) 2월 28일: (200개 × 1,100 + 2,400개 × 1,230) ÷ (200 + 2,400)개 = @1,220
    (2) 8월 20일: (600개 × 1,220 + 2,600개 × 1,300) ÷ (600 + 2,600)개 = @1,285
  2) 매출원가: 2,000개 × @1,220 + 1,500개 × @1,285 = 4,367,500

05 ⑤ 1) 평균단가: (220,000 + 2,952,000 + 3,380,000) ÷ (200 + 2,400 + 2,600)개 = @1,260
  2) 매출원가: (2,000 + 1,500)개 × @1,260 = 4,410,000

06 ③ 매출원가: 220,000 + 2,952,000 + 900개 × @1,300 = 4,342,000

07 ① 1) 감모손실: (1,700 - 1,500)개 × @1,260 = 252,000
  2) 기말재고자산: Min[1,260, 1,000] × 1,500개 = 1,500,000
  3) 매출원가: 220,000 + 6,332,000 - 252,000 - 1,500,000 = 4,800,000

08 ② 매출원가: (220,000 - 20,000) + 6,332,000 - 252,000 - 1,500,000 = 4,780,000

09 ④ 평가손실(20×1년 말 재고자산평가충당금): 189,000
  1) 제품: 370개 × (4,000 - 3,600) = 148,000
  2) 재공품: 50개 × (1,500 - 1,400) = 5,000
  3) 원재료: 180개 × (1,000 - 800) = 36,000(관련 제품 저가법 적용으로 원재료도 저가법 적용)

10 ② 1) 20×2년 말 재고자산평가충당금
    (1) 제품
      ① 확정판매계약: 200개 × [5,000 - (4,500 - 200)] = 140,000

② 확정판매계약 초과분: 저가법 적용대상 아님
(2) 재공품: 20개 × (1,400 - 1,100) = 6,000
(3) 원재료: 생산된 제품(확정판매계약 초과분)이 저가법 평가대상이 아니므로 원재료도 저가법 적용대상 아님
2) 재고자산평가손실환입: 146,000 - 189,000 = (-)43,000 환입

11 ② 1) 매출액: 15,000 + 510,000$^{1)}$ = 525,000
$^{1)}$ 매출채권 T계정: 20,000 + 외상매출 = 500,000 + 30,000, 외상매출: 510,000
2) 매입: 10,000 + 490,000$^{2)}$ + 6,000(선적지인도조건 미기록) = 506,000
$^{2)}$ 매입채무 T계정: 30,000 + 외상매입 = 500,000 + 20,000, 외상매입: 490,000
3) 기말재고: 10,000 + 506,000 - 525,000/1.25 = 96,000
4) 재해손실액: 96,000 - 6,000(미착상품) - Min[40,000, 8,000] - Min[20,000, 30,000] = 62,000

12 ④ 1) T계정 분석

기초재고자산 원가	① 10,000
당기매입액(총액) 원가	② 120,000

상품(원가)				상품(매가)			
기초재고	?	매출원가	?	기초재고	40,000	총매출액	120,000
총매입액	?			총매입액	210,000	매출에누리 등	(-)20,000
매입할인 등	(-)4,000	기말재고	?	매입환출	(-)5,000	종업원할인	2,000
비정상파손	(-)6,000			순인상액	22,000	정상파손	4,000
				순인하액	(-)15,000		
				비정상파손	(-)12,000	기말재고(역산)	134,000
					240,000		240,000

(1) 판매가능재고자산 원가: 240,000 × 50% = 120,000
(2) 당기매입재고자산 원가: (240,000 - 40,000) × 55% = 110,000
(3) 기초재고자산 원가: 120,000 - 110,000 = 10,000
(4) 당기매입액(총액) 원가: 120,000 - 10,000 + 4,000 + 6,000 = 120,000
2) 저가기준 선입선출법
(1) 원가율: 110,000 ÷ (240,000 - 40,000 + 15,000) = 51%
(2) 매출원가: 120,000 - 134,000 × 51% = 51,660

13 ②

20×1년 9월	차)	수확물(사과)$^{1)}$	600,000	대)	평가이익	600,000
	차)	수확비용	20,000	대)	현금	20,000
20×1년 10월	차)	현금	400,000	대)	매출	400,000
	차)	매출원가	300,000	대)	수확물(사과)	300,000
	차)	판매비용	10,000	대)	현금	10,000
20×1년 말	차)	생물자산(자라나는 사과)$^{2)}$	200,000	대)	평가이익	200,000
	차)	생산용식물(사과나무) 감가상각비$^{3)}$	10,000	대)	감가상각누계액	10,000

$^{1)}$ 20박스 × @30,000 = 600,000, 생물자산에서 수확된 수확물은 수확시점에 순공정가치로 측정한다.
$^{2)}$ 생물자산은 살아있는 동물이나 식물을 말하며, 생산용식물에서 자라는 생산물을 포함한다. 그러므로 기말에 순공정가치로 평가하여야 한다.
$^{3)}$ (50,000 - 0)/5년 = 10,000

○ 이미 수확하여 보유하는 사과 10박스는 재고자산으로 처리하여 저가법을 적용하므로 평가이익은 인식하지 않는다.

∴ 당기순이익에 미치는 영향: 600,000 - 20,000 + 400,000 - 300,000 - 10,000 + 200,000 - 10,000
= 860,000

기출 유형 정리

01 ④ 1) 당기매입

구분	금액
조정 전 당기매입	500,000
매입운임(선적지인도조건)	15,000
보험료	2,000
하역료	3,000
(매입할인)	(2,000)
(매입에누리)	(13,000)
관세납부금	7,000
(관세환급금)	(5,000)
조정 후 당기매입	507,000

2) 매출원가

재고자산

기초재고	1st 120,000	매출원가	대차차액 552,000
당기매입	2nd 507,000	기말재고	3rd 75,000

02 ⑤ 1) 재고자산 조정

구분(판단순서)	1st In 창고?	→	2nd My 재고	→	기말 B/S 재고 가산·차감
판매자 보관재고	×	→	○	→	+ 10,000
위탁판매(미판매분)	×	→	○	→	+ 20,000
선적지인도조건(매입)	×	→	○	→	+ 80,000
인도결제판매조건	×	→	○	→	+ 30,000
합계					140,000

2) 기말재고자산: 창고보관재고 600,000 + 재고자산 조정 140,000 = 740,000

⚡ Self Study

인도결제판매조건의 경우 대금을 판매자, 중개업자 둘 중 하나라도 회수하여 수행의무가 완료되지 않으면 수익을 인식하지 않는다.

03 ③ 1) 재고자산 조정

구분(판단순서)	1st In 창고?	→	2nd My 재고	→	기말 B/S 재고 가산·차감
시송품(매입의사 ×)	×	→	○	→	+ 80,000
담보제공(기말재고 포함 ×)	×	→	○	→	+ 80,000
위탁판매(미판매분)	×	→	○	→	+ 40,000
도착지인도조건(미도착)	×	→	×	→	-
합계					200,000

2) 기말재고자산: 창고보관재고 100,000 + 재고자산 조정 200,000 = 300,000

04 ④ 1) 재고자산 조정

구분(판단순서)	1st In 창고?	→	2nd My 재고	→	기말 B/S 재고 가산·차감
선적지인도조건 구입	×	→	○	→	+ 200,000
도착지인도조건 구입	×	→	×	→	-
도착지인도조건 판매	×	→	○	→	+ 400,000
선적지인도조건 판매(미선적)	×	→	○	→	+ 500,000
합계					1,100,000

2) 기말재고자산: 창고보관재고 1,000,000 + 재고자산 조정 1,100,000 = 2,100,000

05 ⑤ 1) 재고자산 조정

구분(판단순서)	1st In 창고?	→	2nd My 재고	→	기말 B/S 재고 가산·차감
장기할부판매	×	→	×	→	-
위탁판매(미판매분 40%)	×	→	○	→	+ 2,000,000 × 40%
재매입약정[1]	×	→	○	→	+ 1,200,000
대금 수령 후 재고완성(미인도)	○	→	○	→	-
합계					2,000,000

[1] 재매입약정 풋옵션: 판매가격 ≤ 재매입가격이고, 재매입시점의 재매입가격 ≥ 예상시장가치이면 금융약정으로 본다.

2) 기말재고자산: 창고보관재고 5,000,000 + 재고자산 조정 2,000,000 = 7,000,000

06 ④ 1) 재고자산 조정

구분(판단순서)	1st In 창고?	→	2nd My 재고	→	기말 B/S 재고 가산·차감
재매입약정 판매[1]	×	→	×	→	-
재매입약정 구입[2]	○	→	×	→	- 150,000
반품조건부 판매[3]	×	→	×	→	-
합계					- 150,000

[1] 반품권이 있는 판매로 재고자산을 전액 제거한다.
[2] 금융약정에 해당한다.
[3] 반품률을 추정할 수 있는 경우 반품률만큼 매출원가와 매출을 취소하지만, 이와 관련된 재고자산은 기말재고자산으로 인식하지 않고 반환재고회수권으로 인식한다.

2) 기말재고자산: 창고보관재고 1,000,000 + 재고자산 조정 (150,000) = 850,000

⚡ Self Study

1. 매출총이익률: 매출 × (1 - 매출총이익률) = 매출원가
2. 원가가산율: 매출/(1 + 원가가산율) = 매출원가

07 ③ 기말상품재고액: 2,000,000 + 250,000 - 110,000 + 80,000 + 500,000 × (1 - 80%) + 50,000 × (10 - 6)개
= 2,520,000

08 ③ 1) 재고자산 조정

구분(판단순서)	1st In 창고?	→	2nd My 재고	→	기말 B/S 재고 가산·차감
수탁상품(미판매분)	○	→	×	→	- (100,000 - 20,000)
할부판매	×	→	×	→	-
위탁판매(미판매분)	×	→	○	→	+ 200,000 × (1 - 60%)
선적지인도조건 매입분	×	→	○	→	+ 100,000
재매입약정 판매[1]	×	→	○	→	+ 50,000
합계					150,000

[1] 재매입약정 판매이고 별도의 언급이 없으므로 금융약정으로 본다.

2) 기말상품재고액: 1,500,000 + 150,000 = 1,650,000

09 ⑤ <실지재고조사법하의 평균법(총평균법): 기말에 한 번만 평균단가 계산>
1) 평균단가: (5,000 + 13,000 + 15,000 + 3,850)/550개 = @67
2) 매출원가: 300개 × @67 = 20,100
 * 총평균법의 경우 매출 후 매입분도 매출원가 계산 시 고려된다.
<계속기록법하의 평균법(이동평균법): 매출이 발생할 때마다 평균단가 재계산>
1) 평균단가
 (1) 5/1 매출분: (5,000 + 13,000)/300개 = @60
 (2) 9/1 매출분: (100개 × @60 + 200개 × @75)/300개 = @70
2) 매출원가: 200개 × @60 + 100개 × @70 = 19,000

> **⚡ Self Study**
>
> If 1. 평균법하에서 실지재고조사법과 계속기록법 가정으로 기말재고자산을 각각 계산하면 얼마인가?
> 1) 총평균법: (5,000 + 13,000 + 15,000 + 3,850) - 20,100 = 16,750
> 2) 이동평균법: (5,000 + 13,000 + 15,000 + 3,850) - 19,000 = 17,850
> If 2. 선입선출법하에서 기말재고는 얼마인가?
> → 기말재고(250개): 15,000(7/1 매입분: 200개) + 3,850(10/1 매입분: 50개) = 18,850

10 ③ 후속 생산단계에 투입하기 전에 보관이 필요한 경우 이외의 보관원가는 당기비용처리한다.

11 ③ 1) 판매가능재고자산: 0 + 200단위 × @1,000 + 200단위 × @2,000 = 600,000
2) 비정상감모: [(50 - 30)개 × @1,000 + (100 - 70)개 × @2,000] × (1 - 70%) = 24,000
3) 기말재고자산(감모, 평가충당금 제외)
 : (30 - 20)개 × 1,000 + 20개 × Min[1,000, 900] + 70개 × Min[2,000, 1,900] = 161,000
4) 매출원가: 600,000 - 24,000 - 161,000 = 415,000

12 ② 1) 매출: 300개 × @600 + 200개 × @500 = 280,000
2) 평균단가
 (1) 7/1: (100개 × @300 + 400개 × @400)/500개 = @380
 (2) 10/1: (200개 × @380 + 100개 × @500)/300개 = @420

3) 매출원가: 206,000

재고자산

기초재고	순액(= 기초취득가 − 기초평가충당금)	당기판매	대차차액
	100개 × @300 − 4,000 = 26,000	정상감모	(장부 − 실제수량) × 취득가 × 정상감모비율
		평가손실	실제수량 × (취득가 − NRV)
		비정상감모	(장부 − 실제수량) × 취득가 × 비정상감모비율
당기매입	문제 제시	기말재고	실제수량 × Min[NRV, 취득원가]
	400개 × @400 + 100개 × @500 = 210,000		100개 × Min[@300, @420] = 30,000

4) 매출총이익: 280,000 − 206,000 = 74,000

13 ①

재고자산

기초재고	순액(= 기초취득가 − 기초평가충당금)	당기판매	대차차액
	200,000 − 40,000 = 160,000	평가손실	실제수량 × (취득가 − NRV)
		감모손실	(장부 − 실제수량) × 취득가
			(200 − 190)단위 × 2,200 = 22,000
당기매입	문제 제시	기말재고	실제수량 × Min[NRV, 취득원가]
	1,600,000		190단위 × Min[1,900, 2,200] = 361,000

➡ 매출원가(감모 제외, 평가손실 포함 가정): 기초재고 + 당기매입 − 기말재고 − 감모손실
= 160,000 + 1,600,000 − 361,000 − 22,000 = 1,377,000

14 ④
1) 감모손실: 20,000
   (1) 원재료: (500 − 400) × 50 = 5,000
   (2) 제품: (200 − 150) × 300 = 15,000
2) 평가충당금환입: (3,000)
   (1) 기말평가충당금: 0(관련 제품이 저가법 적용대상이 아니므로 원재료도 저가법 적용 ×)
   (2) 평가충당금환입: 0 − 3,000(기초평가충당금) = (3,000)

➡ 매출원가 17,000 가산

15 ③
1) 20×1년 말 기말재고 : 실제수량 × Min[취득원가, NRV]
   (1) A: 900개 × Min[100, 110] = 90,000
   (2) B: 350개 × Min[200, 180] = 63,000
   (3) C: 500개 × Min[250, 220] = 110,000
   ➡ 20×1년 말 기말재고: 90,000 + 63,000 + 110,000 = 263,000

2) 20×1년 매출원가

재고자산

기초재고	485,000	당기판매	
		정상감모	
		평가손실	
		비정상감모	
당기매입	4,000,000	기말재고	263,000

➡ 매출원가(감모손실, 평가손실 포함): 485,000 + 4,000,000 − 263,000 = 4,222,000

16 ④　1) 제품

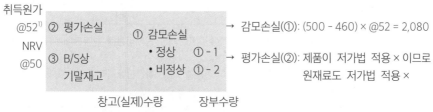

　　　취득원가
　　　@300[1)]　② 평가손실　　① 감모손실　　→ 감모손실(①): (200 - 150) × @300 = 15,000

　　　NRV
　　　@320　③ B/S상　　　• 정상　　①-1　→ 평가손실(②): 취득원가 < NRV이므로 저가법 적용 ×
　　　　　　기말재고　　• 비정상　①-2

　　　　　　창고(실제)수량　　　장부수량
　　　　　= 실지재고조사법　　= 계속기록법
　　　　　　　150단위　　　　　200단위

　　[1)] 단위당 취득원가: (100,000 + 200,000)/1,000단위 = @300

　　2) 원재료

　　　취득원가
　　　@52[1)]　② 평가손실　　① 감모손실　　→ 감모손실(①): (500 - 460) × @52 = 2,080

　　　NRV
　　　@50　③ B/S상　　　• 정상　　①-1　→ 평가손실(②): 제품이 저가법 적용 × 이므로
　　　　　　기말재고　　• 비정상　①-2　　　　　　　　　원재료도 저가법 적용 ×

　　　　　　창고(실제)수량　　　장부수량
　　　　　= 실지재고조사법　　= 계속기록법
　　　　　　　460단위　　　　　500단위

　　[1)] 단위당 취득원가: (25,000 + 27,000)/1,000단위 = @52

　　◐ 20×1년도 평가손실과 감모손실 합계: 15,000 + 2,080 + 0 + 0 = 17,080

17 ①　1) 평균단위원가
　　　(1) 8월 1일: (100개 × @300 + 200개 × @400 + 200개 × @300) ÷ 500개 = @340
　　　(2) 10월 1일: (300개 × @340 + 100개 × @200) ÷ 400개 = @305
　　　(3) 12월 15일: (200개 × @305 + 100개 × @200) ÷ 300개 = @270
　　2) 20×1년 말 평가손실(평가충당금): @(270 - 200) × 300개 = 21,000

18 ③　1) 종목별 저가법 적용 판단(취득가액 > NRV) 및 단위당 평가손실

종목	취득원가		NRV		단위당 평가손실
상품 A	150	>	160 - 20 = 140	→	(10)
상품 B					
• 확정판매계약(50%)	200	>	190	→	(10)
• 초과수량(50%)	200	<	230 - 20 = 210	→	-
상품 C					
• 확정판매계약(50%)	250	>	230	→	(20)
• 초과수량(50%)	250	>	260 - 20 = 240	→	(10)

2) 20×1년 평가손실

종목	평가손실 계상
상품 A	@(10) × 100개 = (1,000)
상품 B	
• 확정판매계약(50%)	@(10) × 200개 × 50% = (1,000)
• 초과수량(50%)	저가법 적용대상 아님
상품 C	
• 확정판매계약(50%)	@(20) × 300개 × 50% = (3,000)
• 초과수량(50%)	@(10) × 300개 × 50% = (1,500)
합계	(6,500)

💡 Self Study

1. 확정판매계약에서도 판매비용이 발생한다면, 해당 판매비용을 확정판매계약가격에서 차감한 금액을 순실현가능가치로 한다.
2. 확정판매계약을 초과하는 재고수량이 존재할 때는, 확정판매계약수량과 초과수량에 대해 각각 저가법을 적용하여야 한다.

19 ⑤

12/31 회사장부상 재고	≠ →	12/31 실제창고재고	≠ →	12/31 B/S재고
계속기록법	(-)	실지재고조사법	(-)	155,000
× ×	감모손실	150,000	평가손실 (35,000)	
	• 정상: (5,000)		(±)	
	• 비정상: (8,000)		차이조정 40,000	

1) 재고자산 조정

구분(판단순서)	1st In 창고?	→	2nd My 재고	→	기말 B/S 재고 가산·차감
위탁판매(미판매분 25%)	×	→	○	→	+ 100,000 × 25%
재구매조건부 판매	×	→	○	→	+ 15,000
합계					40,000

2) 20×1년 비용총액

재고자산

기초재고	순액(= 기초취득가 – 기초평가충당금)	당기판매	대차차액
	70,000	정상감모	(장부 – 실제수량) × 취득가 × 정상감모비율
		평가손실	실제수량 × (취득가 – NRV)
		비정상감모	(장부 – 실제수량) × 취득가 × 비정상감모비율
당기매입	580,000	기말재고	실제수량 × Min[NRV, 취득원가]
			155,000

❍ 재고자산으로 인한 비용 합계: 기초재고 70,000 + 당기매입 580,000 - 기말재고 155,000 = 495,000

20 ② [1st 평균 취득단가]

당기매입분: @1,250(선입선출법 적용으로 기말재고는 당기매입분으로만 구성)

[2nd 감모손실과 평가손실]

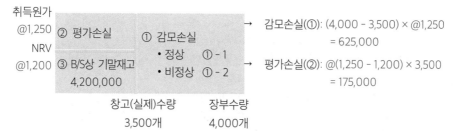

취득원가
@1,250 ② 평가손실 ① 감모손실 → 감모손실(①): (4,000 - 3,500) × @1,250
NRV   • 정상   ① - 1   = 625,000
@1,200 ③ B/S상 기말재고 • 비정상 ① - 2 → 평가손실(②): @(1,250 - 1,200) × 3,500
        4,200,000   = 175,000

        창고(실제)수량   장부수량
          3,500개   4,000개

[3rd 당기비용 합계]

재고자산

기초재고	순액(= 기초취득가 - 기초평가충당금)	당기판매	
	4,000,000	정상감모	
		평가손실	
		비정상감모	
당기매입	11,500,000	기말재고	실제수량 × Min[NRV, 취득원가]
			4,200,000

❍ 재고자산으로 인한 비용 합계: 기초재고 4,000,000 + 당기매입 11,500,000 - 기말재고 4,200,000 = 11,300,000

[4th 당기손익에 미치는 영향]

매출 15,000,000 - 비용 합계 11,300,000 = 3,700,000

21 ① 1) 항목별기준

(1) 기말재고자산: 110개 × Min[800, 700] + 200개 × Min[1,000, 950] + 280개 × Min[900, 800] +
　　　　　300개 × Min[1,050, 1,150] = 806,000

(2) 매출원가: 855,000 + 7,500,000 - 806,000 = 7,549,000

2) 조별기준

(1) 기말재고자산: Min[(110개 × 800 + 200개 × 1,000), (110개 × 700 + 200개 × 950)] +
　　　　　Min[(280개 × 900 + 300개 × 1,050), (280개 × 800 + 300개 × 1,150)] = 834,000

(2) 매출원가: 855,000 + 7,500,000 - 834,000 = 7,521,000

22 ② 1) 종목별기준 적용 시 기말재고자산: 140개 × Min[1,000, 900] + 180개 × Min[500, 450] + 190개 ×
Min[750, 650] + 400개 × Min[1,200, 1,300] = 810,500

2) 조별기준 적용 시 기말재고자산: Min[(140개 × 1,000 + 180개 × 500), (140개 × 900 + 180개 × 450)] +
Min[(190개 × 750 + 400개 × 1,200), (190개 × 650 + 400개 × 1,300)] = 829,500

3) 조별기준 적용 시 매출원가: 8,000,000 - (829,500 - 810,500) = 7,981,000

23 ④ 기초재고자산 + (800,000 + 60,000 - 10,000) = 989,400(판매에 대한 재고) + 500개 × @900(감모와 평
가손실 포함된 재고)

❍ 기초재고자산: 589,400

24 ⑤　　1) 재고자산평가손실: 7,700

　　　　　(1) 상품 A: 순실현가능가치가 취득원가보다 크므로 저가법 적용대상 아님

　　　　　(2) 상품 B: 200개 × (300 - 280) = 4,000

　　　　　(3) 상품 C: 160개 × (200 - 180) = 3,200

　　　　　(4) 상품 D: 순실현가능가치가 취득원가보다 크므로 저가법 적용대상 아님

　　　　　(5) 상품 E: 50개 × (300 - 290) = 500

　　　　2) 당기순이익에 미친 영향: (-)7,700

25 ②　　1) 판매가능재고자산: 400개 × 250 + 600,000 = 700,000

　　　　2) 비정상감모손실: (650 - 625 - 10) × 350 = 5,250

　　　　3) 기말재고자산: 625 × Min[350, 330] = 206,250

　　　　4) 매출원가: 700,000 - 5,250 - 206,250 = 488,500

26 ④　　1) 판매가능재고자산: 300개 × @100 + 300개 × @120 + 400개 × @130 = 118,000

　　　　2) 단위당 취득원가: 118,000 ÷ 1,000개 = @118

　　　　3) 평가손실: 2,960 = @(118 - 110) × 실제수량, 실제수량: 370

　　　　4) 감모손실과 평가손실을 제외한 기말재고자산: @110 × 370개 = 40,700

　　　　5) 비정상감모손실: (400 - 370)개 × @118 × 20% = 708

　　　　6) 매출원가: 118,000 - 40,700 - 708 = 76,592

27 ④　　1) 기말재고자산의 단위당 취득원가

　　　　　: (100개 × @200 + 200개 × @200 + 200개 × @300) ÷ 500개 = @240

　　　　　* 9월 1일 매입계약은 도착지인도조건으로 매입 후 12월 말 현재까지 운송 중인 상태이므로 당기매입액에 포함하지 않는다.

　　　　2) 기말재고자산의 실제수량: 160개[1]

　　　　　[1] 창고에 보관 중인 재고 300개 - 수탁 중인 재고 200개 × (1 - 20%) + 위탁판매 미판매 재고 20개 = 160개

　　　　3) T계정을 이용한 풀이

재고자산

기초재고	순액(= 기초취득가 - 기초평가충당금)	당기판매	대차차액
	100개 × @200 - 3,000 = 17,000	정상감모 (장부 - 실제수량) × 취득가 × 정상감모비율	
		평가손실　　　　　　실제수량 × (취득가 - NRV)	
		비정상감모 (장부 - 실제수량) × 취득가 × 비정상감모비율	
당기매입	문제 제시	기말재고　　　실제수량 × Min[NRV, 취득원가]	
	200개 × @200 + 200개 × @300 = 100,000	160개 × Min[@240, @200] = 32,000	

　　　　◑ 매출원가: 17,000 + 100,000 - 32,000 = 85,000

28 ③

재고자산

기초	대차차액 390,000	④ 매출원가[1]	840,000 ← ③ 매출(순)
① 매입(순)600,000 - 30,000 = 570,000		⑤ 기말	120,000　　　1,170,000 - 120,000
② 판매가능상품원가	960,000		= 1,050,000

　　　[1] 매출원가: 1,050,000/(1 + 25%) = 840,000

29 ④ 1) 매출총이익률(20×0년 분): 매출총이익 (8,000,000 - 6,400,000)/매출 8,000,000 = 20%

2) 20×1년 1 ~ 6월 매출(전액 외상매출): 현금매출 ± 매출채권 증감액 = 2,800,000

<table>
<tr><th colspan="4">매출채권</th></tr>
<tr><td>기초</td><td>200,000</td><td>회수 · 손상</td><td></td></tr>
<tr><td>외상매출(순)</td><td>대차차액</td><td>기말</td><td></td></tr>
<tr><td></td><td>2,800,000</td><td></td><td></td></tr>
<tr><td>차변 합계</td><td>3,000,000</td><td></td><td></td></tr>
</table>

→ ③ 매출(②) = 현금매출 + 외상매출(순)[1]
　　　　　= 0 + 2,800,000
[1] 에누리 · 환입 · 할인이 고려되었다.

cf. 판매운임 → 판매관리비(비용)로 처리

3) 20×1년 1 ~ 6월 매입(전액 외상매입): 현금매입 ± 매입채무 증감액 = 2,150,000

<table>
<tr><th colspan="4">매입채무</th></tr>
<tr><td>지급</td><td></td><td>기초</td><td>150,000</td></tr>
<tr><td>기말</td><td></td><td>외상매입(순)</td><td>대차차액</td></tr>
<tr><td></td><td></td><td></td><td>2,150,000</td></tr>
<tr><td></td><td></td><td>대변 합계</td><td>2,300,000</td></tr>
</table>

→ 당기매입(①) = 현금매입 + 외상매입(순)[1]
　　　　　　= 0 + 2,150,000
[1] 에누리 · 환출 · 할인이 고려되었다.

4) 재고자산화재손실액

<table>
<tr><th colspan="4">재고자산</th></tr>
<tr><td>기초</td><td>450,000</td><td>④ 매출원가[1]</td><td>2,240,000 ← ③ 매출(순) 2,800,000</td></tr>
<tr><td>① 매입(순)</td><td>2,150,000</td><td>⑤ 기말(손실액)</td><td>대차차액</td></tr>
<tr><td></td><td></td><td></td><td>360,000</td></tr>
<tr><td>② 판매가능상품원가</td><td>2,600,000</td><td></td><td></td></tr>
</table>

[1] 매출원가: 2,800,000 × (1 - 20%) = 2,240,000

30 ①

<table>
<tr><th colspan="4">재고(20×1년)</th><th colspan="4">재고(20×2년)</th></tr>
<tr><td>기초</td><td>700,000</td><td>매출원가</td><td>5,000,000</td><td>기초 ②</td><td>1,300,000</td><td>매출원가[1] ① 6,750,000</td><td>← 매출</td></tr>
<tr><td></td><td></td><td></td><td></td><td></td><td></td><td></td><td>9,000,000</td></tr>
<tr><td>당기매입</td><td>××</td><td>기말 ②</td><td>1,300,000</td><td>당기매입</td><td>7,500,000</td><td>기말 ④</td><td>대차차액</td></tr>
<tr><td></td><td></td><td></td><td></td><td></td><td></td><td></td><td>2,050,000</td></tr>
</table>

[1] 20×2년 매출원가: 9,000,000 × (1 - 25%) = 6,750,000

20×1년 재고자산평균보유기간: 72일

● 재고자산회전율:
매출원가 ÷ [(20×1년 기초재고 + 20×1년 기말재고)/2] = 360(1년 360일 가정)/재고자산평균보유기간
5,000,000 ÷ [(700,000 + 20×1년 기말재고)/2] = 360/72일, 20×1년 기말재고 = 1,300,000

31 ① 1) 20×1년 매출: 현금매출 45,000 + 매출채권 증감액 295,000 = 340,000

<table>
<tr><th colspan="4">매출채권</th></tr>
<tr><td>기초</td><td>60,000</td><td>회수 · 손상</td><td>250,000</td></tr>
<tr><td>외상매출</td><td>295,000</td><td>기말</td><td>105,000</td></tr>
</table>

2) 재고자산

<table>
<tr><th colspan="4">재고자산</th></tr>
<tr><td>기초</td><td>150,000</td><td>매출원가</td><td>234,000[1] ← 매출 340,000</td></tr>
<tr><td>매입(순)</td><td>194,000</td><td>기말</td><td>대차차액 110,000</td></tr>
</table>

[1] 매출원가: 340,000 - 106,000 = 234,000

3) 재고자산회전율
   (1) 매출원가/[(기초재고 + 기말재고)/2] = 234,000 ÷ [(150,000 + 110,000)/2] = 1.8
   (2) 360(1년 360일 가정)/재고자산평균보유기간 = 1.8
   ◎ 재고자산평균보유기간: 200일

32 ②
1) 기초매출채권 80,000 + 외상매출액 = 회수액 11,500,000 + 손상확정 5,000 + 기말매출채권 120,000
   ◎ 외상매출액: 11,545,000
2) 매출원가: 11,545,000 × (1 - 40%) = 6,927,000
3) 기초재고 150,000 + 매입 12,000,000 = 매출원가 6,927,000 + 기말재고 ◎ 기말재고: 5,223,000
4) 재고자산의 추정 손실금액: 5,223,000 × 90% = 4,700,700

33 ④

원가				매가			
기초(원가)	2,000,000	⑥ 매출원가	대차차액 6,602,000	기초(매가)	3,000,000	매출	10,000,000
매입	6,100,000			매입	9,600,000	(에/환/할)	
(에/환/할)	(318,000)			(환출)		정상파손	
(비정상파손)		⑤ 기말(원가)	1,180,000	순인상	200,000	종업원할인	500,000
	① Ⅰ 7,782,000			(순인하)	(300,000)		
				(비정상파손)		③ 기말(매가)	2,000,000
					② Ⅱ 12,500,000		

기말(매가) × ④ 원가율[1](원가/매가) = 기말(원가)
2,000,000 × 59% = 1,180,000

[1] 원가율
선입선출법하의 저가법: [Ⅰ - 기초(원가)]/[Ⅱ - 기초(매가) + 순인하]
: (7,782,000 - 2,000,000)/(12,500,000 - 3,000,000 + 300,000) = 59%

34 ①

원가				매가			
기초(원가)	A	⑥ 매출원가	525,000	기초(매가)	120,000	매출	700,000
매입	650,000			매입	800,000	(에/환/할)	
(에/환/할)	(20,000)			(환출)		정상파손	
(비정상파손)		⑤ 기말(원가)	0.25A + 157,500	순인상	80,000	종업원할인	50,000
	① Ⅰ A + 630,000			(순인하)			
				(비정상파손)		③ 기말(매가)	250,000
					② Ⅱ 1,000,000		

기말(매가) × ④ 원가율[1](원가/매가) = 기말(원가)
250,000 × (A + 630,000)/1,000,000 = 0.25A + 157,500

[1] 원가율
가중평균법: Ⅰ/Ⅱ = (A + 630,000)/1,000,000

◎ 기초재고(A): A + 630,000 = 0.25A + 157,500 + 525,000, A = 70,000

35 ① 1) 매출원가: 1,000,000 × (1 - 15%) = 850,000
2) 재고자산회전율: 680% = 850,000 ÷ [(100,000 + 기말재고)/2]
 ● 기말재고 = 150,000

36 ⑤ 1) 판매가능재고자산(원가): 12,000 + 649,700 + 300 = 662,000
2) 판매가능재고자산(매가): 14,000 + 999,500 + 500 - 300 = 1,013,700
3) 기말재고자산(매가): 1,013,700 - (1,000,000 - 500) - 200 = 14,000
4) 원가율: (662,000 - 12,000) ÷ (1,013,700 - 14,000 + 300) = 65%
5) 기말재고자산(원가): 14,000 × 65% = 9,100
6) 매출원가: 662,000 - 9,100 = 652,900

37 ③

원가				매가			
기초(원가)	80,000	⑥ 매출원가	788,200	기초(매가)	100,000	매출	1,050,000
매입	806,000			매입	1,000,000	(에/환/할)	(24,000)
(에/환/할)	(50,000)			(환출)		정상파손	50,000
(비정상파손)	(10,000)	⑤ 기말(원가)	37,800	순인상	95,000	종업원할인	-
				(순인하)	(50,000)		
				(비정상파손)	(15,000)	③ 기말(매가)	54,000
	① Ⅰ 826,000				② Ⅱ 1,130,000		

기말(매가) × ④ 원가율(원가/매가) = 기말(원가)
54,000 × 70%[= 826,000/(1,130,000 + 50,000)] = 37,800

● 매출총이익: 1,050,000 - 24,000 - 788,200 = 237,800

38 ⑤

10/31	차) 수확물	1,000,000	대) 평가이익	1,000,000
11/1	차) 현금	1,200,000	대) 수확물	1,000,000
			처분이익	200,000
11/30	차) 생물자산	600,000	대) 평가이익	600,000
12/31	차) 수확물	1,100,000	대) 평가이익	1,100,000
	차) 생물자산	210,000	대) 평가이익[1]	210,000

[1] (1,550,000 - 1,500,000) × 5 + (280,000 - 300,000) × 2 = 210,000

● 당기순이익에 미치는 영향: 1,000,000 + 200,000 + 600,000 + 1,100,000 + 210,000 = 3,110,000

39 ⑤ 부수적이 폐물 판매가 아닌, 수확물로도 시물을 수확하고 판매할 가능성이 희박하지 않은 경우 수확물을 생산하기 위해 재배하는 식물(예 과일과 목재를 모두 얻기 위해 재배하는 나무)은 생산용 식물로 보지 않는다.

40 ② 당기순이익 증가액: 450,000

1) 젖소 취득 시 평가손실: (95,000 - 100,000) × 10마리 = (-)50,000
2) 수확물 수확 시 평가이익: 3,000 × 100리터 = 300,000
3) 수확물 처분이익: (5,000 - 3,000) × 100리터 = 200,000
4) 젖소 기말평가이익: (100,000 - 105,000) × 10마리 + (100,000 - 95,000) × 10마리 = 0

41 ② 순실현가능가치는 통상적인 영업과정에서 재고자산의 판매를 통해 실현할 것으로 기대하는 순매각금액이고, 공정가치는 측정일에 시장참여자 사이의 정상거래에서 자산을 매도할 때 받거나 부채를 이전할 때 지급하게 될 가격이다. 순실현가능가치는 기업 특유 가치이지만 공정가치는 그렇지 않다.

관련 유형 연습

01 ③ 1) 재고자산 조정

구분(판단순서)	1st In 창고?	→	2nd My 재고	→	기말 B/S 재고 가산 · 차감
시용판매(6곳 구매의사 ×)	×	→	○	→	+ 100,000 × 6곳
선적지인도조건 매입(B)	×	→	○	→	+ 400,000
할부판매	×	→	×	→	-
미인도청구판매	○	→	×	→	- 150,000
합계					850,000

2) 기말재고자산: 창고보관재고 5,000,000 + 재고자산 조정 850,000 = 5,850,000

02 ③ 1) 재고자산 조정

구분(판단순서)	1st In 창고?	→	2nd My 재고	→	기말 B/S 재고 가산 · 차감
선적지인도조건(매입)	×	→	○	→	+ 1,500,000
도착지인도조건(매입)	×	→	×	→	-
시용판매(매입의사 표시 ×)	×	→	○	→	+ (1,500,000 - 1,000,000)
저당상품	○	→	○	→	-
합계					2,000,000

2) 기말재고자산: 창고보관재고 1,000,000 + 재고자산 조정 2,000,000 = 3,000,000
3) 매출원가

재고자산

기초재고	1st 2,000,000	매출원가	대차차액 11,000,000
당기매입	2nd 12,000,000	기말재고	3rd 3,000,000

03 1. × 원재료를 제외하고 보관비용은 당기비용처리한다.
2. ○
3. × 저당상품 역시 재고자산에 포함한다.
4. ○
5. ○
6. ○
7. ○
8. ○
9. ○
10. ○
11. ○
12. ○

04 ② 1) 매출원가 계상
    <실지재고조사법하의 평균법(총평균법): 기말에 한 번만 평균단가 계산>
    (1) 평균단가: (1,000개 × @200 + 1,000 × @200 + 1,000 × @300 + 1,000개 × @400)/4,000개 = @275
    (2) 매출원가: 2,500개 × @275 = 687,500
    * 총평균법의 경우 매출 후 매입분도 매출원가 계상 시 고려된다.
    2) 매출액: 687,500 × (1 + 20%) = 825,000

05 1. ○
2. ○
3. ○
4. ○
5. ○
6. ○
7. ○
8. × 후입선출법은 현재수익에 현재원가가 대응되어 수익·비용의 대응이 합리적이다.
9. ○
10. ○
11. × 후입선출법은 K-IFRS에서 인정하지 않는다.
12. ○
13. ○
14. ○

06 ⑤ 1) 종목별 저가법 적용 판단(취득가액 > NRV) 및 단위당 평가손실

종목	취득원가		NRV		단위당 평가손실
제품	2,700	<	3,000	→	–
원재료	500	>	350	→	–
상품	2,500	>	2,250	→	(250)

    2) 20×1년 평가손실

종목	평가손실 계상
제품	저가법 적용대상 아님
원재료	제품이 저가법 적용대상이 아니므로 원재료도 저가법 적용대상 아님
상품	@(250) × 1,500단위 = (375,000)

07 ①

재고자산

기초재고	순액(= 기초취득가 - 기초평가충당금)	당기판매	대차차액
	2,400	정상감모	(장부 - 실제수량) × 취득가
		평가손실	실제수량 × (취득가 - NRV)
당기매입	문제 제시	기말재고	실제수량 × Min[NRV, 취득원가]
	5,400		3개[1] × @Min[100, 180[2]] = 300

[1] 기말재고자산 실제수량: (20 + 30) - 46 - 1 = 3개
[2] 기말재고자산 취득원가: 180(선입선출법 가정)

1) 매출원가: 기초재고 2,400 + 당기매입 5,400 - 기말재고 300 = 7,500
2) 매출총이익: 13,800 - 7,500 = 6,300

08 ④ 종목별 저가법 적용 판단(취득가액 > NRV) 및 단위당 평가손실

종목	취득원가		NRV		단위당 평가손실
확정판매계약(200개)	100	=	130 - 30 = 100	→	-
초과수량(1,000개 - 200개)	100	>	110 - 30 = 80	→	(20)

* 문제에서 실지재고수량을 제시하였고 이는 감모수량이 이미 고려되어 있으므로 감모수량을 별도로 고려할 필요는 없다.

◑ 20×1년 재고자산평가손실: 800개 × @(20) = (16,000)

09 ⑤ 1) 평균단가(총평균법)

<실지재고조사법하의 평균법(총평균법): 기말에 한 번만 평균단가 계산>
(200 + 800 + 1,200)/100개 = @22

2) 매출원가(재고자산평가손실 포함)

재고자산

기초재고	순액(= 기초취득가 - 기초평가충당금)	당기판매	대차차액
	200	평가손실	실제수량 × (취득가 - NRV)
		감모손실	(장부 - 실제수량) × 취득가
			(20[1] - 15)개 × @22 = 110
당기매입	문제 제시	기말재고	실제수량 × Min[NRV, 취득원가]
	800 + 1,200 = 2,000		15개 × @Min[18, 22] = 270

[1] 장부상 수량: 20 + 40 - 50 + 40 - 30 = 20개

◑ 매출원가: 기초재고 200 + 당기매입 2,000 - 기말재고 270 - 감모손실 110 = 1,820

10 ⑤ 1) 20×1년 당기비용

재고자산

기초재고	순액(= 기초취득가 - 기초평가충당금)	당기판매	대차차액
	200,000	정상감모	(장부 - 실제수량) × 취득가 × 정상감모비율
		평가손실	실제수량 × (취득가 - NRV)
		비정상감모	(장부 - 실제수량) × 취득가 × 비정상감모비율
당기매입	문제 제시	기말재고	실제수량 × Min[NRV, 취득원가]
	6,000,000		400개 × Min[400, 450] + 450개 × Min[100, 80]
			= 196,000

◑ 재고자산으로 인한 비용 합계: 기초재고 200,000 + 당기매입 6,000,000 - 기말재고 196,000 = 6,004,000

2) 20×2년 품목 B의 재고자산평가충당금환입

    20×2년 순실현가능가치 120

취득원가
100

20×1년 평가손실(N/I)
@(100 - 80) × 450개
= (9,000)

20×1년 순실현가능가치 80

취득원가 초과분 인식 ×

20×2년 평가손실환입(N/I)
• 9,000 환입

❍ 재고자산평가충당금환입: 9,000

11   ③   재고자산이 확정판매계약 대상이라면 순실현가능가치는 그 계약가격으로 변경된다.

12   ⑤   ① 리베이트는 취득원가에서 차감한다.
           ② 실질적인 금융요소를 포함한다면 현금가격상당액을 취득원가로 한다.
           ③ 확정판매계약은 재고자산의 순실현가능가치를 그 계약가격으로 한다.
           ④ 관련된 제품이 원가 이상으로 판매된다면 원재료는 감액하지 않는다.

13   1. × 재고자산의 지역별 위치나 과세방식이 다른 것을 이유로 동일한 재고자산에 다른 단위원가 결정방법
             을 적용할 수 없다.
       2. ○
       3. ○
       4. ○
       5. ○
       6. ○
       7. ○
       8. × 완성될 제품이 원가 이상으로 판매될 것으로 예상되면 생산에 투입하기 위해 보유한 원재료가격이
             현행대체원가보다 하락하여도 평가손실을 인식하지 않는다.
       9. ○
      10. ○
      11. ○

14   ②   1) 재고자산 T계정

재고자산

기초	120,000	④ 매출원가 대차차액	210,000	← ③ 매출(순) 210,000 + 90,000
① 매입(순)	200,000	⑤ 기말	110,000	= 300,000
② 판매가능상품원가	320,000			

2) 매출(순): 현금매출 ± 매출채권 증감액

매출채권

기초	80,000	회수 · 손상	260,000	→ 매출(⑥) = 현금매출 + 외상매출(순)
외상매출(순)	250,000	기말 대차차액	70,000	300,000 = 50,000 + 250,000

15 ② 1) 재고자산회전율:

매출원가/[(기초재고 + 기말재고)/2] = 360(1년 360일 가정)/재고자산보유기간

100,000 × 90%/50,000 = 360일/재고자산보유기간 ◐ 재고자산보유기간 = 200

2) 매출채권회전율:

매출/[(기초매출채권 + 기말매출채권)/2] = 360(1년 360일 가정)/매출채권회수기간

100,000/평균매출채권 = 360/(236 - 200)일 ◐ 평균매출채권 = 10,000

16 ①

원가				매가			
기초	360,000	⑥ 매출원가 대차차액	1,547,000	기초	560,000	매출	2,240,000
매입	2,520,000			매입	3,640,000	(에/환/할)	(20,000)
(에/환/할)	(180,000)			(환출)	(280,000)	정상파손	20,000
(비정상파손)	(35,000)	⑤ 기말(원가)	1,118,000	순인상	230,000	종업원할인	80,000
				(순인하)	(60,000)		
				(비정상파손)	(50,000)	③ 기말(매가)	1,720,000
	① I 2,665,000				② II 4,040,000		

기말(매가) × ④ 원가율[1](원가/매가) = 기말(원가)

1,720,000 × 65% = 1,118,000

[1] 원가율

전통적 소매재고법(저가법·평균): I/(II + 순인하)

: 2,665,000/(4,040,000 + 60,000) = 65%

◐ 매출총이익: 매출(순) (2,240,000 - 20,000) - 매출원가 1,547,000 = 673,000

17

1. ○

2. ○

3. ○

4. × 판매가능재고자산에는 기초재고도 포함되어 있으므로 기초재고자산은 고려하지 않는 선입선출 소매재고법에는 적절하지 않다.

18 ③ 당기손익에 미친 영향: 30,000 증가

1) 어미 양 관련 보조금: 20,000

2) 새끼 양 관련 보조금: 80,000 ÷ 8년 = 10,000

* 정부보조금에 조건이 부여된 경우에는 당해 조건이 충족되는 시점에 수익으로 인식한다.

19 ①

20×1년 초	차) 생물자산	25,000,000	대) 현금	26,000,000
	취득손실(N/I)	1,000,000		
20×1년 12월 25일	차) 수확물	10,000,000	대) 평가이익(N/I)	10,000,000
20×1년 12월 27일	차) 현금	4,500,000	대) 수확물	5,000,000
	처분손실(N/I)	500,000		
20×1년 12월 31일	차) 생물자산	500,000	대) 평가이익(N/I)	500,000

* 수확물은 후속측정 시 저가법을 적용하므로 기말에 평가이익은 발생하지 않는다.

◐ 당기순이익에 미치는 영향: (-)1,000,000 + 10,000,000 - 500,000 + 500,000 = 9,000,000

01 ③ 재고자산: 1,000,000 + 300,000 × (1 - 30%) + 200,000 × 40% = 1,290,000

02 ③ ④ 환급받을 수 있는 세금은 취득원가에서 차감한다.

03 ④ 표준원가법에 의한 원가측정방법은 그러한 방법으로 평가한 결과가 실제 원가와 유사한 경우에는 사용할 수 있다.

04 ⑤ 선입선출법을 사용하는 경우, 계속기록법과 실지재고조사법의 결과는 항상 동일하다.

05 ① 매입원가: 110,000 - 10,000 + 10,000 + 5,000 - 5,000 - 2,000 + 500 = 108,500

06 ① 20×9년 6월 30일 현재 재고자산금액: 150개 × @338 = 50,700
1) 20×9년 6월 30일 현재 재고수량: 50 + 200 - 100 + 90 - 150 + 60 = 150개
2) 평균단가: (50개 × 310 + 200개 × 330 + 90개 × 350 + 60개 × 370) ÷ (50 + 200 + 90 + 60)개 = @338

07 ④ 20×9년 6월 30일 현재 재고자산금액: 150개 × @349 = 52,350
1) 2월 3일 평균단가: (50개 × 310 + 200개 × 330) ÷ (50 + 200)개 = @326
2) 4월 7일 평균단가: (150개 × 326 + 90개 × 350) ÷ (150 + 90)개 = @335
3) 6월 30일 평균단가: (90개 × 335 + 60개 × 370) ÷ (90 + 60)개 = @349

08 ② 1) 확정판매계약 재고자산의 평가손실: 40단위 × (700 - 690) = 400
2) 확정판매계약 초과분 재고자산의 평가손실: (100 - 40)단위 × [700 - (750 - 80)] = 1,800
3) 재고자산평가손실: 400 + 1,800 = 2,200

09 ② 모든 재고자산에 기초하여 저가법을 적용하는 것은 적절하지 않다.

10 ③ 상품의 재고자산평가손실: 1) + 2) = 127,000
1) 확정판매계약분: 40개 × (20,000 - 18,000) = 80,000
2) 확정판매계약 초과분: (50 - 40)개 × [20,000 - (17,000 - 1,700)] = 47,000
* 원재료는 제품이 원가 이상으로 판매되므로 저가법을 적용하지 않는다.

11 ② 기초재고 10,000 + 매입액 30,000 - 기말재고[실제수량 × Min(100, 80)] = 매출원가 36,000, 실제재고수량 = 50개

12 ③ 감모손실: 250,000 - (800개 × @100 + 250개 × @180 + 400개 × @250) = 25,000

13 ② 20×1년 매출원가: (25,000 - 5,000) + 100,000 - (30,000 - 2,000) = 92,000

14 ① **(1)** 감모손실에 대한 수정분개

차)	영업외비용(재고자산감모손실)	8,450	대)	매출원가	8,450

(2) 기말재고자산의 평가를 위한 분개

차)	재고자산평가충당금	1,200	대)	매출원가	1,200

- 12/31 현재 재고수량: 50 + 200 - 100 + 90 - 150 + 60 = 150개
- 12/31 재고 총평균단가: @338

$$\text{총평균단가: } \frac{50개 \times 310 + 200개 \times 330 + 90개 \times 350 + 60개 \times 370}{50개 + 200개 + 90개 + 60개} = \frac{135,200}{400개} = @338$$

- 비정상감모손실: (150 - 100)개 × 50% × @338 = 8,450
- 기말재고자산평가충당금: 100개 × (@338 - @300) = 3,800

* 전기 말 재고자산평가충당금 5,000이 당기 말 재고자산평가충당금 3,800을 초과하므로 차액 1,200만큼 재고자산평가충당금을 감소시키고 매출원가에서 차감한다.

15 ⑤ **1)** 매출원가: (500,000 - 30,000) + (4,100,000 - 80,000 - 20,000) - 263,000 - 14,000 - 150,000
= 4,043,000

2) T계정을 이용한 풀이

재고자산

기초상품	500,000 - 30,000	매출원가(판매 + 평가손실 + 정상감모)	4,043,000
당기매입	4,000,000	접대비	150,000
		비정상감모손실	14,000
		기말상품(순액)	263,000

3) 재고자산평가충당금 회계처리

차)	재고자산평가충당금	8,000	대)	재고자산평가손실환입 or 매출원가	8,000

* 기말재고자산평가충당금: 7,000 + 15,000 = 22,000
   - A: 단위원가가 순실현가능가치보다 작으므로 저가법 적용대상 아님
   - B: 350개 × [200 - (240 - 60)] = 7,000
   - C: 500개 × [250 - (300 - 80)] = 15,000
* 재고자산평가충당금 변동: 기말 22,000 - 기초 30,000 = (-)8,000(환입)

16 ③ **1)** 매출원가: 16,000 + 32,000 - 22,000 = 26,000
2) 외상매출액: 26,000 + 13,000 - 7,000 = 32,000
3) 기말매출채권: 10,000 + 32,000 - 40,000 = 2,000

17 ④ **1)** 판매가능재고자산(원가): 1,400,000 + 6,000,000 + 200,000 - 400,000 = 7,200,000
2) 판매가능재고자산(매가): 2,100,000 + 9,800,000 + 200,000 - 100,000 = 12,000,000
3) 기말재고(매가): 12,000,000 - 10,000,000 - 500,000 = 1,500,000
4) 원가율: (7,200,000 - 1,400,000)/(12,000,000 - 2,100,000 + 100,000) = 58%
5) 기말재고(원가): 1,500,000 × 58% = 870,000
6) 매출원가: 7,200,000 - 870,000 = 6,330,000

18 ① 당해 자산에 대한 자금조달, 세금 또는 수확 후 생물자산의 복구 관련 현금흐름(예를 들어, 수확 후 조림지에 나무를 다시 심는 원가)을 포함하지 아니한다.

19 ① 1) 외상매출액: 2,000 + 100,000 - 3,000 = 99,000(매출할인은 고려하지 않는다)
   2) 매출원가: 99,000 × (1 - 30%) = 69,300
   3) 기말재고추정액: 1,000 + 80,000 - 69,300 = 11,700
   4) 화재손실액: 11,700 - 100(미착상품) = 11,600

20 ③ 1) 매출원가: 1,750,000 × (1 - 60%) = 700,000
   2) 기말재고자산: 300,000 + 800,000 - 700,000 = 400,000
   3) 재고자산회전율: 700,000 ÷ [(300,000 + 400,000)/2] = 2 = 360/재고자산회전기간, 재고자산회전기간 = 180일

2차 문제 Preview

01

물음 1

1) 매입채무: (6,000,000 + 12,000,000 × 5%) × 0.92593 + (6,000,000 + 6,000,000 × 5%) × 0.85734
   = 11,512,380
2) 매입 시 회계처리

차)	재고자산	17,512,380	대)	현금	6,000,000
				매입채무	11,512,380

3) 20×1년 1월 1일 매입액: 6,000,000 + 11,512,380 = 17,512,380

물음 2

① 재고자산감모손실이 매출원가에 미치는 영향: 52,000 증가
   • 정상감모손실: (1,100 - 1,050)개 × @1,300 × 80% = 52,000
   • 비정상감모손실: (1,100 - 1,050)개 × @1,300 × 20% = 13,000
② 재고자산평가손실(환입)이 매출원가에 미치는 영향: 37,500 증가
   • 20×1년 말 재고자산평가충당금: 1,050개 × @[1,300 - (1,400 - 150)] = 52,500
   • 20×1년 재고자산평가손실(환입): 52,500 - 15,000(기초재고자산평가충당금) = 37,500
③ 계속기록법하의 감모손실과 평가손실 회계처리

차)	매출원가	52,000	대)	재고자산	65,000
	기타비용	13,000			
차)	매출원가	37,500	대)	재고자산평가충당금	37,500

재고자산

기초재고	200,000	당기판매	27,370,000
(-)기초평가충당금	(-)15,000	정상감모	52,000
		평가손실	37,500
		비정상감모	13,000
		기말재고	1,365,000
딩기매입	28,600,000	(-)기말평가충당금	(-)52,500

해커스 IFRS 정윤돈 객관식 재무회계 정답 및 해설

제2장 재고자산과 농림어업

① 매출액: 40,000,000 - 300,000(에누리) - 150,000(매출할인) = 39,550,000

  * 매출운임은 별도의 판매관리비로 처리한다.

② 매출원가: ㉠ + ㉡ - ㉢ - ㉣ = (-)27,459,500

  ㉠ 기초재고자산(순액): 200,000 - 15,000 = 185,000

  ㉡ 매입: 30,000,000 - 1,000,000 - 400,000 = 28,600,000

  ㉢ 기말재고자산(순액): 1,050개 × @(1,400 - 150) = 1,312,500

  ㉣ 비정상감모손실: 13,000

③ 당기순이익: ㉠ - ㉡ - ㉢ - ㉣ = 1,966,010

  ㉠ 매출총이익: 3,000,000

  ㉡ 기타비용(비정상감모손실): 13,000

  ㉢ 매입채무 관련 이자비용: 11,512,380 × 8% = 920,990

  ㉣ 매출운임: 100,000

02

물음 1

기말재고자산의 단위당 취득원가: (100개 × @200 + 200개 × @200 + 200개 × @300) ÷ 500개 = @240

  * 9월 1일 매입계약은 도착지인도조건으로 매입 후 12월 말 현재까지 운송 중인 상태이므로 당기매입액에 포함하지 않는다.

물음 2

기말재고자산의 실제수량: 창고에 보관 중인 재고 300개 - 수탁 중인 재고 200개 × (1 - 20%) + 위탁판매 미판매 재고 20개 = 160개

물음 3

[T계정을 이용한 풀이]

재고자산

기초재고	순액(= 기초취득가 - 기초평가충당금)	당기판매	대차차액
	100개 × @200 - 3,000 = 17,000	정상감모	(장부 - 실제수량) × 취득가 × 정상감모비율
		평가손실	실제수량 × (취득가 - NRV)
		비정상감모	(장부 - 실제수량) × 취득가 × 비정상감모비율
당기매입	문제 제시	기말재고	실제수량 × Min[NRV, 취득원가]
	200개 × @200 + 200개 × @300 = 100,000		160개 × Min[@240, @200] = 32,000

● 매출원가: 17,000 + 100,000 - 32,000 = 85,000

제3장 | 현금및현금성자산과 수취채권

기초 유형 확인

01 ③ 20×1년 F/S효과 및 회계처리
1) 20×1년 말 손실예상액

구분	총장부금액		손실률		손실예상액
30일 이내	₩200,000	×	1%	=	₩2,000
30일 초과 60일 이내	₩100,000	×	2%	=	₩2,000
60일 초과 90일 이내	₩50,000	×	4%	=	₩2,000
	₩350,000				기대신용손실 ₩6,000

2) 20×1년 F/S효과

	B/S	20×1년 말
매출채권	350,000	
(손실충당금)	(-)6,000	
	344,000	

	I/S	20×1년
손상차손		(-)6,000

3) 20×1년 회계처리

차) 손상차손	6,000	대) 손실충당금	6,000

02 ③ 20×2년 F/S효과 및 회계처리
1) 20×2년 말 손실예상액

구분	총장부금액		손실률		손실예상액
30일 이내	₩100,000	×	1%	=	₩1,000
30일 초과 60일 이내	₩200,000	×	2%	=	₩4,000
60일 초과 90일 이내	₩50,000	×	4%	=	₩2,000
90일 초과 120일 이내	₩40,000	×	20%	=	₩8,000
	₩390,000				기대신용손실 ₩15,000

● 손실예상률 100%는 이미 신용이 손상된 것으로 매출채권을 직접 제거한다.

2) 20×2년 F/S효과

	B/S	20×2년 말
매출채권	390,000	
(손실충당금)	(-)15,000	
	375,000	

	I/S	20×2년
손상차손	기초손실충당금 - 손상확정 + 손상확정채권회수 - 기말손실충당금	
	6,000 - 13,000 + 0 - 15,000 = (-)22,000	

3) 20×2년 회계처리
- 기중 손상확정 시

차) 손실충당금	BV 3,000	대) 매출채권	손상확정액 3,000

- 기말

차) 손실충당금	BV 3,000	대) 매출채권	손상확정액 10,000
손상차손	대차차액 7,000		
차) 손상차손	15,000	대) 손실충당금	15,000

4) 20×2년 손실충당금 T계정 분석

손실충당금

당기손상확정	③ 13,000	기초	① 6,000
		손상채권의 회수	② -
기말	④ 15,000	손상차손	대차차액 22,000

03 ②   20×3년 회계처리 및 당기손익에 미친 영향
- 기중 손상처리된 수취채권회수 시

차) 현금	2,000	대) 손실충당금	2,000

- 기말

차) 손실충당금[1]	2,000	대) 손상차손환입	2,000

[1] 기말기대신용손실(④) - 손실충당금 잔액(① + ② - ③)

손실충당금

당기손상확정	③ -	기초손실충당금	① 15,000
		손상채권의 회수	② 2,000
기말손상	④ 기말매출채권 × 설정률 15,000	손상차손(손상차손환입)	대차차액 (-)2,000

I/S

손상차손환입	기초손실충당금 - 손상확정 + 채권회수 - 기말손실충당금
	15,000 - 0 + 2,000 - 15,000 = 2,000

기출 유형 정리

01 ②   1) 은행계정조정표를 통한 회사의 당좌예금잔액

구분	회사	은행
수정 전 잔액	?	₩700,000
은행이 ㈜세무에 통보하지 않은 매출채권 추심액	₩50,000	
은행이 ㈜세무에 통보하지 않은 은행수수료	₩(100,000)	
㈜세무가 당해 연도 발행했지만 은행에서 미인출된 수표		₩(200,000)
마감시간 후 입금으로 인한 은행미기입예금		₩300,000
수정 후 잔액	₩800,000	① ₩800,000

2) 회사의 현금및현금성자산

구분	현금및현금성자산 판단	현금및현금성자산 금액
소액현금	현금및현금성자산	₩100,000
지급기일이 도래한 공채이자표	현금및현금성자산	₩200,000
수입인지	선급비용	-
양도성예금증서 (만기 20×2년 5월 31일)	단기금융상품 (보유기간 3개월 초과)	-
타인발행당좌수표	현금및현금성자산	₩100,000
우표	선급비용	-
차용증서	금융부채	-
수정 후 당좌예금잔액		① ₩800,000
합계		₩1,200,000

02 ③

① 현금및현금성자산은 다른 금융자산과 분리하여 별도 항목으로 재무상태표에 공시한다.

② 투자자산은 취득일로부터 잔여 만기일이 3개월 이내인 경우와 같이 만기일이 단기에 도래하는 경우에만 현금성자산으로 분류된다.

④ 금융회사의 요구에 따라 즉시 상환하여야 하는 당좌차월은 기업 현금관리의 일부를 구성한다. 이러한 당좌차월은 차입금으로 표시하지 않고 현금및현금성자산에 차감 표시한다.

⑤ 현금은 보유 현금과 요구불예금을 말하며, 현금성자산은 유동성이 매우 높은 단기 투자자산으로서 확정된 금액의 현금으로 전환이 용이하고 가치 변동의 위험이 중요하지 않은 자산을 말한다.

03 ①

	B/S	20×2년 말
매출채권	PV(잔여 CF) by 취득 시 유효 R	
	$1,000,000/1.1 + 1,000,000/1.1^2$	
	$= 1,735,537$	
(손실충당금)	손상추산액 (300,000)	
매출채권 BV	1,435,537(단수차이)	

04 ②　[상환청구권이 없는 경우 회계처리]

매출채권 양도 시	차)	현금	대차차액 3,220,000	대)	매출채권		액면금액 3,500,000
		매출채권처분손실	액면금액 × 수수료율 3,500,000 × 3% = 105,000				
		팩토링미수금	액면금액 × 유보율 3,500,000 × 5% = 175,000				
정산 시	차)	현금 ㄴ 정산 후 수취금액[1]	대차차액 90,000	대)	팩토링미수금		175,000
		환입·할인	85,000				

[1] 정산 후 수취금액: 팩토링미수금 175,000 - 매출 에/환/할 85,000 - 손상(상환청구권 O) = 90,000

If. 상환청구권이 존재할 때 총현금수수액

❍ 3,500,000 - 3,500,000 × 3% - (70,000 + 15,000) - 30,000(손상발생) = 3,280,000

05　④

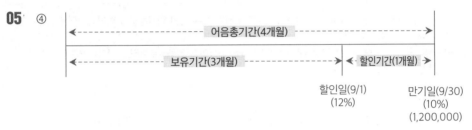

할인일(9/1)　　　만기일(9/30)
(12%)　　　　　　(10%)
　　　　　　　　　(1,200,000)

1) 무이자부어음
- 1단계 만기금액(a): 액면금액 + 액면금액 × 액면 R × 어음총기간/12 = 1,200,000
- 2단계 할인액(b): 만기금액(a) × 할인율 × 할인기간/12 = 1,200,000 × 12% × 1/12 = 12,000
- 3단계 현금수령액(c): 만기금액(a) - 할인액(b) = 1,200,000 - 12,000 = 1,188,000
- 4단계 장부금액(d): 액면금액 + 액면금액 × 액면 R × 보유기간/12 = 1,200,000
- 5단계 매출채권처분손익: 현금수령액(c) - 장부금액(d) = 1,188,000 - 1,200,000 = (12,000)

2) 이자부어음
- 1단계 만기금액(a): 액면금액 + 액면금액 × 액면 R × 어음총기간/12
　　　　　　= 1,200,000 + 1,200,000 × 10% × 4/12 = 1,240,000
- 2단계 할인액(b): 만기금액(a) × 할인율 × 할인기간/12 = 1,240,000 × 12% × 1/12 = 12,400
- 3단계 현금수령액(c): 만기금액(a) - 할인액(b) = 1,240,000 - 12,400 = 1,227,600
- 4단계 장부금액(d): 액면금액 + 액면금액 × 액면 R × 보유기간/12
　　　　　　= 1,200,000 + 1,200,000 × 10% × 3/12 = 1,230,000
- 5단계 매출채권처분손익: 현금수령액(c) - 장부금액(d) = 1,227,600 - 1,230,000 = (2,400)

06　⑤
- 1단계 만기금액(a): 액면금액 + 액면금액 × 액면 R × 어음총기간/12
　　　　　　= 160,000 + 160,000 × 9% × 5/12 = 166,000
- 2단계 할인액(b): 만기금액(a) × 할인율 × 할인기간/12
　　　　　　= 166,000 × A% × 3/12 = b(4,482), A(역산) = 10.8%
- 3단계 현금수령액(c): 만기금액(a) - 할인액(b)
　　　　　　= 166,000 - b = 161,518, b(역산) = 4,482

01 ① 현금성자산: (1) + (3) + (4) + (8) + (9) + (12) + (14) + (16) + (19) + (20) = 2,368,000

(2): 사용이 제한된 예금은 현금및현금성자산으로 분류될 수 없음

(5): 대여금 및 수취채권으로 분류

(6): 대여금 및 수취채권으로 분류

(7): 대여금 및 수취채권으로 분류

(10): 선급비용으로 분류

(11): 대여금 및 수취채권으로 분류

(13): 단기금융자산으로 분류

(15): 대여금 및 수취채권으로 분류

(17): 차입금

(18): 장기금융자산으로 분류

02 ⑤

<은행계정조정표>

구분	회사	은행
수정 전 잔액	106,000	70,000
은행 미기입예금	–	60,000
은행수수료	(10,000)	–
기발행 미인출수표	–	(50,000)
미통지입금	46,000	–
부도수표	–	–
은행오류	–	22,000
회사오류	–	–
직원 횡령액	출금(-)	–
수정 후 잔액	102,000	102,000

❍ 직원 횡령액: 40,000

03 ②

구분	11/30	입금	출금	12/31
은행 측 잔액	13,000	80,000	71,000	22,000
미기입예금	2,000	(2,000)		
미결제수표	(800)		(800)	
은행 측 오류		4,200		4,200
			5,000	(5,000)
		(2,400)		(2,400)
수정 후 잔액	14,200	79,800	75,200	18,800

해커스 IFRS 정윤돈 객관식 재무회계 정답 및 해설

제3장 현금및현금성자산과 수취채권

04 ② 1) 은행계정조정표를 통한 회사의 당좌예금잔액

구분	회사	은행
수정 전 잔액	?	₩12,800
㈜세무가 당해 연도 발행했지만 은행에서 미인출된 수표		₩(7,500)
은행 미기입예금		₩2,800
수정 후 잔액	₩8,100	① ₩8,100

2) 회사의 현금및현금성자산

구분	현금및현금성자산 판단	현금및현금성자산 금액
당좌개설보증금	비유동자산	-
당좌차월	부채	-
우편환증서	현금및현금성자산	₩4,000
차용증서	금융부채	-
수입인지	선급비용	-
소액현금	현금및현금성자산	₩300
배당금지급통지서	현금및현금성자산	₩1,500
종업원 가불증서	대여금	-
환매채	단기금융상품(보유기간 3개월 초과)	-
타인발행약속어음	수취채권	-
정기예금	단기금융상품(보유기간 3개월 초과)	-
수정 후 당좌예금잔액		① ₩8,100
합계		₩13,900

05
1. × 재무상태표 발행승인일 → 취득일
2. × 지분상품으로 분류 → 현금성자산으로 분류
3. × 비유동자산 → 유동자산
4. ○
5. × 금융회사의 요구에 따라 즉시 상환하여야 하는 당좌차월은 기업 현금관리의 일부를 구성한다. 이러한 당좌차월은 차입금으로 표시하지 않고 현금및현금성자산에 차감 표시한다.

06 ① N/I·영향: 기초손실충당금 - 손상확정 + 채권회수 - 기말손실충당금
372,000 - 325,000 + 85,000 - 255,800 = (123,800)

07 ④ [20×2년의 T계정]

	매출채권		
기초	900,000	회수	300,000
		손상확정(C)	4,000
외상매출	404,000	기말(D)	1,000,000

	손실충당금	
② 손상확정(C)	① 기초	
③ 기말(A) D × 손상률	④ 설정·환입(N/I)(B)	

01 ② 기초손실충당금 9,000 + 손상처리된 채권 회수 1,500 + 설정(손상차손) = 손상확정(5,000 + 2,000) + 기말 손실충당금(1,000,000 × 1%)

⊙ 손상차손: 6,500

02 ① 1) 어음의 할인율

$1,470^{1)} = 73,500 × 할인율 × 3/12$

1) 73,500 - 72,030 = 1,470

∴ 할인율: 8%

2) ×1년의 어음처분손실

72,030 - [72,000 + (72,000 × 5% × 2/12)] = (-)570

2차 문제 Preview

01

물음 1

20×1년 당기순이익에 미치는 영향	① 2,212

1) 만기수령액: 300,000 + 300,000 × 5% × 6/12 = 307,500
2) 할인액: 307,500 × 6% × 4/12 = 6,150
3) 현금수령액: 1) - 2) = 301,350
4) 이자수익: 300,000 × 5% × 3/12 = 3,750
5) 이자비용: (307,500 - 301,350) × 1/4 = 1,538
6) 회계처리: 제거요건을 충족하지 않아 차입거래로 분류

[20×1년 12월 1일]				
차) 현금	301,350	대) 단기차입금		301,350
[20×1년 말]				
차) 미수이자	3,750	대) 이자수익		3,750
차) 이자비용	1,538	대) 단기차입금		1,538

⊙ 당기순이익에 미치는 영향: 3,750 - 1,538 = 2,212

20×2년 당기순이익에 미치는 영향	① 675

1) 만기수령액: 300,000 + 300,000 × 5% × 6/12 = 307,500
2) 할인액: 307,500 × 6% × 2/12 = 3,075
3) 현금수령액: 1) - 2) = 304,425
4) 매출채권과 미수이자 장부금액: 300,000 + 300,000 × 5% × 4/12 = 305,000
5) 매출채권처분손실: 3) - 4) = (-)575
6) 회계처리: 제거요건을 충족하여 매각거래로 분류

[20×2년 2월 1일]

차)	미수이자[1)	1,250	대)	이자수익	1,250
차)	현금	304,425	대)	매출채권	300,000
	매출채권처분손실	575		미수이자	5,000

[1) 300,000 × 5% × 1/12 = 1,250

❍ 당기순이익에 미치는 영향: 1,250 - 575 = 675

02

당기순이익에 미치는 영향	① (-)4,205

1) 20×1년 10월 1일 금융자산 전체 공정가치: 30,000 × 2.5770 + 500,000 × 0.7938 = 474,210
2) 20×1년 10월 1일 이자부분 공정가치: 30,000 × 2.5770 = 77,310
3) 처분시점 회계처리

차)	현금	77,310	대)	금융자산[1)	81,515
	금융자산처분손실	4,205			

[1) 500,000 × 77,310/474,210 = 81,515

03

자산총액에 미치는 영향	① (-)75,000

1) 20×1년 1월 1일 회계처리(위험과 보상을 보유 or 이전 ×, 통제권 ○)

차)	현금	4,750,000	대)	미수금	5,000,000
	금융자산처분손실	250,000			
차)	지속적관여자산[1)	125,000	대)	금융보증부채	125,000
차)	현금	50,000	대)	이연수익부채	50,000

[1) Min[5,000,000 × 6% × 5/12(지급보증 제공액) = 125,000, 5,000,000] = 125,000

2) 자산총액에 미치는 영향: 4,750,000 - 5,000,000 + 125,000 + 50,000 = (-)75,000

기초 유형 확인

01 ① $812,500 \times 72,000/(72,000 + 828,000) = 65,000$

02 ④
1) 건물 A의 취득원가: $812,500 \times 828,000/(72,000 + 828,000) = 747,500$
2) 건물 A의 내용연수: $(747,500 - 47,500)/14,000 = 50$년

03 ⑤ $(300,000 - 30,000) \times 5년/15년 \times 6/12 + (300,000 - 30,000) \times 4년/15년 \times 6/12 = 81,000$

04 ⑤
① 기계장치 B의 취득원가: $4,000 + 4,000 \times 2.57710(3년, 8\% 연금현가) = 14,308$
② 기계장치 B의 20×1년 손상차손

장부금액: $14,308 - (14,308 - 308) \div 5년 =$	11,508
회수가능액: $Max[8,000, 10,000] =$	(-)10,000
계	1,508

③ 기계장치 B의 20×2년 감가상각비: $(10,000 - 308) \div 4년 = 2,423$
④ 기계장치 B의 20×2년 손상차손환입

회수가능액: $Min[Max(11,000, 12,000), 8,708^{1)}] =$	8,708
장부금액: $10,000 - (10,000 - 308) \div 4년 =$	(-)7,577
계	1,131

     1) 회수가능액의 한도: $14,308 - (14,308 - 308) \times 2년/5년 = 8,708$

⑤ 기계장치 B 관련 20×2년 말 손상차손누계액: $1,508 - 1,131 = 377$

05 ③
1) 20×2년 기계 A의 장부금액

취득원가	300,000
감가상각누계액: $45,000 + 81,000 =$	(-)126,000
장부금액	174,000

2) 20×3년 기계 A의 감가상각비: $(174,000 - 14,000) \div (4 + 1)년 = 32,000$

06 ③

[20×1년 초]				
차) 구축물	3,310,460	대)	현금	3,000,000
			복구충당부채[1]	310,460
[20×1년 말]				
차) 감가상각비[2]	662,092	대)	감가상각누계액	662,092
차) 이자비용[3]	31,046	대)	복구충당부채	31,046

1) $500,000 \times 0.62092 = 310,460$
2) $3,310,460/5 = 662,092$
3) $310,460 \times 10\% = 31,046$

   ● 20×1년 당기손익에 미치는 영향: $(-)662,092 + (-)31,046 = (-)693,138$

해커스 IFRS 정윤돈 객관식 재무회계 정답 및 해설

제4장

유형자산

07 ⑤
1) 감가상각비: (-)662,092
2) 이자비용: 500,000/1.1 × 10% = (-)45,455
3) 복구공사손실: 500,000 - 530,000 = (-)30,000
- 20×5년 당기손익에 미치는 영향: 1) + 2) + 3) = (-)737,547

08 ③

[20×1년 초]				
차) 구축물	3,310,460	대)	현금	3,000,000
			복구충당부채[1]	310,460
[20×1년 말]				
차) 감가상각비[2]	662,092	대)	감가상각누계액	662,092
차) 이자비용[3]	31,046	대)	복구충당부채	31,046
차) 복구충당부채[4]	87,298	대)	구축물	87,298
[20×2년 말]				
차) 감가상각비[5]	640,268	대)	감가상각누계액	640,268
차) 이자비용[6]	30,505	대)	복구충당부채	30,505

[1] 500,000 × 0.62092 = 310,460
[2] 3,310,460/5 = 662,092
[3] 310,460 × 10% = 31,046
[4] (310,460 + 31,046) - 400,000 × 0.63552 = 87,298
[5] 2,561,070/4 = 640,268
[6] 254,208 × 12% = 30,505

- 20×2년 당기손익에 미친 영향: (-)640,268 + (-)30,505 = (-)670,773

09 ①
1) 20×4년 초 유형자산 BV: 4,000,000 - (4,000,000 - 200,000) × 27/60개월 = 2,290,000
2) 20×4년 초 이연수익 BV: 1,000,000 - 1,000,000 × 27/60개월 = 550,000
3) 당기손익에 미친 영향: 처분이익(1,600,000 - 2,290,000) + 보조금수익 550,000 = (-)140,000

10 ②
1) 20×4년 초 유형자산 BV: 4,000,000 - (4,000,000 - 200,000) × (5 + 4 + 3 × 3/12)/15 = 1,530,000
2) 20×4년 초 이연수익 BV: 1,000,000 - 1,000,000 × (5 + 4 + 3 × 3/12)/15 = 350,000
3) 당기손익에 미친 영향: 처분이익(1,600,000 - 1,530,000) + 보조금수익 350,000 = 420,000

11 ③
1) 20×4년 초 감가상각누계액: 2,926,125
   * 4,000,000 × 45% + 4,000,000 × (1 - 45%) × 45% + 4,000,000 × (1 - 45%)^2 × 45% × 3/12 = 2,926,125
2) 20×4년 초 유형자산 BV: 4,000,000 - 2,926,125 = 1,073,875
3) 20×4년 초 이연수익 BV: 1,000,000 - 2,926,125 × 1,000,000/(4,000,000 - 200,000) = 229,967
4) 당기손익에 미친 영향: 처분이익(1,600,000 - 1,073,875) + 보조금수익 229,967 = 756,092

12 ④ 20×2년 말 회계처리

차) 감가상각비	14,000	대)	감가상각누계액	14,000
차) 감가상각누계액	14,000	대)	건물	46,000
재평가잉여금	32,000			
차) 재평가잉여금	4,000	대)	손상차손누계액	32,000
손상차손	28,000			

* 20×1년 말 재평가잉여금: 126,000 - (100,000 - 10,000) = 36,000

13 ④ 1) 20×1년 말 공정가치 기준 감가상각비: (126,000 - 0)/9년 = 14,000

2) 20×1년 말 감가상각누계액: 14,000 × 1년 = 14,000

3) 20×1년 말 공정가치: 126,000

4) 20×1년 말 취득원가: 14,000 + 126,000 = 140,000

14 ④ 재평가잉여금: 1) - 2) = 140,000

1) 공정가치: $1,100 × ₩900/$ = 990,000

2) 장부금액: ($1,000 - $1,000/5 × 9/12) × ₩1,000/$ = 850,000

* 공정가치 변동분과 환율변동효과를 모두 재평가잉여금으로 계상한다.

기출 유형 정리

01 ④ 1) 20×1년 7월 1일 회계처리

차) 기계장치(신) - 역산	6,000	대) 기계장치(구)	7,000
유형자산처분손실	1,000		
차) 기계장치(신)	500	대) 현금	500
차) 기계장치(신)	1,000	대) 현금	1,000

2) 20×2년 감가상각비: (7,500 - 500) × 3/6 × 6/12 + (7,500 - 500) × 2/6 × 6/12 = 2,917

02 ⑤ 1) ㈜세무

구분		취득원가	처분손익
상업적 실질 ○	제공한 자산 FV가 명확	제공한 자산 FV + 현금지급 제공한 자산 FV - 현금수령 270,000 + 20,000 = 290,000	제공한 자산 FV - BV 270,000 - 280,000 = (10,000)
	취득한 자산 FV가 명확	취득한 자산 FV 300,000	취득한 자산 FV - BV - 현금지급 취득한 자산 FV - BV + 현금수령 300,000 - 280,000 - 20,000 = 0
상업적 실질 ×		제공한 자산 BV + 현금지급 - 현금수령 280,000 + 20,000 = 300,000	-
FV를 측정할 수 없는 경우		제공한 자산 BV + 현금지급 - 현금수령 280,000 + 20,000 = 300,000	-

2) ㈜한국

구분		취득원가	처분손익
상업적 실질 ○	제공한 자산 FV가 명확	제공한 자산 FV + 현금지급 제공한 자산 FV - 현금수령 300,000 - 20,000 = 280,000	제공한 자산 FV - BV 300,000 - 330,000 = (30,000)
	취득한 자산 FV가 명확	취득한 자산 FV 270,000	취득한 자산 FV - BV - 현금지급 취득한 자산 FV - BV + 현금수령 270,000 - 330,000 + 20,000 = (40,000)
상업적 실질 ×		제공한 자산 BV + 현금지급 - 현금수령 330,000 - 20,000 = 310,000	-
FV를 측정할 수 없는 경우		제공한 자산 BV + 현금지급 - 현금수령 330,000 - 20,000 = 310,000	-

03 ② 1) ㈜대한의 기계장치 취득원가: 600,000 + 50,000 + 100,000 = 750,000

차)	기계장치(신) - 역산	600,000	대)	기계장치(구) - 장부금액	700,000
	처분손실	100,000			
차)	기계장치(신)	50,000	대)	현금	50,000
차)	기계장치(신) - 설치ㆍ준비원가	100,000	대)	현금	100,000

2) 감가상각비: (750,000 - 50,000) ÷ 5년 = 140,000

04 ③ 1) 상황 1의 취득원가: 1,000,000 + 1,800,000 = 2,800,000
2) 상황 2의 취득원가: 2,000,000 - 1,200,000 = 800,000

05 ④ 1) 20×1년 7월 1일 회계처리

차)	토지	9,000,000	대)	현금	14,000,000 + 1,000,000
	건물[1]	6,000,000			

[1] 15,000,000 × 6,400,000/(9,600,000 + 6,400,000) = 6,000,000

2) 20×2년 감가상각비: 1,750,000[1]

[1] (6,000,000 - 1,000,000) × 4/10 × 6/12 + (6,000,000 - 1,000,000) × 3/10 × 6/12 = 1,750,000

06 ③ 1) 최초 취득일(4/1 ← 월할 상각)

차)	구축물	취득자산 FV + PV(복구원가)	대)	현금	취득자산 FV
		2,400,000 + 200,000 = 2,600,000			2,400,000
				복구충당부채	PV(복구원가)
					200,000

B/S

구축물	취득자산 FV + PV(복구원가)	복구충당부채	PV(복구원가) at 취득
	2,600,000		200,000
토지	토지 취득가 + 기존건물 철거비용		
	10,500,000		

2) 결산일

차)	감가상각비	① N/I 375,000	대)	감가상각누계액	375,000
차)	복구충당부채전입액	② N/I 13,500	대)	복구충당부채	13,500

B/S

유형자산	취득자산 FV + PV(복구원가)	복구충당부채	PV(복구원가) at 기말
	2,600,000		200,000 + 13,500 = 213,500
(감가상각누계액)	(375,000)		
유형자산 BV	2,225,000		

I/S

감가상각비		최초 취득원가에 근거
		(2,600,000 - 100,000)/5 × 9/12 = (375,000)
복구충당부채전입액		기초PV(복구원가) × R
		200,000 × 9% × 9/12 = (13,500)

● 20×3년 포괄손익계산서에 인식할 비용: (375,000) + (13,500) = (388,500)

07 ⑤ ① 축사의 취득원가: 100,000 × 3.7908 + 20,000 × 0.6209 = 391,498

② 20×1년 감가상각비: 391,498/5 = 78,300

③ 20×2년 복구충당부채 증가액: 12,418 × 1.1 × 10% = 1,366

④ 20×3년 말 복구충당부채 장부금액: 12,418 × 1.1³ = 16,529

⑤ 20×5년 복구공사이익: 20,000 - 17,000 = 3,000

08 ④ 20×3년의 총비용: 1) + 2) + 3) + 4) = (200,391)

1) 감가상각비: (440,000 + 100,000 × 0.7513 - 5,130) ÷ 3년 = (170,000)

2) 복구충당부채전입액: 100,000 ÷ 1.1 × 10% = (9,091)

3) 복구공사손실: 100,000 - 120,000 = (20,000)

4) 잔존가치 처분손실: 3,830 - 5,130 = (1,300)

[20×3년 말 회계처리]

차)	감가상각비	170,000	대)	감가상각누계액	170,000
차)	복구충당부채전입액	9,091	대)	복구충당부채	9,091
차)	복구충당부채	100,000	대)	현금	120,000
	복구공사손실	20,000			
차)	현금	3,830	대)	설비자산	515,130
	감가상각누계액	510,000			
	유형자산처분손실	1,300			

09 ④ 1) 20×1년 7/1 복구충당부채의 장부금액: 300,000 × 0.6830 = 204,900

2) 20×1년 7/1 설비의 장부금액: 1,000,000 + 204,900 = 1,204,900

3) 20×2년 당기비용: (1) + (2) = 373,230

   (1) 감가상각비: (1,204,900 - 200,000) × 4/10 × 6/12 + (1,204,900 - 200,000) × 3/10 × 6/12 = 351,715

   (2) 이자비용: 204,900 × 10% × 6/12 + 204,900 × 1.1 × 10% × 6/12 = 21,515

10 ⑤ 1) 정부보조금을 차감한 원가: 50,000,000 - 9,000,000 = 41,000,000

2) 20×3년 말 감가상각누계액: (41,000,000 - 5,000,000) × [(5 + 4 + 3)/(5 + 4 + 3 + 2 + 1)] = 28,800,000

3) 20×3년 말 기계장치 장부가액: 41,000,000 - 28,800,000 = 12,200,000

4) 처분손익: 10,000,000 - 12,200,000 = (2,200,000)

Self Study

정액법이나 연수합계법을 감가상각방법으로 사용하는 경우 감가상각대상금액 고려 시 유형자산취득가액에서 정부보조금을 차감한 순취득가액을 기준으로 감가상각하여도 포괄손익계산서상의 감가상각비와 처분손익, 재무상태표상의 유형자산 장부가액(자산차감법 사용 시)은 동일하다.

❍ 정부보조금 차감 후 유형자산 순취득가액: 취득가액 - 정부보조금

❍ 감가상각비: (정부보조금 차감 후 순취득가액 - 잔존가치) × 상각률(정액법, 연수합계법)

❍ 처분손익: 처분가액 - (정부보조금 차감 후 순취득가액 - 감가상각누계액)

단, 정률법과 이중체감법과 같이 기초장부금액을 기준으로 감가상각하는 경우에는 간편법을 사용할 수 없다.

11 ⑤ 1) 20×1년 초 차입금의 공정가치: 400,000 × 0.7350 + 12,000 × 3.3121 = 333,745

2) 20×1년 초 정부보조금: 400,000 - 333,745 = 66,255

3) 20×1년 말 기계장치 장부금액: (400,000 - 66,255) - (400,000 - 66,255 - 0)/4 = 250,309

12 ② 제공받은 자산의 공정가치가 더 명확한 교환거래는 취득원가를 제공받은 자산의 공정가치로 한다.

차)	토지	1,400	대)	기계설비	2,000
	감가상각누계액	800		현금	400
	정부보조금	300		처분이익	100

* 최소 2년간 생산에 사용하는 조건으로 20×3년 초에 교환하였으므로 정부보조금의 반환은 관련 사항이 아니다.

13 ③ ① 20×1년 말 차량의 장부금액: (10,000,000 - 5,000,000) × 4/5 = 4,000,000
② 20×2년 말 정부보조금 잔액: 5,000,000 × 3/5 = 3,000,000
③ 20×2년 감가상각비: (10,000,000 - 5,000,000 - 0)/5 = 1,000,000
④ 20×3년 유형자산처분이익: 4,000,000 - (10,000,000 - 5,000,000) × 2.5/5 = 1,500,000
⑤ 20×3년 정부보조금 상환액: 5,000,000 × 2.5/5 = 2,500,000

14 ① 1) 20×1년 초 정부보조금의 장부금액: 150,000[1]
     [1] 450,000 - 1,700,000 × 450,000/(2,000,000 - 200,000) = 150,000
   2) 20×1년 초 건물의 장부금액(자산차감법 사용): 650,000[1]
     [1] 2,000,000 - 1,200,000 - 150,000 = 650,000
   3) 20×1년 당기순이익에 미친 영향(= 자산의 변동액): 150,000[1] 감소
     [1] 500,000(처분 시 현금수령액) - 650,000(기초자산의 장부금액) = (150,000)

15 ④ 20×3년 7월 1일 부채: 1,200,000 × 30% × (60 - 27)/60개월 = 198,000

16 ④ 1) 20×1년 말 재무상태표
     (1) 기계장치: 취득원가 - 감가상각누계액 = 2,000,000 - 2,000,000/5 = 1,600,000
     (2) 정부보조금: 500,000 - 500,000/5 = 400,000
   2) 자본적 지출 후 정부보조금 차감 전 감가상각비
     : (1,600,000 + 1,000,000 - 100,000) ÷ (5 - 1 + 1)년 = (-)500,000
   3) 감가상각비와 상계되는 정부보조금: 400,000 ÷ (5 - 1 + 1)년 = 80,000[1]
     [1] 별해: 500,000 × 400,000/(2,600,000 - 100,000) = 80,000
   4) 20×2년 감가상각비: (-)500,000 + 80,000 = (-)420,000

> ⊘ **참고 20×2년 회계처리**
>
> | 20×2년 초 | 차) | 기계장치 | 1,000,000 | 대) | 현금 | 1,000,000 |
> | 20×2년 말 | 차) | 감가상각비 | 500,000 | 대) | 감가상각누계액 | 500,000 |
> | | 차) | 정부보조금 | 80,000 | 대) | 감가상각비 | 80,000 |

17 ⑤ 정률법 사용: 상각률 36%(= B)

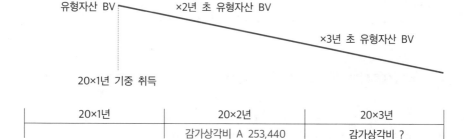

20×1년	20×2년	20×3년
	감가상각비 A 253,440	감가상각비 ?

● 정률법 & 이중체감법하의 감가상각비: 기초유형자산 BV(취득가액 – 기초감가상각누계액) × 상각률

1) 20×2년 초 유형자산 BV(C): C × B = A, C = 역산
   C × 36% = 253,440, C = 704,000 역산

2) 20×3년 감가상각비: (C – A) × B
   (704,000 – 253,440) × 36% = 162,202

18 ④ 1) 20×1년 감가상각비: (30,000 – 0) × 4 ÷ (1 + 2 + 3 + 4) × 9/12 = 9,000

2) 20×2년 감가상각비: (30,000 – 0) × 4 ÷ (1 + 2 + 3 + 4) × 3/12 + (30,000 – 0) × 3 ÷ (1 + 2 + 3 + 4) × 9/12 = 9,750

3) 20×2년 말 기계장치의 장부금액: 30,000 – 9,000 – 9,750 = 11,250

4) 20×3년 감가상각비: (11,250 + 10,000 – 500) ÷ 5년 = 4,150

5) 20×3년 말 장부금액: 11,250 + 10,000 – 4,150 = 17,100

19 ② 1) ㈜세무의 감가상각비

    (1) 20×1년: (9,000,000 – 0) × 56% = 5,040,000

    (2) 20×2년: (9,000,000 – 5,040,000) × 56% = 2,217,600

    (3) 20×3년: (9,000,000 – 5,040,000 – 2,217,600 – 500,000)/2 = 621,200

2) ㈜한국의 감가상각비

    (1) 20×1년: (9,000,000 – 500,000)/4 = 2,125,000

    (2) 20×2년: (9,000,000 – 2,125,000 – 500,000) × 3/(3 + 2 + 1) = 3,187,500

    (3) 20×3년: (9,000,000 – 2,125,000 – 500,000) × 2/(3 + 2 + 1) = 2,125,000

3) 지문분석

    ① 취득 이후 내용연수 초반에는 정률법이 정액법보다 감가상각비 발생액이 크므로 20×1년도 당기순이익은 ㈜한국이 더 크다.

    ② ㈜세무의 처분 직전 장부금액이 더 작으므로 처분이익은 ㈜세무가 더 크다.
       • ㈜세무의 처분이익: 3,000,000 – (9,000,000 – 5,040,000 – 2,217,600 – 621,200) = 1,878,800
       • ㈜한국의 처분이익: 3,000,000 – (9,000,000 – 2,125,000 – 3,187,500 – 2,125,000) = 1,437,500

    ④ ㈜한국의 20×3년 말 차량 장부금액: 9,000,000 – (2,125,000 + 3,187,500 + 2,125,000) = 1,562,500

20 ④   1) 20×2년 말 장부금액: 1,000,000 - (1,000,000 - 0) × 2/4 = 500,000

         2) 20×3년 감가상각비: (500,000 + 500,000 - 100,000) × 4/(4 + 3 + 2 + 1) = 360,000

         3) 20×4년 초 장부금액: 1,000,000 - 360,000 = 640,000

         4) 처분 시 수령한 현금

차)	현금(역산)	580,000	대)	기계장치(순액)	640,000
	처분손실	60,000			

21 ①   1) 20×2년 4월 1일 자본적 지출 전 기계장치 장부금액: 4,800,000 - 4,800,000 × 1/5년 × 6/12 = 4,320,000

         2) 20×3년 7월 1일 처분 전 기계장치 장부금액: 4,320,000 + 1,200,000 - 900,000 - 562,500 = 4,057,500

           (1) 20×2년 4월 ~ 12월에 발생한 감가상각비:

               (4,320,000 + 1,200,000 - 120,000) × 8/(1 + 2 + 3 + 4 + 5 + 6 + 7 + 8) × 9/12 = 900,000

           (2) 20×3년 1월 ~ 6월에 발생한 감가상각비: 562,500

               ① (4,320,000 + 1,200,000 - 120,000) × 8/(1 + 2 + 3 + 4 + 5 + 6 + 7 + 8) × 3/12 = 300,000

               ② (4,320,000 + 1,200,000 - 120,000) × 7/(1 + 2 + 3 + 4 + 5 + 6 + 7 + 8) × 3/12 = 262,500

         3) 처분손익: 4,000,000 - 4,057,500 = (-)57,500

22 ④   ① 감가상각이 완전히 이루어지기 전 유형자산이 운휴 중이거나 적극적인 사용상태가 아니더라도 생산량 비례법이 아닌 상각방법을 사용한다면 감가상각을 중단하지 않는다.

         ② 유형자산의 잔존가치와 내용연수는 매기 말 재검토한다.

         ③ 유형자산의 전체원가에 비교하여 해당 원가가 유의적이지 않은 부분도 별도로 분리하여 감가상각할 수 있다.

         ⑤ 유형자산의 공정가치가 장부금액을 초과하는 상황이 발생하여도 감가상각액을 인식할 수 있다.

23 ③   1) 20×1년 손상차손: 80,000 - 80,000/5 - 50,000 = 14,000

         2) 20×2년 손상차손: 50,000 - (50,000 - 5,000)/6 - 30,000 = 12,500

         3) 20×2년 말 손상차손누계액: 14,000 + 12,500 = 26,500

24 ⑤ 1) TOOL

구분	20×1년 말	20×2년 말	20×3년 말	20×4년 말
손상 전 장부가액	손상 전 BV 496,000[1]	손상 전 BV 442,000[2]	손상 전 BV 388,000[5]	손상 전 BV 334,000[7]
회수가능액	(회수가능액) -	(회수가능액) 300,000	(회수가능액) -	회수가능액 340,000
손상 후 장부가액	-	손상 후 BV 300,000	손상 후 BV 263,750[4]	손상 후 BV 227,500[6]
손상차손	-	(142,000)	-	-
손상차손환입	-	-	-	106,500[8]

Dep (손상 후 BV 기준) (36,250)[3]   Dep (손상 후 BV 기준) (36,250)

[1] 550,000 - (550,000 - 10,000) ÷ 10 = 496,000
[2] 496,000 - (550,000 - 10,000) ÷ 10 = 442,000
[3] (300,000 - 10,000) ÷ (10 - 2)년 = 36,250
[4] 300,000 - 36,250 = 263,750
[5] 442,000 - (550,000 - 10,000) ÷ 10 = 388,000
[6] 263,750 - 36,250 = 227,500
[7] 388,000 - (550,000 - 10,000) ÷ 10 = 334,000
[8] Min[334,000, 340,000] - 227,500 = 106,500

2) 20×2년 말 손상 후 재무상태표

재무상태표

유형자산	취득가액 550,000	
(감가상각누계액)	역산 (108,000)	
(손상차손누계액) 손상차손(누적) - 손상차손환입(누적)	(142,000)	
유형자산 BV Min[회수가능액, 손상 전 장부금액]	300,000	

3) 20×4년 말 손상 후 재무상태표

재무상태표

유형자산	취득가액 550,000	
(감가상각누계액)	역산 (180,500)	
(손상차손누계액) 손상차손(누적) - 손상차손환입(누적)	(35,500)	
유형자산 BV Min[회수가능액, 손상 전 장부금액]	334,000	

25 ④ 1) 20×2년 말 B/S

B/S		
유형자산	역산 10,000,000	
(감가상각누계액)	(2,000,000)	
(손상차손누계액)	(500,000)	
유형자산 BV	7,500,000	

2) TOOL

구분	20×1년 말	20×2년 말	20×3년 말	20×4년 말
손상 전 장부가액	손상 전 BV 9,000,000	손상 전 BV 8,000,000	손상 전 BV 7,000,000	손상 전 BV 6,000,000
회수가능액	(회수가능액) -	(회수가능액) 7,500,000	(회수가능액) 6,860,000	회수가능액 6,400,000
손상 후 장부가액	-	손상 후 BV 7,500,000	손상 후 BV 6,562,500	손상 후 BV 5,880,000
손상차손	-	(500,000)	-	-
손상차손환입	-	-	297,500	120,000

Dep (손상 후 BV 기준)   Dep (손상 후 BV 기준)
(937,500)   (980,000)

×2년 말 손상차손	유형자산 회수가능액 - 손상 전 유형자산의 BV 7,500,000 - 8,000,000 = (500,000)
손상 후 ×3년 감가상각비	정액법: 손상 후 BV(= 손상 시 회수가능액)/잔여내용연수 정액법: 7,500,000/(10 - 2)년 = (937,500)
×3년 말 손상차손환입	Min[손상되지 않았을 경우의 BV, 회수가능액] - 손상 후 BV Min[7,000,000, 6,860,000] - (7,500,000 - 937,500) = 297,500
환입 후 ×4년 감가상각비	정액법: 손상 후 BV(= 손상 시 회수가능액)/잔여내용연수 정액법: 6,860,000/(10 - 3)년 = (980,000)
×4년 말 손상차손환입	Min[손상되지 않았을 경우의 BV, 회수가능액] - 손상 후 BV Min[6,000,000, 6,400,000] - (6,860,000 - 980,000) = 120,000
×4년 말 B/S상 손상차손누계액	누적손상차손 - 누적손상차손환입 500,000 - (297,500 + 120,000) = 82,500

3) 20×4년 F/S

B/S		20×4년 말
유형자산	취득자산 FV 10,000,000	
(감가상각누계액)	역산 (3,917,500)	
(손상차손누계액) 손상차손(누적) - 손상차손환입(누적)	(82,500)	
유형자산 BV Min[회수가능액, 손상되지 않았을 경우 BV]	6,000,000	

I/S		20×4년
감가상각비		(손상 후 BV - 잔존가치)/잔여내용연수 (6,860,000 - 0)/(10 - 3)년 = (980,000)
손상차손환입		Min[손상되지 않았을 경우 BV, 회수가능액] - 손상 후 BV Min[6,000,000, 6,400,000] - (6,860,000 - 980,000) = 120,000

○ N/I 영향: (980,000) + 120,000 = (860,000)

26 ① 1) 20×1년 상각후원가: 600,000 - (600,000 - 0)/6 = 500,000
   2) 20×1년 손상차손: 500,000 - Max[(370,000 - 10,000), 319,416[1]] = 140,000
      [1] 80,000 × 3.9927 = 319,416
   3) 20×2년 당기순이익에 미친 영향: (72,000) + (20,000) + 112,000 = 20,000
      (1) 20×2년 감가상각비: (360,000 - 0)/5 = (72,000)
      (2) 20×2년 수익적 지출: (20,000)
      (3) 20×2년 손상차손환입: Min[450,000, (500,000 - 100,000)] - (360,000 - 72,000) = 112,000

27 ④ 1) 기계장치 취득원가: 240,000 + 40,000 = 280,000
      * 시험과정에서 발생한 시제품의 매각금액과 재배치비용 등은 유형자산의 취득원가에 가산하지 않는다.
   2) 20×1년 감가상각비: 280,000/4 = 70,000
   3) 20×1년 손상차손: (280,000 - 70,000) - Max[150,000, 120,000] = 60,000
   4) 20×2년 감가상각비: 150,000/3 = 50,000
   5) 20×2년 손상차손환입: Min[170,000, (280,000 - 70,000 - 70,000)] - (150,000 - 50,000) = 40,000
   6) 20×2년 말 기계장치 장부금액: 140,000

28 ② 1) 기계장치 취득원가: 900,000 - 100,000 = 800,000
   2) 20×1년 재평가손실: 570,000 - (800,000 - 800,000/4) = (-)30,000
   3) 20×2년 감가상각비: 570,000/3 = 190,000
   4) 20×2년 재평가잉여금: 420,000 - (570,000 - 190,000) - 30,000 = 10,000
   5) 20×2년 당기순이익에 미치는 영향: (-)190,000 + 30,000 = (-)160,000

29 ④ 1) 20×1년 재평가손실: 5,000,000 - [6,000,000 - (6,000,000 - 500,000)/10] = (-)450,000
   2) 20×2년 재평가잉여금: 5,500,000 - [5,000,000 - (5,000,000 - 500,000)/9] - 450,000
      = 550,000
   3) 20×3년 감가상각비: (5,500,000 - 600,000)/5 = (-)980,000
   4) 20×3년 재평가손실: 3,500,000 - (5,500,000 - 980,000) + 550,000 = (-)470,000
   5) 20×3년 당기순이익에 미치는 영향: 3) + 4) = (-)1,450,000

B/S		N/I변동	OCI변동	총포괄손익변동
취득　　　　취득자산 FV 　　　　　　400,000				
상각　　　　　　(Dep₁) 　　　　　　(50,000)		(Dep₁) (50,000)		(Dep₁) (50,000)
① ×1 말 상각후원가　BV₁ 　　　　　　350,000				
③ 재평가잉여금 대차차액 A 　　　　　30,000	재평가잉여금　　　A 　　　　　30,000		A 30,000	A 30,000
② ×1 말 FV　　　FV₁ 　　　　　　380,000				
	OCI잔액　　　　A 　　　　　30,000	(Dep₁) (50,000)	A 30,000	(Dep₁) + A = FV₁ – 취득가 (50,000) + 30,000 = 380,000 – 400,000
상각¹⁾　　　　　(Dep₂) 　　　　　(95,000)		(Dep₂) (95,000)		(Dep₂) (95,000)
① ×2 말 상각후원가　BV₂ 　　　　　285,000				
③ 재평가잉여금　(잔여분) 　　　　　(30,000)	재평가잉여금　(잔여분) 　　　　(30,000)		(잔여분) (30,000)	(잔여분) (30,000)
④ 손상차손　대차차액 B 　　　　　(13,000)		(B) (13,000)		(B) (13,000)
② ×2 말 회수가능액　회수₂ 　　　　　242,000	OCI잔액　　　　　–	(Dep₂ + B) (95,000 +13,000)	(잔여분) (30,000)	(Dep₂ + 잔여분 + B) = 회수₂ – FV₁ (95,000 + 30,000 + 13,000) = 242,000 – 380,000

¹⁾ (전기 말 FV – 잔존가치)/잔여내용연수(변경된 내용연수) = (380,000 – 0)/4년 = (95,000)

B/S		N/I변동	OCI변동	총포괄손익변동
취득 취득자산 FV 100,000				
상각 (Dep_1) (20,000)		(Dep_1) (20,000)		(Dep_1) (20,000)
① ×1 말 상각후원가 BV_1 80,000				

③ 재평가잉여금   대차차액 A
      20,000
	재평가잉여금 A
	      20,000
			A
			20,000
				A
				20,000

② ×1 말 FV FV_1 100,000				
	OCI잔액 A 20,000	(Dep_1) (20,000)	A 20,000	(Dep_1) + A = FV_1 - 취득가 (20,000) + 20,000 = 100,000 - 100,000

상각[1] (Dep_2)
     (25,000)
	대체[2] $(Dep_2 - Dep_1)$
	      (5,000)
		(Dep_2)
		(25,000)
				(Dep_2)
				(25,000)

① ×2 말 상각후원가 BV_2 75,000				

③ 재평가잉여금   (잔여분)
     (12,000)
	재평가잉여금 (잔여분)
	      (12,000)
			(잔여분)
			(12,000)
				(잔여분)
				(12,000)

② ×2 말 FV FV_2 63,000				
	OCI잔액 A - 대체 + (잔여분) 20,000 - 5,000 - 12,000	(Dep_2) (25,000)	(잔여분) (12,000)	(Dep_2) + (잔여분) = FV_2 - FV_1 (25,000 + 12,000) = 63,000 - 100,000

상각 (Dep_3)
     (21,000)
	대체 $(Dep_3 - Dep_1)$
	      (1,000)
		(Dep_3)
		(21,000)
				(Dep_3)
				(21,000)

① ×3 말 상각후원가 BV_3 42,000				

③ 재평가잉여금   (잔여분)
     (2,000)
	재평가잉여금 (잔여분)
	      (2,000)
			(잔여분)
			(2,000)
				(잔여분)
				(2,000)

③ 재평가손실 (대차차액 C) (1,000)		(C) (1,000)		(C) (1,000)
② ×3 말 FV FV_3 39,000				
	OCI잔액 –	$(Dep_3 + C)$ (22,000)	(잔여분) (2,000)	$(Dep_3 + 잔여분 + C)$ = FV_3 - FV_2 (21,000 + 2,000 + 1,000) = 39,000 - 63,000

[1] (전기 말 FV - 잔존가치)/잔여내용연수 = (100,000 - 0)/(5 - 1) = (25,000)
[2] 재평가된 금액에 근거한 감가상각액과 최초 취득원가에 근거한 감가상각비의 차이

○ 재평가잉여금을 이익잉여금으로 대체시키는 경우 이익잉여금 변동액: N/I + 재평가잉여금 대체액
  • 20×2년 이익잉여금 변동액: (25,000) + 5,000 = (20,000)
  • 20×3년 이익잉여금 변동액: (22,000) + 1,000 = (21,000)

해커스 IFRS 정윤돈 객관식 재무회계 정답 및 해설

제4장 유형자산

32 ③   1) 일괄구입 후 사용은 취득시점에 각 자산의 공정가치비율로 배분하여 취득가액을 결정한다.

2) 토지의 취득가액: 2,400 × 1,500/(1,500 + 1,000) = 1,440

3) 지문분석
   ① 20×1년 말 당기순이익 감소: 1,440 - 1,400 = 40
   ② 20×2년 말 당기순이익 증가: 40
   ③ 20×2년 말 재평가잉여금 증가: 1,500 - 1,440 = 60
   ④ 20×3년 말 재평가잉여금 감소: 60
   ⑤ 20×3년 말 당기순이익 감소: 1,440 - 400 = 1,040

33 ①   1) 20×1년 감가상각비: (1,000,000 - 0) × 40% = 400,000

2) 20×1년 말 재평가잉여금: 900,000 - (1,000,000 - 400,000) = 300,000

3) 회계처리

차) 감가상각누계액	400,000	대) 건물	100,000
		재평가잉여금	300,000

34 ②   1) 토지의 회계처리

20×1년 초	차) 토지	100,000	대) 현금	100,000
20×1년 말	차) 재평가손실	5,000	대) 토지	5,000
20×2년 말	차) 토지	25,000	대) 재평가이익	5,000
			재평가잉여금	20,000

2) 건물의 회계처리

20×1년 초	차) 건물	10,000	대) 현금	10,000
20×1년 말	차) 감가상각비	2,500	대) 감가상각누계액	2,500
	차) 감가상각누계액	2,500	대) 건물	3,000
	재평가손실[1]	500		
20×2년 초	차) 건물	2,000	대) 현금	2,000
20×2년 말	차) 감가상각비[2]	3,000	대) 감가상각누계액	3,000
	차) 감가상각누계액	3,000	대) 재평가이익[3]	500
			건물	2,500

[1] 7,000 - (10,000 - 2,500) = (500)
[2] (7,000 + 2,000 - 0) ÷ (4 - 1)년 = 3,000
[3] 6,500 - (9,000 - 3,000) = 500

❍ 20×2년 당기순이익에 미치는 영향: 2,500 증가[1]

[1] 토지 재평가이익 5,000 - 건물 감가상각비 3,000 + 건물 재평가이익 500 = 2,500 증가

35 ②   1) 20×1년 말 상각후원가: 5,000,000 - (5,000,000 - 500,000)/9 = 4,500,000

2) 20×1년 재평가잉여금: 4,750,000 - 4,500,000 = 250,000

3) 20×2년 감가상각비: (4,750,000 - 500,000) ÷ 8년 = 531,250

4) 20×2년 재평가손실: (4,750,000 - 531,250) - 3,900,750 - 250,000 = 68,000

5) 20×2년 당기순이익에 미치는 영향: (531,250) + (68,000) = (-)599,250

36 ④   1) 20×1년 말 재평가잉여금: 1,800,000 - [2,000,000 - (2,000,000 - 200,000)/5] = 160,000

2) 20×2년 당기비용 합계: 400,000 + 140,000 = 540,000
   (1) 감가상각비: (1,800,000 - 200,000) ÷ (5 - 1)년 = 400,000
   (2) 손상차손: (1,800,000 - 400,000) - 1,100,000 - 160,000 = 140,000

37 ① 1) 20×1년도 당기순이익에 미치는 영향: (1) + (2) = (-)480,000
   (1) 20×1년 감가상각비: (1,500,000 - 100,000) ÷ 5년 = 280,000
   (2) 20×1년 재평가손실: (1,500,000 - 280,000) - 1,020,000 = 200,000
   2) 20×2년도 당기순이익에 미치는 영향: (1) + (2) = 0
   (1) 20×2년 감가상각비: (1,020,000 + 300,000 - 120,000) ÷ (5 - 1 + 2)년 = 200,000
   (2) 20×2년 재평가이익: 200,000
   (3) 20×2년 말 재평가잉여금: 1,350,000 - (1,320,000 - 200,000) - 재평가이익 200,000 = 30,000

38 ④

B/S			N/I변동	OCI변동	총포괄손익변동
취득	2,000,000				
상각	(600,000)		(600,000)		(600,000)
×1 말 BV	1,400,000				
재평가잉여금	200,000	재평가잉여금 200,000		200,000	200,000
×1 말 FV	1,600,000				
		OCI잔액 200,000	(600,000)	200,000	(400,000)
상각[1]	(700,000)	대체 (-)	(700,000)		(700,000)
×2 말 BV	900,000				
재평가잉여금	(200,000)	재평가잉여금 (200,000)		(200,000)	(200,000)
재평가손실	(200,000)		(200,000)		(200,000)
×2 말 FV	500,000	OCI잔액 -			
손상차손	(200,000)		(200,000)		(200,000)
×2 말 회수가능액	300,000				
		OCI잔액 -	(1,100,000)	(200,000)	(1,300,000)

[1] (1,600,000 - 200,000) ÷ (3 - 1)년 = 700,000

◉ 20×2년 당기손익에 미친 영향: (-)1,100,000

관련 유형 연습

01 ④

구입가격(매입할인 미반영)	1,000,000
매입할인	(15,000)
설치장소 준비원가	25,000
정상작동 여부 시험과정에서 발생한 원가	10,000
정상작동 여부 시험과정에서 생산된 시제품 순매각금액	취득원가에 포함되지 않음
신제품을 소개하는 데 소요되는 원가	취득원가에 포함되지 않음
신제품 영업을 위한 직원 교육훈련비	취득원가에 포함되지 않음
기계 구입과 직접적으로 관련되어 발생한 종업원급여	2,000
합계	1,022,000

02 ④ 1) 20×1년 초 국채의 공정가치: 300,000 × 0.71178 + 15,000 × 2.40183 = 249,561

2) 취득시점의 회계처리

차)	유형자산 ①	10,100,000	대)	현금	10,100,000
차)	FVOCI금융자산 ②	2nd 취득시점 FV	대)	현금	1st 취득시점 현금지급액
		249,561			300,000
	유형자산 ①	대차차액			
		50,439			

3) 20×1년 당기손익에 미치는 영향

N/I 영향 (2,000,141)	① 감가상각비 (10,100,000 + 50,439 − 0)/5년 = (2,030,088)
	② 이자수익 249,561 × 12% = 29,947

03 ③

구분	토지	건물
건물이 있는 토지 구입대금	2,000,000	
토지취득 중개수수료	80,000	
토지취득세	160,000	
공장건축허가비		10,000
신축공장건물 설계비		50,000
기존건물 철거비	150,000	
기존건물 철거 중 수거한 폐건축자재 판매대금	(100,000)	
토지정지비	30,000	
건물 신축을 위한 토지굴착비용		50,000
건물 신축원가		3,000,000
건물 신축용 차입금의 차입원가		10,000
합계	2,320,000	3,120,000

04 ④ 1) ㈜대한

구분		취득원가	처분손익
상업적 실질 ○	제공한 자산 FV가 명확	제공한 자산 FV + 현금지급 − 현금수령	제공한 자산 FV − BV
		30,000 − 5,000 = 25,000	30,000 − (50,000 − 30,000) = 10,000

2) ㈜세종

구분		취득원가	처분손익
상업적 실질 ○	취득한 자산 FV가 명확	취득한 자산 FV	취득한 자산 FV − BV − 현금지급 + 현금수령
		30,000	30,000 − 30,000 − 5,000 = (5,000)

05 1. ○

2. ○

3. × 취득 시 자산으로 인식한다.

4. ○

5. × 매우 높을 필요는 없다.

6. × 일부를 대체할 때 대체되는 부분의 장부금액은 분리하여 인식하였는지 여부에 관계없이 제거한다.

7. ○

8. ○

9. × 제공한 자산의 장부금액으로 한다.

10. ○

06 ④ 1) 최초 취득일

차) 구축물	취득자산 FV + PV(복구원가)	대) 현금	취득자산 FV
	4,000,000 + 310,450 = 4,310,450		4,000,000
		복구충당부채	PV(복구원가)
			500,000 × 0.6209 = 310,450

	B/S		20×1년 초
구축물	취득자산 FV + PV(복구원가)	복구충당부채	PV(복구원가) at 취득
	4,310,450		310,450

2) 결산일

차) 감가상각비	① N/I 862,090	대) 감가상각누계액	862,090
차) 복구충당부채전입액	② N/I 31,045	대) 복구충당부채	31,045

	B/S		20×1년 말
유형자산	취득자산 FV + PV(복구원가)	복구충당부채	PV(복구원가) at 기말
	4,310,450		310,450 × 1.1 - 0 = 341,495
(감가상각누계액)	(862,090)		
유형자산 BV	3,448,360		

	I/S	
감가상각비		최초 취득원가에 근거
		(4,310,450 - 0)/5년 = (862,090)
복구충당부채전입액		기초PV(복구원가) × R
		310,450 × 10% = (31,045)

● 20×1년 포괄손익계산서에 인식할 비용: (862,090) + (31,045) = (893,135)

07 ② [최초 취득일(7/1 ← 월할 상각)]

차) 구축물	취득자산 FV + PV(복구원가)	대) 현금	취득자산 FV
	1,000,000 + 124,180 = 1,124,180		1,000,000
		복구충당부채	PV(복구원가)
			200,000 × 0.6209 = 124,180

B/S

구축물	취득자산 FV + PV(복구원가)	복구충당부채	PV(복구원가) at 취득
	1,124,180		124,180
토지	취득가 + 등기비용		
	2,030,000		

● 20×1년 복구충당부채전입액(이자비용): 기초PV(복구원가) × R × 경과기간/12
  : 124,180 × 10% × 6/12 = 6,209

08 ① [원가모형 적용]

구분		회계처리			
변경	복구충당부채 증가	차) 유형자산	① 103,358	대) 복구충당부채	① 103,358
시점	복구충당부채 감소				
결산일		차) 감가상각비	② 1,087,932	대) 감가상각누계액	② 1,087,932
		차) 복구충당부채전입액	③ 53,384	대) 복구충당부채	③ 53,384

① 복구충당부채 변경액: PV(변경된 복구원가) by 변경 시 R_2 − PV(변경 전 복구원가) by 취득 시 R_1
  : 700,000 ÷ 1.12^4 − 310,460 × 1.1 = 103,358(단수차이)

② 변경 후 Dep: (변경 전 유형자산 BV + 복구충당부채 변경액 − 잔존가치)/잔존내용연수(정액법 가정 시)
  : (5,000,000 + 310,460 − 1,062,092[1] + 103,358)/4 = (1,087,932)
  [1] 20×2년 초 감가상각누계액: (5,000,000 + 310,460 − 0)/5 = 1,062,092

③ 복구충당부채전입액: PV(변경된 복구원가) by 변경 시 R_2 × 변경 시 R_2
  : 444,864(= 700,000 ÷ 1.12^4) × 12% = (53,384)

● 20×2년 당기손익에 미친 영향: (1,087,932) + (53,384) = (1,141,316)

09 ② 1) 정부보조금 차감 후 장부금액: 7,000,000 − 2,400,000 = 4,600,000
2) ×7년 10월 1일 ~ ×9년 12월 31일까지 감가상각비: (4,600,000 − 1,000,000) × 27/60개월 = 1,620,000
3) ×9년 말 장부금액: 4,600,000 − 1,620,000 = 2,980,000

⚡ Self Study

> 정액법하에서 기중 취득 및 기중 처분으로 인한 감가상각은 전체 상각기간을 월수로 놓고 계산한다.

10 ① 1) 20×1년 초 차입금의 장부금액: 50,000 × 0.6209 + 500 × 3.7908 = 32,940
2) 20×3년 당기비용으로 인식할 금액: 10,469
   (1) 기계장치의 감가상각비(정부보조금 차감한 순액): (50,000 − 17,060)/5년 = 6,588
   (2) 차입금의 이자비용: [(32,940 × 1.1 − 500) × 1.1 − 500] × 10% = 3,881

11 ⑤ 정부보조금을 인식한 후에 상환의무가 발생하면 회계추정치의 변경으로 회계처리한다.

12 ③ 상환의무가 있는 정부보조금(낮은 이자율)
1) 최초 차입 & 취득 시

	B/S		
유형자산	취득자산 FV	차입금	PV(CF)
	400,000		400,000 × 0.7350 = 294,000
(정부보조금)	현금수령액 - PV(CF)		
	(106,000)		
유형자산 BV	294,000		

2) 결산일

	I/S	
감가상각비		(취득자산 FV - 정부보조금 - 잔존가치)/내용연수
		(400,000 - 106,000 - 0)/5년 = (58,800)
이자비용		기초차입금 BV × R
		294,000 × 8% = (23,520)

13 ③ 1) 취득원가(A): (A - 12,000) × 3/6 × 3/12 = 60,000, A = 492,000
2) ×2년 감가상각비: (492,000 - 12,000) × 3/6 × 9/12 + (492,000 - 12,000) × 2/6 × 3/12 = 220,000
3) ×2년 말 기계장치 BV: 492,000 - 60,000 - 220,000 = 212,000

14 ⑤ 1) 취득원가: 4,000 + 4,000 × 2.57710 = 14,308
2) 20×4년 말 기계 B의 BV: 14,308 - (14,308 - 308) × 3/5 = 5,908
3) 감가상각방법 추정 변경 시 잔존가치가 장부가액보다 크므로 감가상각을 하지 않는다.

15
1. ○
2. × 생산량비례법을 제외하고 유휴 시에도 감가상각을 수행한다.
3. ○
4. ○
5. × 상각방법의 변경은 추정치의 변경으로 전진법을 적용한다.
6. ○
7. × 반드시 정액법을 사용해야 하는 것은 아니다.
8. × 유의적이지 않은 부분도 별도로 분리하여 감가상각할 수 있다.
9. × 수익에 기초한 감가상각방법은 적절하지 않다.
10. ○

16 ② 1) TOOL

구분	20×1년 말	20×2년 말	20×3년 말
손상 전 장부가액	손상 전 BV 800,000	손상 전 BV 600,000	손상 전 BV 400,000
회수가능액	(회수가능액) 700,000	(회수가능액) 420,000	회수가능액 580,000
손상 후 장부가액	손상 후 BV 700,000	손상 후 BV 525,000	손상 후 BV 280,000
손상차손	(100,000)	(105,000)	-
손상차손환입	-	-	120,000

Dep (손상 후 BV 기준) (175,000) Dep (손상 후 BV 기준) (140,000)

×1년 말 손상차손	유형자산 회수가능액 - 손상 전 유형자산의 BV 700,000 - 800,000 = (100,000)
손상 후 ×2년 감가상각비	정액법: 손상 후 BV(= 손상 시 회수가능액)/잔여내용연수 정액법: 700,000/(5 - 1)년 = (175,000)
×2년 말 손상차손	유형자산 회수가능액 - 손상 전 유형자산의 BV 420,000 - (700,000 - 175,000) = (105,000)
손상 후 ×3년 감가상각비	정액법: 손상 후 BV(= 손상 시 회수가능액)/잔여내용연수 정액법: 420,000/(5 - 2)년 = (140,000)
×3년 말 손상차손환입	Min[손상되지 않았을 경우의 BV, 회수가능액] - 손상 후 BV Min[400,000, 580,000] - (420,000 - 140,000) = 120,000
×3년 말 B/S상 손상차손누계액	누적손상차손 - 누적손상차손환입 (100,000 + 105,000) - 120,000 = 85,000

2) 20×3년 I/S

	I/S
감가상각비	(손상 후 BV - 잔존가치)/잔여내용연수 420,000/(5 - 2)년 = (140,000)
손상차손환입	Min[손상되지 않았을 경우 BV, 회수가능액] - 손상 후 BV Min[400,000, 580,000] - (420,000 - 140,000) = 120,000

⬤ N/I 영향: (140,000) + 120,000 = (20,000)

17 ⑤ 1) 20×2년 감가상각비: (560,000 - 100,000) ÷ (5 - 1)년 = 115,000
2) 20×2년 손상차손: 130,000 - 115,000 = 15,000
3) 20×2년 말 회수가능액: 560,000 - 115,000 - 15,000 = 430,000

B/S		N/I변동	OCI변동	총포괄손익변동
취득　　　취득자산 FV				
200,000				
상각　　　　(Dep₁)		(Dep₁)		(Dep₁)
(40,000)		(40,000)		(40,000)
① ×1 말 상각후원가　BV₁				
160,000				
③ 재평가잉여금 대차차액 A	재평가잉여금　　　　A		A	A
20,000	20,000		20,000	20,000
② ×1 말 FV　　FV₁				
180,000				
	OCI잔액　　　　　A	(Dep₁)	A	(Dep₁) + A
	20,000	(40,000)	20,000	= FV₁ - 취득가
				(40,000) + 20,000
				= 180,000 - 200,000
상각¹⁾　　　(Dep₂)	대체²⁾　(Dep₂ - Dep₁)	(Dep₂)		(Dep₂)
(45,000)	(45,000 - 40,000)	(45,000)		(45,000)
① ×2 말 상각후원가　BV₂				
135,000				
③ 재평가잉여금　(잔여분)	재평가잉여금　(잔여분)		(잔여분)	(잔여분)
(15,000)	(15,000)		(15,000)	(15,000)
③ 재평가손실　대차차액 C		(C)		(C)
(60,000)		(60,000)		(60,000)
② ×2 말 FV　　FV₂				
60,000				
	OCI잔액　　　　　-	(Dep₂ + C)	(잔여분)	(Dep₂ + 잔여분 + C)
		(105,000)	(15,000)	= FV₂ - FV₁
				(45,000 + 15,000 + 60,000)
				= 60,000 - 180,000

¹⁾ (전기 말 FV - 잔존가치)/잔여내용연수 = (180,000 - 0)/(5 - 1)년 = (45,000)
²⁾ 재평가된 금액에 근거한 감가상각액과 최초 취득원가에 근거한 감가상각비의 차이
　○ 재평가잉여금 잔액/잔여내용연수

19 ③

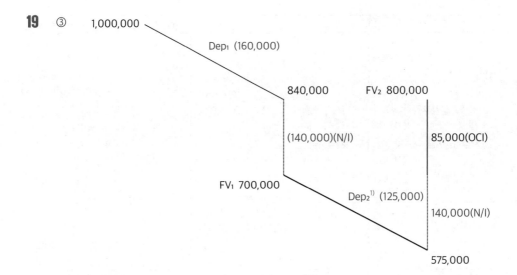

$^{1)}$ Dep$_2$: (700,000 - 200,000) ÷ (5 - 1)년 = 125,000

◐ 20×2년도 당기순이익에 미치는 영향: (125,000) + 140,000 = 15,000 증가

20 ①   자본의 증감액(주주거래 제외) = 총포괄손익(N/I + OCI변동)

= 기말자산 FV - 기초자산 FV(부채변동 없음 가정)

= 3,800,000(×2년 말 공정가치) - 3,800,000(×1년 말 공정가치) = 0

21 ②

B/S		N/I변동	OCI변동	총포괄손익변동
취득 취득자산 FV 300,000				
상각 (Dep₁) (60,000)		(Dep₁) (60,000)		(Dep₁) (60,000)
① ×5 말 상각후원가 BV₁ 240,000				
③ 재평가잉여금 대차차액 A 10,000	재평가잉여금 A 10,000		A 10,000	A 10,000
② ×5 말 FV FV₁ 250,000				
	OCI잔액 A 10,000	(Dep₁) (60,000)	A 10,000	(Dep₁) + A = FV₁ - 취득가 (60,000) + 10,000 = 250,000 - 300,000
상각¹⁾ (Dep₂) (62,500)		(Dep₂) (62,500)		(Dep₂) (62,500)
① ×6 말 상각후원가 BV₂ 187,500				
③ 재평가잉여금 (잔여분) (10,000)	재평가잉여금 (잔여분) (10,000)		(잔여분) (10,000)	(잔여분) (10,000)
③ 재평가손실 (대차차액 B) (27,500)		(B) (27,500)		(B) (27,500)
② ×6 말 FV FV₂ 150,000				
	OCI잔액 –	(Dep₂ + B) (62,500 + 27,500)	(잔여분) (10,000)	(Dep₂ + 잔여분 + B) = FV₂ - FV₁ (62,500 + 10,000 + 27,500) = 150,000 - 250,000
상각²⁾ (Dep₃) (50,000)		(Dep₃) (50,000)		(Dep₃) (50,000)
① ×7 말 상각후원가 BV₃ 100,000				
③ 재평가이익 B 27,500		B 27,500		B 27,500
③ 재평가잉여금 대차차액 C 2,500	재평가잉여금 C 2,500		C 2,500	C 2,500
② ×7 말 FV FV₃ 130,000				
	OCI잔액 C 2,500	(Dep₃) + B (50,000) + 27,500	C 2,500	(Dep₃) + B + C = FV₃ - FV₂ (50,000) + 27,500 + 2,500 = 130,000 - 150,000

¹⁾ (전기 말 FV - 잔존가치)/잔여내용연수 = (250,000 - 0)/(5 - 1)년 = (62,500)
²⁾ (전기 말 FV - 잔존가치)/잔여내용연수 = (150,000 - 0)/(5 - 2)년 = (50,000)

22

1. × 재평가모형을 선택한 경우에도 손상의 객관적인 사유에 해당한다면 자산손상에 대한 회계처리를 적용한다.
2. × 유형자산의 분류별로 동일하게 적용한다.
3. × 유형자산 분류 전체를 재평가한다.
4. × 이전에 당기손익으로 인식한 재평가 감소액이 있다면 그 금액을 한도로 재평가 증가액만큼 당기손익으로 인식한다.
5. × 재평가잉여금은 어떠한 경우에도 당기손익으로 인식하지 않는다.
6. × 무형자산의 원가의 일부만 자산으로 인식한 경우에는 그 자산 전체에 대하여 재평가모형을 적용할 수 있다. 더하여 정부보조금을 통하여 취득하고 명목상 금액으로 인식한 무형자산에도 재평가모형을 적용할 수 있다.

실력 점검 퀴즈

01 ① 처분손익: 60,000 - (100,000 - 55,000) - 10,000 = 5,000 이익

02 ②
1) 20×1년 감가상각비: (2,000,000 - 200,000) × 5/15 × 6/12 = 300,000
2) 20×2년 감가상각비: (2,000,000 - 200,000) × 5/15 × 6/12 + (2,000,000 - 200,000) × 4/15 × 6/12 = 540,000
3) 20×3년 감가상각비: (2,000,000 - 300,000 - 540,000 - 0)/4 = 290,000
4) 처분손익: 1,000,000 - (2,000,000 - 300,000 - 540,000 - 290,000) = 130,000 이익

03 ④ 토지의 취득원가: 7,500 + 300 - 100 = 7,700

04 ③
(가) 상업적 실질이 있는 경우 취득원가: 8,000
(나) 상업적 실질이 없는 경우 취득원가: 9,000 - 3,500 + 1,500 = 7,000

05 ① 건물이 위치한 토지의 가치가 증가하더라도 건물의 감가상각대상금액에는 영향을 미치지 않는다.

06 ④ ㄱ, ㄹ 취득과정에서 불가피하게 발생한 부대비용이 아니므로 유형자산의 원가에 포함하지 않고 비용처리한다.

07 ④
1) 20×2년 초 기계장치의 장부금액: 1,000,000 - 1,000,000/5 = 800,000
2) 20×2년 감가상각비: (800,000 + 325,000 - 0) × 2/6 = 375,000
3) 20×3년 초 기계장치의 장부금액: 800,000 + 325,000 - 375,000 = 750,000
4) 처분 시 현금수취액: 750,000 + 10,000 = 760,000

08 ④ 재무제표에 미치는 영향
1) 20×3년 당기손익: (-)825,000
   * 20×3년 Dep: 825,000 = (1,700,000 - 50,000) × 3/(3 + 2 + 1)
2) 20×4년 당기손익: (-)550,000
   * 20×4년 Dep: 550,000 = (1,700,000 - 50,000) × 2/(3 + 2 + 1)
3) 20×4년 전기이월이익잉여금: 영향 없음
   * 회계추정치의 변경: 전진법 ○ 전기이월이익잉여금에 영향 X

* 별해: 감가상각비의 계산 도식 적용

  (1) ×1년 취득원가(비품): 3,200,000

  (2) 정액법 Dep: 750,000 = (3,200,000 - 200,000) × 1/4

  (3) ×2년 말 BV: 1,700,000 = 3,200,000 - (750,000 × 2)

  (4) ×3년 Dep: 825,000 = (1,700,000 - 50,000) × 3/(3 + 2 + 1)

  (5) ×3년 말 BV: 875,000 = 1,700,000 - 825,000

  (6) ×4년 Dep: 550,000 = (1,700,000 - 50,000) × 2/(3 + 2 + 1)

  (7) ×4년 말 BV: 325,000 = 875,000 - 550,000

09 ② 1) ㈜대한의 회계처리

차) 신자산	450,000	대) 구자산	550,000
처분손실[1]	100,000		
차) 현금	150,000	대) 신자산	150,000

[1] 처분손익: 450,000 - 550,000 = (-)100,000

2) ㈜민국의 회계처리

차) 신자산	450,000	대) 구자산	350,000
처분손실[1]	50,000	현금[2]	150,000

[1] 처분손익: 450,000 - (350,000 + 150,000) = (-)50,000
[2] 현금: 350,000 - (450,000 + 50,000) = (-)150,000

10 ④ ① 유형자산의 감가상각대상금액은 내용연수에 걸쳐 모든 상각방법을 적용할 수 있다.

② 유형자산의 잔존가치와 내용연수는 적어도 매 회계연도 말에 재검토하며, 재검토 결과 추정치가 종전의 추정치와 다르다면 그 차이는 회계추정치의 변경으로 회계처리한다.

③ 유형자산이 가동되지 않거나 운휴상태가 되더라도, 감가상각이 완전히 이루어지기 전까지는 감가상각을 중단하지 않는다.

⑤ 건물이 위치한 토지의 가치가 증가하더라도 건물의 감가상각대상금액에는 영향을 미치지 않는다.

11 ③ ① ×1년 초 복구충당부채: 200,000 × 0.6806 = 136,120

② ×1년 초 유형자산 취득원가: 136,120 + 1,000,000 = 1,136,120

③ ×1년 감가상각비: (1,136,120 - 0)/5년 = 227,224

④ ×1년 이자비용: 136,120 × 8% = 10,890

⑤ ×5년 복구공사손실: 230,000 - 200,000 = 30,000

12 ⑤ ① ×1년 감가상각비: 3,600/5 = 720

② ×1년 말 회수가능액: Max[1,500, 1,600] = 1,600

③ ×1년 손상차손: (3,600 - 720) - 1,600 = 1,280

④ ×2년 감가상각비: 1,600/4 = 400

⑤ ×2년 손상차손환입: Min[(3,600 - 720 - 720), 2,200] - (1,600 - 400) = 960

13 ④ 1) 20×1년 말 손상 전 상각후원가: 1,600,000 - 1,600,000/4 = 1,200,000

2) 20×1년 말 회수가능액: Max[(1), (2)] = 706,304

  (1) 순공정가치: 760,000 - 70,000 = 690,000

  (2) 사용가치: 300,000 × 2.4018 - 20,000 × 0.7118 = 706,304

3) 20×1년 손상차손: 1,200,000 - 706,304 = 493,696

14 ⑤ 1) 20×1년 초 복구충당부채: 200,000 × 0.6209 = 124,180
2) 20×1년 초 유형자산 취득원가: 5,000,000 + 124,180 = 5,124,180
3) 20×1년 말 유형자산 상각후원가: 5,124,180 - 5,124,180/5 = 4,099,344
4) 20×1년 말 복구충당부채: 124,180 × 1.1 = 136,598
5) 20×2년 초 복구충당부채 재측정액: 300,000 × 0.6355 = 190,650
6) 20×2년 초 유형자산 장부금액: 4,099,344 + (190,650 - 136,598) = 4,153,396
7) 20×2년 감가상각비: 4,153,396/4 = 1,038,349
8) 20×2년 이자비용: 190,650 × 12% = 22,878
9) 20×2년 당기순이익에 미치는 영향: 1,038,349 + 22,878 = 1,061,227

15 ① 1) 20×1년 말 재평가잉여금: 900,000 - (1,000,000 - 200,000) = 100,000
2) 20×2년 재평가손실: (900,000 - 225,000) - 500,000 - 100,000 = 75,000

16 ④ 1) 20×1년 감가상각비: 100,000 ÷ 10년 = 10,000
2) 20×1년 말 재평가잉여금: 126,000 - (100,000 - 10,000) = 36,000
3) 20×2년 감가상각비: 126,000 ÷ 9년 = 14,000
4) 20×2년 손상차손: (126,000 - 14,000) - 48,000 - 36,000 = 28,000
5) 20×2년 당기손익에 미친 영향: (14,000) + (28,000) = (42,000)
6) 20×2년 기타포괄손익에 미친 영향: (36,000)

17 ③

구분	20×2년	20×3년	20×4년	20×5년
손상 전 BV	800,000	700,000	600,000	500,000
회수가능액	590,000			520,000
손상 후 BV	590,000	520,000	450,000	380,000

① 20×3년 감가상각비: 590,000 - 520,000 = 70,000
② 20×4년 말 감가상각누계액: 100,000 + 100,000 + 100,000 + 70,000 + 70,000 = 440,000
③ 20×5년 말 유형자산손상차손환입액: 500,000 - 380,000 = 120,000
④ 20×5년 말 손상차손누계액: (800,000 - 590,000) - 120,000 = 90,000
⑤ 20×6년 감가상각비: (500,000 - 100,000)/4 = 100,000

01

물음 1

주유기계 감가상각비: 4,000,000
저유설비 감가상각비: 5,878,287
배달트럭 감가상각비: 3,750,000

1) 주유기계 감가상각비
   (50,000,000 - 20,000,000 - 10,000,000) ÷ 5년 = 4,000,000

2) 저유설비 감가상각비
   회계처리

[20×1년 초]				
차) 저유설비	20,634,861	대)	현금	15,000,000
			복구충당부채[1]	5,634,861
[20×1년 말]				
차) 감가상각비[2]	5,878,287	대)	감가상각누계액	5,878,287
차) 이자비용[3]	563,486	대)	복구충당부채	563,486

[1] 15,000,000 × 50% × 0.7513148 = 5,634,861
[2] (20,634,861 - 3,000,000) ÷ 3년 = 5,878,287
[3] 5,634,861 × 10% = 563,486

3) 배달트럭 감가상각비
   (12,000,000 - 5,000,000 - 2,000,000) ÷ 4년 + 5,000,000 ÷ 2년 = 3,750,000

   * 유형자산을 구성하는 일부의 원가가 당해 유형자산의 전체 원가에 비교하여 유의적이라면, 해당 유형자산을 감가상각할 때 그 부분은 별도로 구분하여 감가상각한다.

물음 2

1) 20×3년 7월 1일 주유기계 장부금액: (50,000,000 - 20,000,000) - 4,000,000 × 2.5년 = 20,000,000
2) 주유기계처분이익: 25,000,000 - 20,000,000 = 5,000,000

물음 3

1) 20×3년 감가상각비: (20,634,861 - 3,000,000) ÷ 3년 = (-)5,878,287
2) 20×3년 이자비용: 5,634,861 × 1.1^2 × 10% = (-)681,818
3) 20×3년 복구공사이익: (-)7,000,000 + 15,000,000 × 50% = 500,000
   ❍ 당기순이익에 미치는 영향: 1) + 2) + 3) = (-)6,060,105

02

20×2년 당기손익에 미친 영향: (200,000) + (280,000) = (-)480,000

1) 20×2년 감가상각비: (1,000,000 - 0) ÷ 5년 = (-)200,000
2) 20×2년 말 손상 전 장부금액: 1,000,000 - 200,000 × 2년 = 600,000
3) 20×2년 손상차손: 320,000 - 600,000 = (-)280,000

물음 2

회계처리

[20×3년 초]				
차) 기계장치	40,000	대) 현금		40,000

* 동 수선비 지출로 기계장치의 잔존내용연수가 1년 연장되었으므로 자산으로부터 발생한 미래경제적효익이 기업에 유입될 가능성이 높다고 판단되고 자산의 원가를 신뢰성 있게 측정할 수 있으므로 자본적 지출로 보아 기계장치의 장부금액에 동 금액을 가산한다.

물음 3

20×3년 당기손익에 미친 영향: (90,000) + 210,000 = 120,000

1) 20×3년 감가상각비: (320,000 + 40,000 - 0) ÷ (5 - 2 + 1)년 = (-)90,000
2) 20×3년 말 손상차손환입 전 장부금액: 320,000 + 40,000 - 90,000 = 270,000
3) 20×3년 말 손상차손환입 한도: Min[①, ②] = 480,000
   ① 20×3년 말 회수가능액: 500,000
   ② 손상차손을 인식하지 않았을 경우 20×3년 말 장부금액: 480,000
      • 손상차손을 인식하지 않았을 경우 20×3년 초 장부금액: 1,000,000 - 200,000 × 2년 + 40,000 = 640,000
      • 손상차손을 인식하지 않았을 경우 20×3년 감가상각비: (640,000 - 0) ÷ 4년 = (-)160,000
      • 손상차손을 인식하지 않았을 경우 20×3년 말 장부금액: 640,000 - 160,000 = 480,000
4) 20×3년 손상차손환입: 480,000 - 270,000 = 210,000

03

물음 1

20×2년 말 인식해야 할 손상차손	① 30,000
20×3년 말 인식해야 할 손상차손환입	② 15,000

1) 20×1년 초 회계처리

차) 신자산	220,000	대) 구자산(BV)	250,000
현금	20,000		
처분손실	10,000		

2) 20×2년 말 손상 전 상각후원가: 220,000 - (220,000 - 20,000) × 2/5 = 140,000
3) 20×2년 말 손상차손: 140,000 - 110,000 = 30,000
4) 20×3년 말 손상차손환입 전 상각후원가: 110,000 - (110,000 - 20,000) × 1/3 = 80,000
5) 20×3년 말 손상차손환입: Min[140,000 - (220,000 - 20,000)/5, 95,000] - 80,000 = 15,000

물음 2

20×1년도 기타포괄이익에 미치는 영향	① 16,000
20×2년도 당기순이익에 미치는 영향	② (-)94,000

1) 20×1년 초 회계처리

차) 신자산	220,000	대) 구자산(BV)	200,000
		처분이익	20,000
차) 신자산	20,000	대) 현금	20,000

2) 20×1년 말 재평가잉여금: 160,000 - [240,000 - (240,000 - 0) × 4/10] = 16,000

3) 20×2년 감가상각비: (160,000 - 0) × 3/6 = 80,000

4) 20×2년 재평가손실: (160,000 - 80,000) - 50,000 - 16,000(재평가잉여금) = 14,000

5) 20×2년 당기순이익에 미치는 영향: (-)80,000 - 14,000 = (-)94,000

04

물음 1

손상차손	① 0
기타포괄손익	② 90,000

[20×1년 말 회계처리]

차)	감가상각비[1]	240,000	대)	감가상각누계액	240,000
차)	감가상각누계액	240,000	대)	재평가잉여금[2]	90,000
				기계장치	150,000

[1] (1,200,000 - 0)/5년 = 240,000
[2] 1,050,000 - (1,200,000 - 240,000) = 90,000
* 사용가치가 공정가치와 상각후원가보다 크므로 손상차손으로 인식할 금액은 없다.

물음 2

손상차손	① 7,500

[20×2년 말 회계처리]

차)	감가상각비[1]	262,500	대)	감가상각누계액	262,500
차)	감가상각누계액	262,500	대)	기계장치	320,000
	재평가잉여금[2]	57,500			
차)	재평가잉여금[3]	32,500	대)	손상차손누계액[4]	40,000
	손상차손	7,500			

[1] (1,050,000 - 0)/4년 = 262,500
[2] 730,000 - (1,050,000 - 262,500) = 57,500
[3] 90,000 - 57,500 = 32,500
[4] 730,000 - Max[680,000, 690,000] = 40,000

물음 3

기타포괄손익	① 22,500

[20×3년 말 회계처리]

차)	감가상각비[1]	230,000	대)	감가상각누계액	230,000
차)	손상차손누계액	20,000	대)	손상차손환입[2]	7,500
				재평가잉여금[3]	12,500
차)	감가상각누계액	230,000	대)	재평가잉여금[4]	10,000
	손상차손누계액	20,000		기계장치	240,000

[1] (690,000 - 0)/3년 = 230,000
[2] 전기 손상차손인식액(재평가모형은 손상차손환입에 한도가 없다)
[3] Max[470,000, 480,000] - (690,000 - 230,000) - 7,500 = 12,500
[4] 490,000 - Max[470,000, 480,000] = 10,000

기초 유형 확인

01 ① 1) 적수 산정

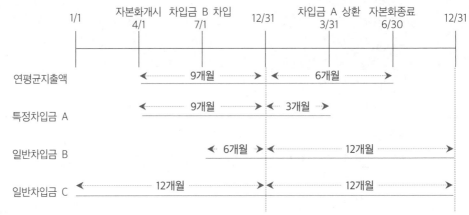

2) 20×1년 자본화할 차입원가: 102,000 + 98,000 = 200,000

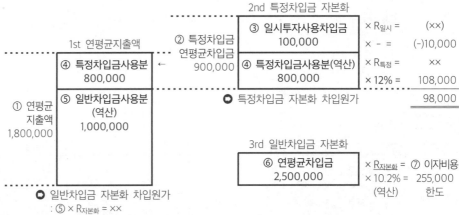

① 연평균지출액: (800,000 × 9 - 400,000 × 9 + 3,000,000 × 6)/12 = 1,800,000

② 특정차입금 연평균차입금: 1,200,000 × 9/12 = 900,000

③ 일시투자사용 연평균차입금: 400,000 × 3/12 = 100,000

⑥, ⑦ 일반차입금의 연평균차입금과 이자비용

구분	차입금액(I)	적수(II)	연평균차입금(III = I × II)	이자비용
B(9%)	3,000,000	6/12	1,500,000	1,500,000 × 9%
C(12%)	1,000,000	12/12	1,000,000	1,000,000 × 12%
합계			⑥ 2,500,000	⑦ 255,000

02 ② 01번 해설 참고

03 ① 20×2년 자본화할 차입원가: 146,250 + 36,000 = 182,250

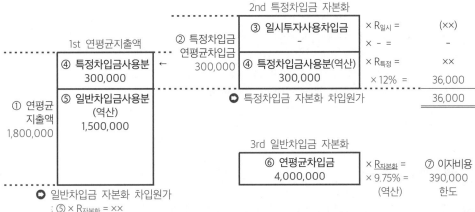

① 연평균지출액: (800,000 − 400,000 + 3,000,000 + 200,000) × 6/12 = 1,800,000
② 특정차입금 연평균차입금: 1,200,000 × 3/12 = 300,000
⑥, ⑦ 일반차입금의 연평균차입금과 이자비용

구분	차입금액(I)	적수(II)	연평균차입금(III = I × II)	이자비용
B(9%)	3,000,000	12/12	3,000,000	3,000,000 × 9%
C(12%)	1,000,000	12/12	1,000,000	1,000,000 × 12%
합계			⑥ 4,000,000	⑦ 390,000

04 ⑤ 03번 해설 참고

05 ② 20×1년 자본화할 차입원가: 218,000

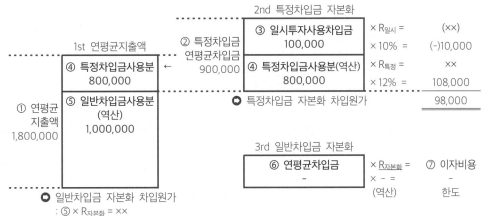

해커스 IFRS 정윤돈 객관식 재무회계 정답 및 해설

제5장 차입원가 자본화

06

③ 20×2년 이자비용: 243,750
    1) 특정차입금: 전액 자본화
    2) 일반차입금: 390,000 - 146,250 = 243,750

07 ① 자본화할 금융비용: 10,250
    ① 20×1년 이자비용: 100 × 5% × 1,050 = 5,250
    ② 외환 관련 손실: 100 × (1,000 - 1,050) = 5,000
    ③ 유사한 원화차입금 이자비용: 100 × 1,000 × 12% = 12,000
        * 12,000 > 5,250 + 5,000(외환 관련 손실 전액 자본화 차입원가 반영)

기출 유형 정리

01 ① 일반차입금은 일시투자수익이 있더라도 차입원가에서 차감하지 않는다.

02 ② 20×1년 자본화할 차입원가: 15,000 + 16,100 = 31,100

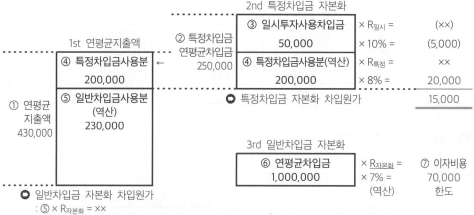

① 연평균지출액: (300,000 × 6 + 960,000 × 3 - 240,000 × 3 + 1,200,000 × 1)/12 = 430,000
② 특정차입금 연평균차입금: 500,000 × 6/12 = 250,000
③ 일시투자사용 연평균차입금: 200,000 × 3/12 = 50,000
⑥, ⑦ 일반차입금의 연평균차입금과 이자비용

구분	차입금액(I)	적수(II)	연평균차입금(III = I × II)	이자비용
A(8%)	500,000	12/12	500,000	500,000 × 8%
B(6%)	1,000,000	6/12	500,000	500,000 × 6%
합계			⑥ 1,000,000	⑦ 70,000

03 ① 1) 적수 산정

2) TOOL

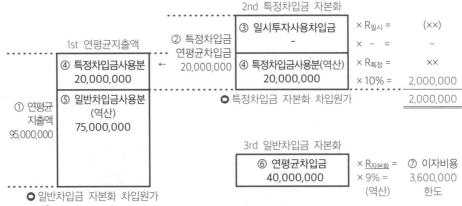

2nd 특정차입금 자본화

1st 연평균지출액

② 특정차입금
연평균차입금
20,000,000

③ 일시투자사용차입금
-     × R일시 = (××)
    × - = -

④ 특정차입금사용분(역산)
20,000,000   × R특정 = ××
   × 10% = 2,000,000

④ 특정차입금사용분
20,000,000

⑤ 일반차입금사용분
(역산)
75,000,000

① 연평균
지출액
95,000,000

○ 특정차입금 자본화 차입원가   2,000,000

3rd 일반차입금 자본화

⑥ 연평균차입금
40,000,000   × R자본화 = ⑦ 이자비용
    × 9% = 3,600,000
    (역산)   한도

○ 일반차입금 자본화 차입원가
: ⑤ × R자본화 = ××
: 75,000,000 × 9% = 6,750,000 ← 한도초과

① 연평균지출액: (60,000,000 × 12 + 100,000,000 × 6 - 30,000,000 × 6)/12 = 95,000,000

⑥, ⑦ 일반차입금의 연평균차입금과 이자비용

구분	차입금액(I)	적수(II)	연평균차입금(III = I × II)	이자비용
해남은행(10%)	40,000,000	6/12	20,000,000	20,000,000 × 10%
제부은행(8%)	20,000,000	12/12	20,000,000	20,000,000 × 8%
합계			⑥ 40,000,000	⑦ 3,600,000

○ 20×1년 자본화할 총차입원가: 2,000,000 + 3,600,000 = 5,600,000

04 ①

2nd 특정차입금 자본화

1st 연평균지출액

② 특정차입금
연평균차입금
1,000,000

③ 일시투자사용차입금
250,000   × R일시 = (××)
   × 2% = (5,000)

④ 특정차입금사용분(역산)
750,000   × R특정 = ××
   × 5% = 50,000

④ 특정차입금사용분
750,000

⑤ 일반차입금사용분
(역산)
5,250,000

① 연평균
지출액
6,000,000

○ 특정차입금 자본화 차입원가   45,000

3rd 일반차입금 자본화

⑥ 연평균차입금   × R자본화 = ⑦ 이자비용
   × ?% = 520,000
   (역산)   한도

○ 일반차입금 자본화 차입원가
: ⑤ × R자본화 = ××
: 5,250,000 × 자본화 이자율 = 150,000 - 45,000, 자본화 이자율: 2%

① 12,000,000 × 6/12 = 6,000,000

② 2,000,000 × 6/12 = 1,000,000

③ 1,000,000 × 3/12 = 250,000

05 ③ **1) 적수 산정**

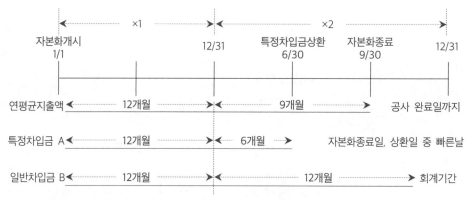

2) 20×1년 자본화할 차입원가: 5,000 + 10,000 = 15,000

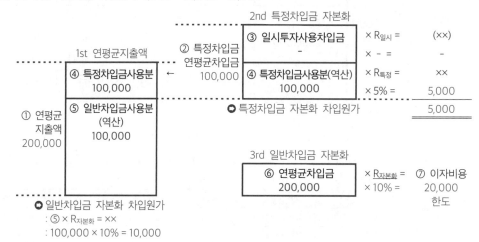

3) 20×2년 자본화할 차입원가: 2,500 + 20,000 = 22,500

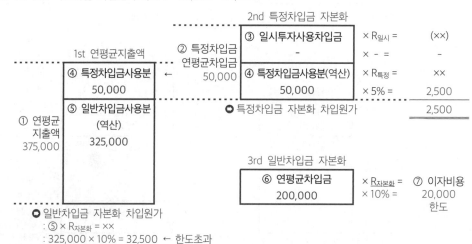

① 연평균지출액: (200,000 + 300,000) × 9/12 = 375,000
② 특정차입금 연평균차입금: 100,000 × 6/12 = 50,000

4) 사옥의 취득원가: 누적(지출액 + 차입원가자본화)
     = 200,000 + 300,000 + 15,000 + 22,500 = 537,500

06 ②

1st 연평균지출액
2nd 특정차입금 자본화
3rd 일반차입금 자본화

② 특정차입금 연평균차입금 375,000 →	③ 일시투자사용차입금 100,000 × 6/12 = 50,000
	④ 특정차입금사용분(역산) 325,000

③ 일시투자사용차입금 × $R_{일시}$ = (××)
100,000 × 6/12 = 50,000 × 4% = (2,000)
④ 특정차입금사용분(역산) × $R_{특정}$ = ××
325,000 × 6% = 22,500
◎ 특정차입금 자본화 차입원가 20,500

① 연평균지출액 500,000
④ 특정차입금사용분 325,000
⑤ 일반차입금사용분(역산) 175,000

◎ 일반차입금 자본화 차입원가
: ⑤ × $R_{자본화}$ = ××
: 175,000 × 10% = 17,500

3rd 일반차입금 자본화
⑥ 연평균차입금 2,000,000 × $R_{자본화}$ × 10% = ⑦ 이자비용 200,000 한도

① 연평균지출액: (400,000 × 9 + 1,000,000 × 3 - 200,000 × 3)/12 = 500,000
② 특정차입금 연평균차입금: 500,000 × 9/12 = 375,000
◎ 20×1년 자본화할 차입원가: 20,500 + 17,500 = 38,000

07 ⑤

1st 연평균지출액
2nd 특정차입금 자본화

② 특정차입금
연평균차입금
450,000 →
③ 일시투자사용차입금 - × $R_{일시}$ = (××)
× - = -
④ 특정차입금사용분(역산) 450,000 × $R_{특정}$ = ××
× 6% = 27,000
◎ 특정차입금 자본화 차입원가 27,000

① 연평균지출액 950,000
④ 특정차입금사용분 450,000
⑤ 일반차입금사용분(역산) 500,000

◎ 일반차입금 자본화 차입원가
: ⑤ × $R_{자본화}$ = ××
: 500,000 × 9.6% = 48,000

3rd 일반차입금 자본화
⑥ 연평균차입금 2,500,000 × $R_{자본화}$ × 9.6% = (역산) ⑦ 이자비용 240,000 한도

① 연평균지출액: 200,000 × 9/12 + 1,200,000 × 8/12 = 950,000
* 공사시작일 4/1, 공사중단기간에도 상당한 기술 및 관리활동이 진행되었으므로 자본화를 중단하지 않는다.
② 특정차입금 연평균차입금: 600,000 × 9/12 = 450,000
⑥ 일반차입금 연평균차입금: 2,000,000 + 1,000,000 × 6/12 = 2,500,000
⑦ 일반차입금 실제이자비용: 2,000,000 × 10% + 500,000 × 8% = 240,000
◎ 20×1년 자본화할 차입원가: 27,000 + 48,000 = 75,000

08 ③ 1) 20×2년 연평균지출액: (600,000 × 10 + 300,000 × 10 + 120,000 × 1)/12 = 760,000

2) 20×2년 특정차입금

    (1) 특정차입금 연평균차입액: 240,000 × 10/12 = 200,000

    (2) 특정차입금 자본화 차입원가: 200,000 × 4% = 8,000

3) 20×2년 일반차입금

    (1) 연평균차입액: 240,000 × 6/12 + 60,000 × 12/12 = 180,000

    (2) 일반차입금 이자비용(한도): 120,000 × 4% + 60,000 × 10% = 10,800

    (3) 자본화이자율: 10,800/180,000 = 6%

    (4) 일반차입금 자본화 차입원가: (760,000 − 200,000) × 6% = 33,600(한도초과로 자본화 차입원가 10,800)

4) 20×2년 자본화할 차입원가: 8,000 + 10,800 = 18,800

09 ④ 1) 20×1년 자본화할 차입원가: 2,333,000 − (500,000 + 600,000 + 1,200,000) = 33,000

2) 20×1년 일반차입금의 연 이자율: 8%

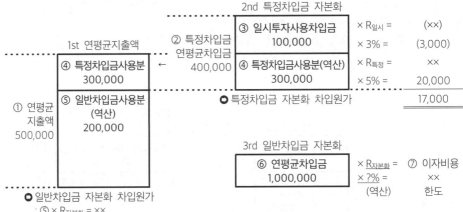

① 연평균지출액: (500,000 × 6 + 600,000 × 3 + 1,200,000 × 1)/12 = 500,000

② 특정차입금 연평균차입금: 800,000 × 6/12 = 400,000

③ 일시투자사용 연평균차입금: 400,000 × 3/12 = 100,000

10 ①

2nd 특정차입금 자본화

1st 연평균지출액	② 특정차입금 연평균차입금 1,250,000	③ 일시투자사용차입금 75,000	× R일시 = × 4% =	(××) (3,000)
④ 특정차입금사용분 1,175,000	←	④ 특정차입금사용분(역산) 1,175,000	× R특정 = × 5% =	×× 62,500

① 연평균
지출액
1,400,000

⑤ 일반차입금사용분
(역산)
225,000

● 특정차입금 자본화 차입원가　59,500

3rd 일반차입금 자본화

⑥ 연평균차입금 4,000,000	× R자본화 = × 6% = (역산)	⑦ 이자비용 240,000 한도

● 일반차입금 자본화 차입원가
: ⑤ × R자본화 = ××
: 225,000 × 6% = 13,500

① (1,500,000 × 6 + 3,000,000 × 3 − 200,000 × 6)/12 = 1,400,000
② 2,500,000 × 6/12 = 1,250,000
③ 300,000 × 3/12 = 75,000
⑥ 2,000,000 × 12/12 + 4,000,000 × 6/12 = 4,000,000
⑦ 2,000,000 × 12/12 × 4% + 4,000,000 × 6/12 × 8% = 240,000

● 20×1년 자본화할 차입원가: 59,500 + 13,500 = 73,000

11 ①　1) 20×1년 자본화할 차입원가: 1,875 + 1,200 = 3,075

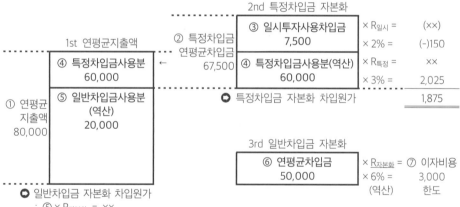

① 연평균지출액: (100,000 × 9 + 30,000 × 2)/12 = 80,000
② 특정차입금 연평균차입금: 90,000 × 9/12 = 67,500
③ 특정차입금 일시운용액: 30,000 × 3/12 = 7,500
⑥, ⑦ 일반차입금의 연평균차입금과 이자비용

구분	차입금액(I)	적수(II)	연평균차입금(III = I × II)	이자비용
B(5%)	60,000	8/12	40,000	40,000 × 5%
C(10%)	30,000	4/12	10,000	10,000 × 10%
합계			⑥ 50,000	⑦ 3,000

2) 20×2년 자본화할 차입원가: 2,250 + 3,000 = 5,250

① 연평균지출액: (130,000 × 10 + 20,000 × 9 + 20,000 × 4)/12 = 130,000
② 특정차입금 연평균차입금: 90,000 × 10/12 = 75,000
⑥, ⑦ 일반차입금의 연평균차입금과 이자비용

구분	차입금액(I)	적수(II)	연평균차입금(III = I × II)	이자비용
B(5%)	60,000	8/12	40,000	40,000 × 5%
C(10%)	30,000	4/12	10,000	10,000 × 10%
합계			⑥ 50,000	⑦ 3,000

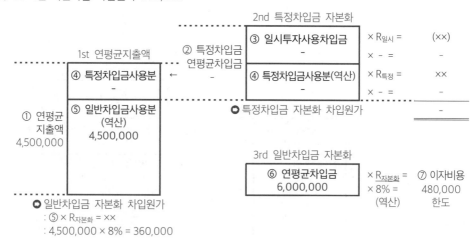

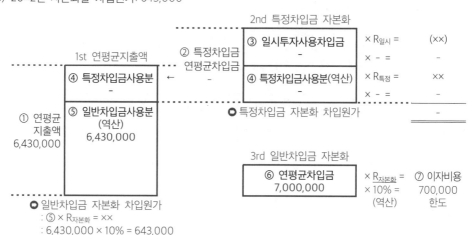

01 ④ 1) 적수 산정

연평균지출액 ◄──── 10개월 ────►◄── 6개월 ──► 공사 완료일까지

2) 20×1년 자본화할 차입원가: 360,000

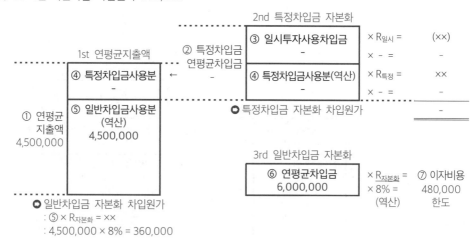

① 연평균지출액: (3,000,000 × 10 + 6,000,000 × 4)/12 = 4,500,000

3) 20×2년 자본화할 차입원가: 643,000

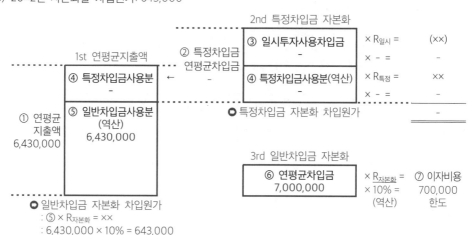

① 연평균지출액: [(9,000,000 + 360,000) × 6 + 7,000,000 × 3]/12 = 6,430,000

02 ① 1) 적수 산정

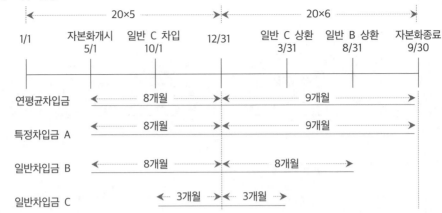

2) 20×5년 자본화할 차입원가: 26,750 + 17,500 = 44,250

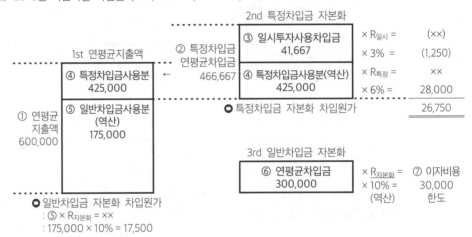

① 연평균지출액: (800,000 × 8 + 400,000 × 2)/12 = 600,000
② 특정차입금 연평균차입금: 700,000 × 8/12 = 466,667
③ 일시투자사용 연평균차입금: 100,000 × 5/12 = 41,667
⑥, ⑦ 일반차입금의 연평균차입금과 이자비용

구분	차입금액(I)	적수(II)	연평균차입금(III = I × II)	이자비용
B(9%)	300,000	8/12	200,000	200,000 × 9%
C(12%)	400,000	3/12	100,000	100,000 × 12%
합계			⑥ 300,000	⑦ 30,000

03 ③　20×2년 자본화할 차입원가: 10,800 + 12,600 = 23,400

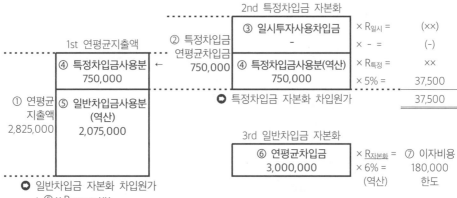

 - 2nd 특정차입금 자본화
 - 1st 연평균지출액
 - ② 특정차입금 연평균차입금 180,000
 - ③ 일시투자사용차입금 - 　× $R_{일시}$ = (××)
 - × - = -
 - ④ 특정차입금사용분(역산) 180,000 　× $R_{특정}$ = ××
 - × 6% = 10,800
 - ④ 특정차입금사용분 180,000 ←
 - ① 연평균지출액 610,000
 - ⑤ 일반차입금사용분 (역산) 430,000
 - ○ 특정차입금 자본화 차입원가　10,800
 - 3rd 일반차입금 자본화
 - ⑥ 연평균차입금 180,000　× $R_{자본화}$ = ⑦ 이자비용
 - × 7% = 12,600
 - (역산) 한도
 - ○ 일반차입금 자본화 차입원가
   : ⑤ × $R_{자본화}$ = ××
   : 430,000 × 7% = 30,100 ← 한도초과

① 연평균지출액
 : [(300,000 + 400,000 - 200,000) × 9 + 300,000 × 9 + 120,000 × 1]/12 = 610,000
② 특정차입금 연평균차입금: 240,000 × 9/12 = 180,000
⑥, ⑦ 일반차입금의 연평균차입금과 이자비용

구분	차입금액(I)	적수(II)	연평균차입금(III = I × II)	이자비용
B(6%)	240,000	6/12	120,000	120,000 × 6%
C(9%)	60,000	12/12	60,000	60,000 × 9%
합계			⑥ 180,000	⑦ 12,600

04 ④　1) 20×2년 자본화할 차입원가: 37,500 + 124,500 = 162,000

 - 2nd 특정차입금 자본화
 - 1st 연평균지출액
 - ② 특정차입금 연평균차입금 750,000
 - ③ 일시투자사용차입금 - 　× $R_{일시}$ = (××)
 - × - = (-)
 - ④ 특정차입금사용분(역산) 750,000 　× $R_{특정}$ = ××
 - × 5% = 37,500
 - ④ 특정차입금사용분 750,000 ←
 - ① 연평균지출액 2,825,000
 - ⑤ 일반차입금사용분 (역산) 2,075,000
 - ○ 특정차입금 자본화 차입원가　37,500
 - 3rd 일반차입금 자본화
 - ⑥ 연평균차입금 3,000,000　× $R_{자본화}$ = ⑦ 이자비용
 - × 6% = 180,000
 - (역산) 한도
 - ○ 일반차입금 자본화 차입원가
   : ⑤ × $R_{자본화}$ = ××
   : 2,075,000 × 6% = 124,500

① 연평균지출액: (2,500,000 × 9 + 1,500,000 × 6 + 2,400,000 × 1)/12 = 2,825,000
② 특정차입금 연평균차입금: 1,500,000 × 6/12 = 750,000
⑥, ⑦ 일반차입금의 연평균차입금과 이자비용

구분	차입금액(I)	적수(II)	연평균차입금(III = I × II)	이자비용
A(4%)	2,000,000	9/12	1,500,000	1,500,000 × 4%
B(8%)	2,000,000	9/12	1,500,000	1,500,000 × 8%
합계			⑥ 3,000,000	⑦ 180,000

05

1. × 금융자산과 생물자산 및 단기간 내에 제조되거나 다른 방법으로 생산되는 재고자산은 적격자산에 해당하지 않는다.
2. ○
3. ○
4. ○
5. × 차입원가 자본화는 강제사항이다.
6. × 특정 외화차입금의 경우 외환차이는 한도가 존재한다.
7. × 이전 단계에서 이루어진 기술 및 관리상의 활동도 포함한다.
8. × 자본화기간 동안 → 회계기간 동안

실력 점검 퀴즈

01 ④ 일반차입금은 일시운용수익을 차감하지 않는다.

02 ⑤ 적격자산을 취득하기 위한 목적으로 특정하여 차입한 자금에 한하여, 회계기간 동안 그 차입금으로부터 실제 발생한 차입원가에서 당해 차입금의 일시적 운용에서 생긴 투자수익을 차감한 금액을 자본화가능차입원가로 결정한다.

03 ①
1) 20×1년 연평균지출액: 800,000 × 9/12 + 2,000,000 × 3/12 - 400,000 × 3/12 = 1,000,000
2) 자본화이자율: (2,000,000 × 8% × 6/12 + 1,000,000 × 12%) ÷ (2,000,000 × 6/12 + 1,000,000 × 12/12) = 10%
3) 특정차입금 자본화 차입원가: 500,000 × 9/12 × 6% - 100,000 × 3/12 × 4% = 21,500
4) 일반차입금 자본화 차입원가: Min[200,000, {1,000,000 - (500,000 × 9/12 - 100,000 × 3/12)} × 10%] = 65,000
5) 20×1년 말 건설중인자산의 장부금액: 800,000 + 2,000,000 - 400,000 + 21,500 + 65,000 = 2,486,500

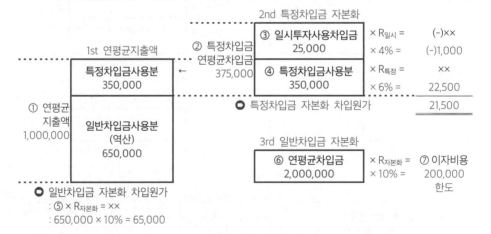

04 ② 1) 20×2년 연평균지출액: 2,486,500 × 9/12 + 1,300,000 × 9/12 = 2,839,875

2) 자본화이자율: 227,500 ÷ 2,625,000 = 8.67%

구분	차입금액(Ⅰ)	적수(Ⅱ)	연평균차입금(Ⅲ = Ⅰ×Ⅱ)	이자비용
A[1](6%)	500,000	3/12	125,000	125,000 × 6%
B(8%)	2,000,000	12/12	2,000,000	2,000,000 × 8%
C(12%)	1,000,000	6/12	500,000	500,000 × 12%
합계			2,625,000	227,500

[1] 자본화기간에 포함되지 않는 기간(20×2년 10월 1일 ~ 12월 31일)에 발생한 특정차입금은 일반차입금으로 본다.

3) 특정차입금 자본화 차입원가: 500,000 × 9/12 × 6% = 22,500
4) 일반차입금 자본화 차입원가: Min[227,500, (2,839,875 - 500,000 × 9/12) × 8.67%] = 213,705
5) 20×2년의 자본화 차입원가: 22,500 + 213,705 = 236,205

2차 문제 Preview

01

물음 1

구분	20×1년	20×2년	20×3년
특정차입금 자본화 차입원가	① 22,500	③ 57,000	⑤ 31,500
일반차입금 자본화 차입원가	② 14,700	④ 130,000	⑥ 88,440

1) 20×1년

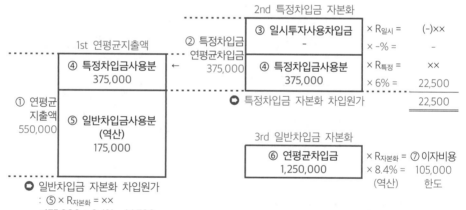

① 연평균지출액: (120,000 × 5 + 1,500,000 × 4)/12 = 550,000

* 적격자산을 의도된 용도로 사용하거나 판매 가능한 상태에 이르게 하는 데 필요한 활동은 당해 자산의 물리적인 제작뿐만 아니라 그 이전 단계에서 이루어진 기술 및 관리상의 활동을 포함한다.

② 특정차입금 연평균차입금: 900,000 × 5/12 = 375,000
③ 일시투자사용 연평균차입금: -
⑥, ⑦ 일반차입금의 연평균차입금과 이자비용

구분	차입금액(I)	적수(II)	연평균차입금(III = I × II)	이자비용
C(8%)	1,000,000	12/12	1,000,000	1,000,000 × 8%
D(10%)	500,000	6/12	250,000	250,000 × 10%
합계			⑥ 1,250,000	⑦ 105,000

2) 20×2년

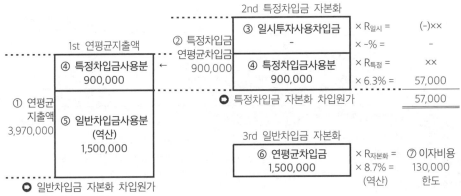

❶ 일반차입금 자본화 차입원가
: ⑤ × R_{자본화} = ××
: 일반차입금이 한도(⑤ > ⑥)에 걸리므로 별도의 계산이 필요 없다.

① 연평균지출액: (1,620,000 × 12 + 3,000,000 × 9 + 1,500,000 × 1 - 300,000 × 1)/12 = 3,970,000
② 특정차입금 연평균차입금: (900,000 × 8 + 1,800,000 × 2)/12 = 900,000

  *특정차입금의 당기 이자비용: 900,000 × 8/12 × 6% + 1,800,000 × 2/12 × 7% = 57,000

③ 일시투자사용 연평균차입금: -

⑥, ⑦ 일반차입금의 연평균차입금과 이자비용

구분	차입금액(I)	적수(II)	연평균차입금(III = I × II)	이자비용
C(8%)	1,000,000	12/12	1,000,000	1,000,000 × 8%
D(10%)	500,000	12/12	500,000	500,000 × 10%
합계			⑥ 1,500,000	⑦ 130,000

3) 20×3년

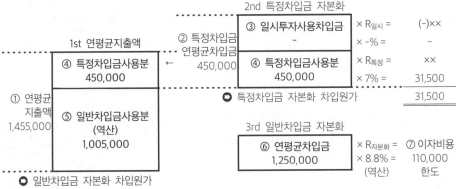

❶ 일반차입금 자본화 차입원가
: ⑤ × R_{자본화} = ××
: 1,005,000 × 8.8% = 88,440

① 연평균지출액: 5,820,000 × 3/12 = 1,455,000
② 특정차입금 연평균차입금: (1,800,000 × 3)/12 = 450,000
③ 일시투자사용 연평균차입금: -

⑥, ⑦ 일반차입금의 연평균차입금과 이자비용

구분	차입금액(I)	적수(II)	연평균차입금(III = I × II)	이자비용
C(8%)	1,000,000	9/12	750,000	750,000 × 8%
D(10%)	500,000	12/12	500,000	500,000 × 10%
합계			⑥ 1,250,000	⑦ 110,000

물음 2

20×2년도 적격자산에 대한 연평균지출액 중 자기자본으로 지출한 금액: 3,070,000 - 1,500,000 = 1,570,000

물음 3

구분	20×3년
특정차입금 자본화 차입원가	① 21,000
일반차입금 자본화 차입원가	② 58,960

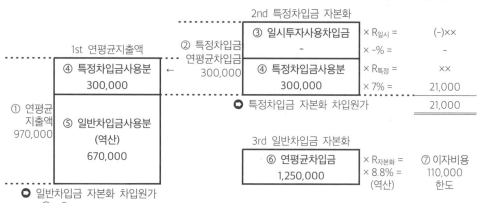

① 연평균지출액: 5,820,000 × 2/12 = 970,000

② 특정차입금 연평균차입금: (1,800,000 × 2)/12 = 300,000

③ 일시투자사용 연평균차입금: -

⑥, ⑦ 일반차입금의 연평균차입금과 이자비용

구분	차입금액(I)	적수(II)	연평균차입금(III = I × II)	이자비용
C(8%)	1,000,000	9/12	750,000	750,000 × 8%
D(10%)	500,000	12/12	500,000	500,000 × 10%
합계			⑥ 1,250,000	⑦ 110,000

> **⊘참고**
>
> 특정 보고기간 초에 특정목적차입금을 차입하여 보고기간 말까지 상환하지 않은 상태인데, 자본화는 특정목적차입금을 차입한 후 일정기간(①)이 경과된 후에 개시되었고, 자본화중단기간(②)이 있으며, 자본화가 종료되었는데도 특정목적차입금을 보고기간 말까지 상환하지 않은 기간(③)이 있다. 기준서 1023호 문단 14는 적격자산 취득이 완료되기 전까지 즉, 자본화기간 내에 그 적격자산 취득과 관련하여 차입한 특정목적차입금의 차입원가를 자본화이자율의 산정에서 제외한다는 것이다. 언뜻 보면 당연한 규정인 것 같은데, 이 규정을 추가함으로써 자본화기간 개시 전 또는 자본화 중단기간에 발생한 특정목적차입금의 차입원가는 일반목적차입금의 차입원가의 자본화이자율을 계산할 때 제외하는 반면, 자본화기간 종료 후에 발생한 특정목적차입금의 차입원가는 일반목적차입금의 자본화이자율을 계산할 때 포함한다는 명확한 지침을 마련한 것이다.

기초 유형 확인

01 ④ 1) A로 분류 시 당기손익에 미치는 영향: (-)1,000
　　　　　감가상각비: (10,000 - 0)/10년 = 1,000
　　　　2) B로 분류 시 당기손익에 미치는 영향: (-)1,800
　　　　　(1) 감가상각비: (9,180 - 0)/9년 = 1,020
　　　　　(2) 재평가손실: 9,180 - 1,020 - 180 - 7,200 = 780
　　　　3) C로 분류 시 당기손익에 미치는 영향: (-)1,980
　　　　　평가손실: 7,200 - 9,180 = (-)1,980

02 ② 원가모형 적용 시 20×2년 당기손익에 미친 영향: 795
　　　　1) 투자부동산평가이익: 10,500 - 9,180 = 1,320
　　　　2) 감가상각비: (10,500 - 0)/10년 × 6/12 = (-)525

[대체 시]				
차) 건물	10,500	대) 투자부동산		9,180
		투자부동산평가이익		1,320
[기말]				
차) 감가상각비	525	대) 감가상각누계액		525

03 ④ 재평가모형 적용 시 20×2년 당기손익에 미친 영향: (-)1,980
　　　　1) 투자부동산평가이익: 10,500 - 9,180 = 1,320
　　　　2) 감가상각비: (-)525
　　　　3) 재평가손실: 7,200 - (10,500 - 525) = (-)2,775

[대체 시]				
차) 건물	10,500	대) 투자부동산		9,180
		투자부동산평가이익		1,320
[기말]				
차) 감가상각비	525	대) 감가상각누계액		525
차) 감가상각누계액	525	대) 유형자산		3,300
재평가손실	2,775			

04 ③ 원가모형을 적용하는 경우 20×2년 당기손익에 미친 영향: (-)13,000

[20×2년 7월 1일]				
차) 감가상각비[1]	5,000	대) 감가상각누계액	5,000
차) 감가상각누계액	10,000	대) 건물	200,000
투자부동산	210,000	재평가잉여금	20,000
[20×2년 말]			
차) 투자부동산평가손실[2]	8,000	대) 투자부동산	8,000

[1] (200,000 - 0)/20년 × 6/12 = 5,000
[2] 202,000 - 210,000 = (-)8,000

05 ② 재평가모형을 적용하는 경우 20×2년 당기손익에 미친 영향: (-)13,641

[20×1년 말]				
차) 감가상각비	5,000	대) 감가상각누계액	5,000
차) 감가상각누계액	5,000	대) 재평가잉여금	25,000
건물	20,000		
[20×2년 7월 1일]			
차) 감가상각비[1]	5,641	대) 감가상각누계액	5,641
차) 감가상각누계액	5,641	대) 건물	220,000
투자부동산	210,000		
재평가잉여금	4,359		
[20×2년 말]			
차) 투자부동산평가손실	8,000	대) 투자부동산	8,000

[1] (220,000 - 0)/19.5년 × 6/12 = 5,641

06 ③ 1) 20×2년 비용의 합계: 300,000 + 350,000 = 650,000
    (1) 연구비: 300,000
    (2) 20×2년 개발비 상각비: (3,500,000 - 0) × 4/10 × 3/12 = 350,000
  2) 20×3년 비용의 합계: 1,312,500 + 837,500 = 2,150,000
    (1) 20×3년 개발비 상각비: (3,500,000 - 0) × 4/10 × 9/12 + (3,500,000 - 0) × 3/10 × 3/12 = 1,312,500
    (2) 20×3년 말 손상 전 개발비 장부금액: 3,500,000 - 350,000 - 1,312,500 = 1,837,500
    (3) 20×3년 개발비 손상차손: 1,837,500 - 1,000,000 = 837,500

01 ⑤ ① 종업원이 사용하고 있는 부동산은 종업원이 시장가격으로 임차료를 지급하고 있는지 여부와 관계없이
자가사용부동산으로 분류한다.
② 공정가치로 측정해온 경우, 비교할 만한 시장의 거래가 줄어들거나 시장가격 정보를 쉽게 얻을 수 없게
되더라도, 당해 부동산을 처분하거나 유형자산, 재고자산으로 계정대체하기 전까지는 계속하여 공정가
치로 측정한다.
③ 자가사용부동산으로 대체하지 않고 계속하여 투자부동산으로 인식한다.
④ 건설 중인 투자부동산의 공정가치가 신뢰성 있게 측정될 수 있다는 가정은 오직 최초 인식시점에만 반
박할 수 있다.

02 ②

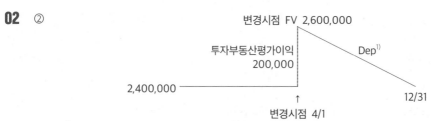

변경시점 FV 2,600,000

투자부동산평가이익
200,000

Dep[1]

2,400,000

12/31

↑
변경시점 4/1

[1] 변경 후 4/1 ~ 12/31의 Dep: (2,600,000 - 200,000) ÷ 5년 × 9/12 = 360,000

❍ 20×2년 당기손익에 미친 영향: 200,000 - 360,000 = (-)160,000

03 ⑤ 투자부동산의 손상, 멸실 또는 포기로 제3자에게서 받는 보상은 받을 수 있게 되는 시점에 당기손익으로
인식한다.

04 ④

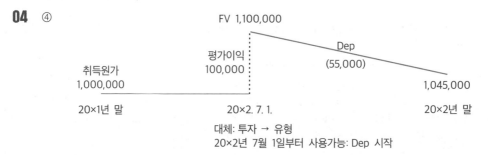

FV 1,100,000

평가이익
100,000

Dep
(55,000)

취득원가
1,000,000

1,045,000

20×1년 말   20×2. 7. 1.   20×2년 말

대체: 투자 → 유형
20×2년 7월 1일부터 사용가능: Dep 시작

20×2년 N/I 영향: 1) + 2) = 45,000 증가
1) 평가이익: 1,100,000 - 1,000,000 = 100,000
2) 감가상각비: (1,100,000 - 0) ÷ 10년 × 6/12 = (55,000)
[투자부동산 → 유형·재고자산]
1) 대체 시

차) 유형자산	투자부동산 FV 1,100,000	대) 투자부동산	BV 1,000,000
		평가이익(N/I)	FV - BV 100,000

2) 기말

차) 감가상각비(N/I)	55,000	대) 감가상각누계액	55,000

05 ② 1) 20×2년 7월 1일 투자부동산평가이익(당기손익): 1,200,000 - 1,000,000 = 200,000
2) 20×2년 유형자산 감가상각비(당기손익): 1,200,000 × 6/120 = 60,000
3) 20×2년 말 재평가 전 장부금액: 1,200,000 - 60,000 = 1,140,000
4) 20×2년 재평가손실(당기손익): 1,000,000(공정가치) - 1,140,000 = (-)140,000
5) 재평가모형을 적용할 경우 20×2년 당기순이익: 750,000 - 140,000 = 610,000

06 ① 1) A: 감가상각비 10,000/10년 = (1,000)
2) B: 감가상각비 10,800/9년 = (1,200)
3) C: 평가손실 8,000 - 10,800 = (2,800)

07 ② 투자부동산이 경영진의 의도하는 방식으로 가동될 수 있는 장소와 상태에 이른 후에는 원가를 더 이상 인식하지 않는다. 예를 들어 다음과 같은 원가는 투자부동산의 장부금액에 포함하지 않는다.
1) 경영진이 의도하는 방식으로 부동산을 운영하는 데 필요한 상태에 이르게 하는 데 직접 관련이 없는 초기원가
2) 계획된 사용수준에 도달하기 전에 발생하는 부동산의 운영손실
3) 건설이나 개발과정에서 발생한 비정상적인 원재료, 인력 및 기타 자원의 낭비금액

08 ④ ① 통상적인 영업과정에서 가까운 장래에 개발하여 판매하기 위해 취득한 부동산은 재고자산으로 분류한다.
② 토지를 자가사용할지 통상적인 영업과정에서 단기간에 판매할지를 결정하지 못한 경우 투자부동산으로 분류한다.
③ 호텔을 소유하고 직접 경영하는 경우 투숙객에게 제공하는 용역이 전체 계약에서 유의적인 비중을 차지하므로 자가사용부동산으로 분류한다.
⑤ 사무실 건물의 소유자가 그 건물을 사용하는 리스이용자에게 경미한 비중의 보안과 관리용역을 제공하는 경우 부동산 보유자는 당해 부동산을 투자부동산으로 분류한다.

09 ① 지배기업 또는 다른 종속기업에게 부동산을 리스하는 경우, 이러한 부동산은 연결재무제표에 투자부동산으로 분류할 수 없다. 단, 별도재무제표에서는 가능하다.

10 ⑤ 투자부동산을 공정가치로 측정해 온 경우 비교할만한 시장의 거래가 줄어들거나 시장가격 정보를 쉽게 얻을 수 없게 되더라도 계속하여 공정가치로 측정한다.

11 ④ 부분별로 나누어 매각할 수 없다면, 재화의 생산에 사용하기 위하여 보유하는 부분이 중요하다면 전체 부동산을 자가사용부동산으로 분류한다.

12 ③ 계약적 · 법적 권리가 이전가능한지 여부 또는 기타 권리와 의무에서 분리가능한지는 고려하지 않는다.

13 ③ 외부에서 취득하였는지 또는 내부적으로 창출하였는지에 관계없이 취득이나 완성 후의 지출(후속지출)은 발생시점에 당기손익으로 인식한다.

14 ② 무형자산의 잔존가치는 해당 자산의 장부금액과 같거나 큰 금액으로 증가할 수 있다. 이 경우에는 자산의 잔존가치가 이후 장부금액보다 작은 금액으로 감소될 때까지는 무형자산의 상각액은 '0'이 된다.

15 ④ ① 무형자산을 창출하기 위한 내부 프로젝트를 연구단계와 개발단계로 구분할 수 없는 경우에는 그 프로젝트에서 발생한 지출은 모두 연구단계에서 발생한 것으로 본다.

② 내부적으로 창출한 브랜드, 제호, 출판표제, 고객목록과 이와 실질이 유사한 항목은 무형자산으로 인식하지 않는다.

③ 개별 취득하는 무형자산이라도 자산에서 발생하는 미래경제적효익이 기업에 유입될 가능성이 높다면 발생가능성 기준을 항상 충족하는 것이라고 본다.

⑤ 박토활동의 결과로 보다 더 접근하기 쉬워진, 광체의 식별된 구성요소에 예상내용연수에 걸쳐 체계적인 방법에 따라 박토활동자산을 감가상각하거나 상각하는 데, 다른 방법이 더 적절하지 않다면 생산량비례법을 적용한다.

16 ⑤ ① 무형자산을 최초로 인식할 때에는 제공한 대가의 공정가치로 측정한다.

② 내부적으로 창출한 브랜드, 제호, 출판표제, 고객목록과 이와 실질이 유사한 항목은 비용처리한다.

③ 연구단계에서 지출한 금액은 연구비로 비용처리한다.

④ 모두 연구단계에서 발생한 것으로 본다.

17 ② ① 무형자산을 최초로 인식할 때에는 제공한 대가의 공정가치로 측정한다.

③ 내용연수가 비한정인 무형자산을 유한 내용연수로 재평가하는 경우에는 자산손상의 징후에 해당하므로 손상차손을 인식한다.

④ 내용연수가 유한한 무형자산의 잔존가치는 내용연수 종료시점에 제3자가 자산을 구입하기로 한 약정이 있는 경우에는 영(0)으로 보지 않는다.

⑤ 미래경제적효익 창출에 대해 식별가능하고 해당 원가를 신뢰성 있게 결정할 수 있는 경우라도 내부적으로 창출한 영업권은 무형자산으로 인식할 수 없다.

18 ③ 비한정 내용연수를 유한 내용연수로 재평가하는 것은 그 자산의 손상을 시사하는 하나의 징후가 된다. 따라서 회수가능액과 장부금액을 비교하여 그 자산에 대한 손상검사를 하고, 회수가능액을 초과하는 장부금액을 손상차손으로 인식한다.

19 ④

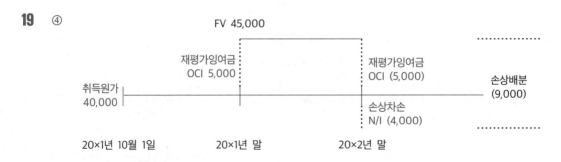

> ⚡ **Self Study**
>
> 1. 20×1년 10월 1일 이후 발생한 40,000만 무형자산으로 인식하고 그 이외에는 비용처리한다.
> 2. 자산은 개별적으로 손상검토를 수행하는 것뿐만 아니라 현금창출단위에 대해 손상검토를 수행할 수도 있다. 이 경우 현금창출단위 전체의 회수가능액을 검토하여 손상검사를 수행하게 되는데, 현금창출단위의 회수가능액이 장부금액에 미달하는 경우 손상차손을 인식한다.

20 ① 개별 취득하는 무형자산의 원가는 그 자산을 경영자가 의도하는 방식으로 운용될 수 있는 상태에 이를 때까지 인식하므로 무형자산을 사용하거나 재배치하는 데 발생하는 원가는 무형자산의 장부금액에 포함하지 않는다.

21 ④ ① 내용연수가 비한정인 무형자산의 비한정 내용연수를 유한 내용연수로 변경하는 것은 회계추정치의 변경이다.
② 자산을 운용하는 직원의 교육훈련과 관련된 지출은 내부적으로 창출한 내용연수가 비한정인 무형자산의 원가에 포함하지 않는다.
③ 내부적으로 창출한 브랜드, 제호, 출판표제, 고객목록과 이와 실질이 유사한 항목은 내용연수가 비한정인 무형자산으로 인식하지 않는다.
⑤ 경제적 효익이 소비될 것으로 예상되는 형태를 신뢰성 있게 결정할 수 없는 내용연수가 비한정인 무형자산은 상각하지 않는다.

22 ① 사업결합으로 취득하는 무형자산은 무형자산 인식조건 중 자산에서 발생하는 미래경제적효익이 기업에 유입될 가능성이 높고 자산의 원가를 신뢰성 있게 측정할 수 있다는 인식기준을 항상 충족하는 것으로 본다.

23 ③ 미래경제적효익이 기업에 유입될 가능성은 무형자산의 내용연수 동안의 경제적 상황에 대한 경영자의 최선의 추정치를 반영하는 합리적이고 객관적인 가정에 근거하여 평가하여야 한다.

24 ⑤ 재배치비용은 자산의 취득원가에 포함하지 않는다.

25 ④ 1) 개발비의 취득원가: 3,500,000
2) 20×3년 말 개발비의 상각후원가: 3,500,000 × (240 - 15)/240 = 3,281,250
3) 20×3년 무형자산 상각비: 3,500,000/20 = 175,000
4) 20×3년 손상차손: 3,281,250 - 2,000,000 = 1,281,250
5) 20×3년 당기순이익에 미치는 영향: (-)175,000 - 1,281,250 = (-)1,456,250

26 ③

내역	20×1년 1월 1일 ~ 20×1년 12월 31일	20×2년 1월 1일 ~ 20×2년 6월 30일
연구원급여	40,000	30,000
시험용 원재료 사용액	25,000	20,000
시험용 기계장치 감가상각비	10,000	5,000
차입원가	5,000	5,000
합계	당기비용처리 80,000	개발비처리 60,000

○ 20×2년 개발비 상각비(20×2년 7월 1일 ~ 20×2년 12월 31일): (60,000 - 0)/5 × 6/12 = (6,000)
○ 20×2년 말 개발비 BV: 60,000 - 6,000 = 54,000

27 ⑤

	20×1년	20×2년		20×3년
	연구·개발단계	개발단계 사용시작(7/1)	특허권취득(10/1)	
연구단계 지출 ① 연구비 • N/I 영향	(25,000)			
개발단계 지출 ① 경상개발비 • N/I 영향	-			
② 개발비 • N/I 영향	10,000	30,000	개발비 BV 40,000 → Dep(2,500)	37,500 → 32,500↓ 회수가능액: 25,000 Dep(5,000) + 손상(7,500)
생산단계 ① 특허권취득 • N/I 영향			특허권 BV 1,000 → Dep(50)	950 → 750 Dep(200)

① 20×2년 개발비 상각비: (40,000 – 0)/8년 × 6/12 = (2,500)
② 20×2년 특허권 상각비: (1,000 – 0)/5년 × 3/12 = (50)
20×3년 비용총액: 1) + 2) + 3) = (12,700)
1) 개발비 상각비: (40,000 – 0)/8년 = (5,000)
2) 개발비 손상차손: (40,000 – 2,500 – 5,000) – 25,000 = (7,500)
3) 특허권 상각비: (1,000 – 0)/5년 = (200)

28 ④

구분	손상 전 장부금액	손상차손배분	손상 후 장부금액
재고자산	1,000		1,000
FVOCI금융자산	1,000		1,000
유형자산 Ⅰ	1,000	(-)500[1]	500
유형자산 Ⅱ	3,000	(-)1,500	1,500
영업권	1,000	(-)1,000	-
합계	7,000	(-)3,000	4,000

[1] (3,000 – 1,000) × 1,000/(1,000 + 3,000) = 500
* 처분자산집단의 손상인식 시 영업권을 우선감액하고, 금융자산과 재고자산에는 손상을 배분하지 않는다.

29 ①

① 처분자산집단에 대하여 인식한 손상차손은 우선 영업권을 감소시키고 나머지 금액은 비유동자산에 배분한다.
⑤ 매각예정으로 분류되는 자산이나 처분자산집단이 보고기업의 표시통화와 다른 기능통화를 사용하는 해외사업장에 속해 있는 경우 자산이나 처분자산집단을 표시통화로 환산하는 과정에서 발생하는 외환차이 등을 예로 들 수 있다.

30 ② 비유동자산이 매각예정비유동자산으로 분류되기 위해서는 아래의 조건을 모두 충족하여야 한다.

1) 적절한 지위의 경영진이 자산(또는 처분자산집단)의 매각계획을 확약하고, 매수자를 물색하고 매각계획을 이행하기 위한 적극적인 업무진행을 이미 시작했어야 한다.

2) 당해 자산(또는 처분자산집단)의 현행 공정가치에 비추어 볼 때 합리적인 가격 수준으로 적극적으로 매각을 추진하여야 한다.

3) 분류시점에서 1년 이내에 매각완료요건이 충족될 것으로 예상되며, 계획을 이행하기 위하여 필요한 조치로 보아 그 계획이 유의적으로 변경되거나 철회될 가능성이 낮아야 한다.

4) 매각될 가능성이 매우 높은지에 대한 평가의 일환으로 주주의 승인(그러한 승인이 요구되는 국가의 경우) 가능성이 고려되어야 한다.

31 ④ ① 매각만을 목적으로 취득한 종속기업이 이미 처분되었거나 매각예정으로 분류되면 중단영업에 해당한다.

② '세후 중단영업손익'과 '중단영업에 포함된 자산이나 처분자산집단을 순공정가치로 측정하거나 처분함에 따른 세후 손익'의 합계를 포괄손익계산서에 단일금액으로 표시한다.

③ 중단영업의 영업활동, 투자활동 및 재무활동으로부터 발생한 순현금흐름은 주석이나 재무제표 본문에 표시한다.

⑤ 매각예정으로 분류하였으나 중단영업의 정의를 충족하지 않는 비유동자산(또는 처분자산집단)을 재측정하여 인식하는 평가손익은 계속영업손익에 포함한다.

32 ④ 매각예정으로 분류된 처분자산집단의 부채와 관련된 이자와 기타비용은 계속해서 인식한다.

관련 유형 연습

01 ③

● 20×2년 당기손익으로 계상할 금액: 평가손실 (100,000) + 재평가이익 250,000 = 150,000

● 20×2년 기타포괄손익으로 계상할 금액: 재평가잉여금 50,000

02 ⑤ ① 공정가치로 평가하게 될 자가건설 투자부동산의 건설이나 개발이 완료되면 해당 일의 공정가치와 기존 장부금액의 차액은 당기손익으로 인식한다.

② 투자부동산을 원가모형으로 평가하는 경우에는 투자부동산, 자가사용부동산, 재고자산 사이에 대체가 발생할 때에 대체 전 자산의 장부가액으로 승계한다.

③ 자가사용부동산을 공정가치로 평가하는 투자부동산으로 대체하는 시점까지 그 부동산을 감가상각하고, 발생한 손상차손도 인식한다.

④ 자가사용부동산을 제3자에게 운용리스로 제공을 약정하는 경우에는 당해 부동산을 투자부동산으로 대체한다.

03 ②

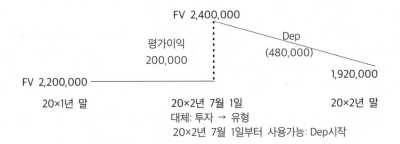

20×2년 N/I 영향: 280,000 감소
1) 평가이익: 2,400,000 - 2,200,000 = 200,000
2) 감가상각비: (2,400,000 - 0)/(4 - 1.5)년 × 6/12 = (480,000)

[투자부동산 → 유형 · 재고자산]
1) 대체 시

차) 유형자산	투자부동산 FV 2,400,000	대) 투자부동산	BV 2,200,000
		평가이익(N/I)	FV - BV 200,000

2) 기말

차) 감가상각비(N/I)	480,000	대) 감가상각누계액	480,000

04 ② 1) 20×3년 초 유형자산의 장부금액: 2,000,000 - (2,000,000 - 200,000) × 2/20 = 1,820,000

2) 20×3년 당기순이익에 미치는 영향
: 감가상각비 (-)45,000 + 투자부동산평가이익 500,000 = 455,000 증가
(1) 20×3년 감가상각비: (2,000,000 - 200,000) × 1/20 × 6/12 = 45,000
(2) 20×3년 투자부동산평가이익: 3,000,000 - 2,500,000 = 500,000

05 1. × 자가사용부동산으로 분류한다.
2. ○
3. × 건설 중인 투자부동산의 공정가치가 신뢰성 있게 측정될 수 있다는 가정은 오직 최초 인식시점에만 반박할 수 있다
4. ○
5. ○
6. ○
7. ○

B/S		N/I변동	OCI변동	총포괄손익변동
×2년 초　　　상각후원가 5,400,000				
상각　　　　　(Dep$_1$) (600,000)		(Dep$_1$) (600,000)		(Dep$_1$) (600,000)
① ×2 말 상각후원가　BV$_1$ 4,800,000				
③ 재평가잉여금 대차차액 A 382,000	재평가잉여금　　A 382,000		A 382,000	A 382,000
② ×2 말 FV　　　FV$_1$ 5,182,000				
	OCI잔액　　　A 382,000	(Dep$_1$) (600,000)	A 382,000	(Dep$_1$) + A = 5,182,000 − 5,400,000
상각[1)]　　　　(Dep$_2$) (647,750)		(Dep$_2$) (647,750)		(Dep$_2$) (647,750)
① ×3 말 상각후원가　BV$_2$ 4,534,250				
③ 재평가잉여금　(잔여분) (382,000)	재평가잉여금 (잔여분) (382,000)		(잔여분) (382,000)	(잔여분) (382,000)
③ 재평가손실 대차차액 C (2,250)		(C) (2,250)		(C) (2,250)
② ×3 말 FV　　　FV$_2$ 4,150,000				
	OCI잔액　　　　−	(Dep$_2$ + C) (650,000)	(잔여분) (382,000)	(Dep$_2$ + 잔여분 + C) = 4,150,000 − 5,182,000

* 20×1년 말 상각후원가(6,000,000 × 9/10 = 5,400,000)와 공정가치(5,400,000)가 동일하므로 20×1년에는 재평가 관련 손익이 발생하지 않는다.
[1)] 5,182,000/(10 − 2)년 = 647,750

07

1. ○
2. ○
3. ○
4. × 감가상각을 중단한다.
5. ○
6. ○
7. × 정부보조로 무상이나 낮은 대가로 취득하는 경우에는 무형자산과 정부보조금 모두를 최초에 공정가치로 인식할 수 있다.
8. × 조건 충족 무형자산은 유형자산과 다르게 수익에 기초한 상각방법 적용이 가능하다.
9. ○
10. ○
11. × 계획단계는 연구단계와 유사하여 발생시점에 비용으로 처리한다.
12. ○
13. × 생산량비례법을 사용한다.

08 ③ 연구활동으로 분류되는 금액: 400,000
1) 새로운 지식을 얻고자 하는 활동: 100,000
2) 연구결과나 기타 지식을 응용하는 활동: 300,000

09 ②

구분	20×5년		20×6년
단계 구분	연구·개발단계		
	인식요건충족(10/1)		
연구단계 지출 ① 연구비 • N/I영향	연구비 (70,000)		
개발단계 지출 ① 경상개발비 • N/I영향			
② 개발비 • N/I영향	개발비 BV 30,000 **○** 30,000↓ 회수가능액 20,000↓ 손상차손 (10,000)		30,000 **○** 60,000↑ 회수가능액 70,000↓ 손상차손환입 10,000
생산단계 ① 특허권취득 • N/I영향			

○ 손상차손환입: Min[회수가능액 70,000, (손상되지 않았을 경우 취득원가 30,000 + 30,000)]
　　　　　　 - (손상 후 장부금액 20,000 + 30,000) = 10,000

* 내용연수가 비한정인 무형자산 또는 아직 사용할 수 없는 자산에 대해서는 매년 손상검사를 한다.

10
1. × 물리적 형체가 있는 자산이 만들어지더라도 무형자산 요소에 부수적인 것으로 본다.
2. ○
3. × 이미 비용으로 인식한 지출은 추후에도 무형자산의 원가로 인식할 수 없다.
4. ○
5. × 연구단계에서 발생한 지출은 발생시점에 비용으로 인식한다.
6. × 개별 취득하는 무형자산은 유입의 시기와 금액이 불확실하더라도 미래경제적효익의 유입이 있을 것으로 기대하므로, 개별 취득하는 무형자산은 발생가능성 인식기준을 항상 충족하는 것으로 본다.

11 ⑤

구분	재측정한 BV	순FV	손상배분	배분 후 BV
영업권	100,000	?	② (100,000)	-
유형자산 I	1,000,000	?	③ (100,000)[1]	900,000
유형자산 II	2,000,000	?	④ (200,000)	1,800,000
재고자산	1,050,000	?	-	1,050,000
FVOCI금융자산	1,250,000	?	-	1,250,000
합계	5,400,000	5,000,000	① 400,000	5,000,000

[1] 잔여분 300,000 × 유형자산 I 1,000,000/(유형자산 I + II) 3,000,000 = (100,000)

○ 처분자산집단에 대하여 인식할 총포괄손익(= 자산의 변동)
　: 기말자산 5,000,000 - 기초자산 5,700,000 = (700,000)

12

1. × 유동자산 중 하나인 재고자산에는 배분하지 않고 비유동자산(금융자산 제외)의 장부금액에 비례하여 배분한다.
2. ○
3. ○
4. ○
5. × 해당 자산과 부채는 상계하여 단일금액으로 표시할 수 없다.
6. × 부채와 관련된 이자와 기타비용은 계속해서 인식한다.
7. × 순공정가치와 장부금액 중 작은 금액으로 한다.
8. × 작은 금액으로 측정한다.
9. × 과거 재무상태표에 매각예정으로 분류된 비유동자산 또는 처분자산집단에 포함된 자산과 부채의 금액은 최근 재무상태표의 분류를 반영하기 위하여 재분류하거나 재작성하지 아니한다.

실력 점검 퀴즈

01 ⑤ 무형자산의 경제적 효익이 소비될 것으로 예상되는 형태를 반영한 방법을 신뢰성 있게 결정할 수 없을 경우 상각방법은 정액법을 사용한다.

02 ⑤ 모든 투자부동산에 대해서 동일한 측정방법을 적용하여야 한다.

03 ④ 1) 특허권
   (1) 20×2년 감가상각비: 100,000/5년 = (-)20,000
   (2) 20×2년 손상차손: 35,000 - (100,000 - 20,000 × 2년) = (-)25,000
   2) 상표권
   (1) 20×2년 손상차손: 120,000 - 200,000 = (-)80,000
   3) 20×2년 당기비용: (-)125,000

04 ④ 투자부동산을 개발하지 않고 처분하기로 결정하는 경우에는 재고자산으로 재분류하지 않는다.

05 ⑤ ㄱ. 내용연수가 비한정적인 무형자산은 상각하지 않고, 무형자산의 손상을 시사하는 징후가 있을 경우 또는 매년 손상검사를 수행해야 한다.
   ㄷ. 브랜드, 제호, 출판표제, 고객목록 및 이와 실질이 유사한 항목은 그것을 내부적으로 창출하였다면 취득이나 완성 후의 지출은 발생시점에 비용으로 인식한다.

06 ② 1) 20×1년 말 재평가잉여금: 90,000 - (100,000 - 100,000/5년) = 10,000
   2) 20×2년 초 재분류 회계처리

차) 투자부동산	75,000	대) 유형자산	90,000
재평가잉여금	10,000		
재평가손실	5,000		

   3) 20×2년 투자부동산평가손익: 85,000 - 75,000 = 10,000
   4) 20×2년 당기손익에 미치는 영향: (5,000) + 10,000 = 5,000 증가

07 ①　자산이 계약상 권리 또는 기타 법적 권리로부터 발생한다면, 그러한 권리가 이전가능한지 여부 또는 기업이나 기타 권리와 의무에서 분리가능한지 여부와 상관없이 식별가능성의 요건을 충족한다고 볼 수 있다.

08 ③　사업결합의 과정에서 피취득자가 진행하고 연구·개발 프로젝트가 무형자산의 정의를 충족하는 경우에는 취득자는 피취득자가 무형자산을 인식하였는지 여부에 관계없이, 이를 영업권과 분리하여 공정가치 상당액을 별도의 무형자산으로 인식한다.

09 ①　1) 20×1년 N/I영향: (400)
　　　(1) 감가상각비: 1,000/5 × 6/12 = (100)
　　　(2) 손상차손: 400 - (1,000 - 100) = (500)
　　　(3) 손상차손환입: 600 - 400 = 200
　　2) 20×2년 N/I영향: 0
　　　(1) 손상차손환입: Min[700, 900[1]] - 600 = 100
　　　　　[1] 회수가능액: Max[800, 900] = 900
　　　(2) 감가상각비: 1,000/5 × 6/12 = (100)

2차 문제 Preview

01

구분	금액
20×1년	① 70,815
20×2년	② (-)90,815
20×3년	③ (-)405,000
20×4년	④ 193,800
20×5년	⑤ (-)68,800

1) 20×1년 ~ 20×2년 당기손익에 미친 영향
　(1) 20×1년 당기손익에 미친 영향: 82,720 - 11,905 = 70,815
　(2) 20×2년 당기손익에 미친 영향: 24,100 - 35,715 - 79,200 = (-)90,815
　회계처리

20×1년 10월 1일	차)	투자부동산	1,952,380	대)	현금	1,000,000
					미지급금[1]	952,380
20×1년 12월 31일	차)	투자부동산	82,720	대)	투자부동산평가이익	82,720
	차)	이자비용[2]	11,905	대)	미지급금	11,905
20×2년 4월 1일	차)	유형자산	2,059,200	대)	투자부동산	2,035,100
					투자부동산평가이익	24,100
20×2년 9월 30일	차)	미지급금	964,285	대)	현금	1,000,000
		이자비용	35,715			
20×2년 12월 31일	차)	감가상각비[3]	79,200	대)	감가상각누계액	79,200

[1] 1,000,000/1.05 = 952,380
[2] 952,380 × 5% × 3/12 = 11,905
[3] 2,059,200 × 9/(240 - 6)개월 = 79,200

2) 20×3년 당기손익에 미친 영향(= 자산의 변동): 1,575,000 - (2,059,200 - 79,200) = (-)405,000

3) 20×4년 당기손익에 미친 영향(= 자산의 변동): 193,800

   Min[1,770,000, 2,059,200 - 2,059,200 × 33/(240 - 6)개월] - 1,575,000 = 193,800

4) 20×5년 당기손익에 미친 영향(= 자산의 변동): 1,700,000 - 1,768,800 = (-)68,800

02

물음 1

공장건물의 감가상각누계액	공장건물 관련 재평가잉여금
① 2,750,000	② 2,250,000

① 20×1년 말 공장건물의 감가상각누계액: (24,750,000 - 0) ÷ 9년 × 1년 = 2,750,000

② 20×1년 말 공장건물 관련 재평가잉여금: 24,750,000 - 25,000,000 × 9/10 = 2,250,000

물음 2

공장건물의 감가상각누계액	공장건물 관련 재평가잉여금
① 6,600,000	② 6,650,000

① 20×2년 말 공장건물의 감가상각누계액: (26,400,000 - 0) ÷ 8년 × 2년 = 6,600,000

② 20×2년 말 공장건물 관련 재평가잉여금: (26,400,000 - 24,750,000 × 8/9) + 2,250,000 = 6,650,000

03

물음 1

무형자산	① 500,000
비용	② 1,000,000

1) 프로젝트 X

   (1) 20×1년 비용: 800,000 - 500,000 = 300,000

   (2) 20×1년 말 개발비: 500,000

2) 프로젝트 Y

   20×1년 전액 비용처리: 700,000

물음 2

20×2년 손상차손	① 150,000
20×3년 손상차손환입	② 50,000

1) 20×2년

   (1) 20×2년 초 개발비: 500,000 + 100,000 = 600,000

   (2) 20×2년 말 손상 전 상각후원가: 600,000 - 600,000 × 3 ÷ (3 + 2 + 1) = 300,000

   (3) 20×2년 손상차손: 150,000 - 300,000 = (-)150,000

2) 20×3년

   (1) 20×3년 말 환입 전 상각후원가: 150,000 - 150,000 × 2 ÷ (2 + 1) = 50,000

   (2) 20×3년 말 손상되지 않았을 경우 상각후원가: 600,000 - 600,000 × (3 + 2) ÷ 6 = 100,000

   (3) 20×3년 손상차손환입: Min[100,000, 200,000] - 50,000 = 50,000

물음 3

당기순이익에 미치는 영향	① (-)140,000
기타포괄이익에 미치는 영향	② (-)60,000

1) 20×2년 무형자산 상각비: 500,000 ÷ 5년 = 100,000

2) 20×2년 말 재평가잉여금: 480,000 - (500,000 - 100,000) = 80,000

3) 20×3년 무형자산 상각비: 480,000 ÷ 4년 = 120,000

4) 20×3년 재평가손실: 280,000 - (480,000 - 120,000) + 60,000 = (-)20,000

기초 유형 확인

01 ① 20×1년 이자비용: (-)10,847
1) 사채발행가액: 100,000 × 0.75131 + 8,000 × 2.48685 - 4,633 = 90,393
2) 유효이자(R): 90,393 × (1 + R) - 8,000 = 93,240, R = 12%
3) 이자비용: 90,393 × 12% = (-)10,847

02 ⑤ 1) 20×1년 4월 1일 사채발행 시 현금수령액: (1) + (2) = 87,169
   (1) 20×1년 초 사채의 현재가치: 100,000 × 0.65752 + 8,000 × 2.28323 = 84,018
   (2) 20×1년 초 ~ 4월 1일까지 유효이자: 84,018 × 15% × 3/12 = 3,151
   (3) 20×1년 초 ~ 4월 1일까지 미수이자: 8,000 × 3/12 = 2,000
2) 20×1년 4월 1일 사채발행 시 장부금액: (1) + (2) - (3) = 85,169
3) 20×1년 말 B/S상 사채할인발행차금: 100,000 - (84,018 × 1.15 - 8,000) = 11,379
4) 20×1년의 이자비용: 84,018 × 15% × 9/12 = (-)9,452
5) 20×1년 사채할인발행차금상각액: 88,621[1] - 85,169 = 3,452
   [1] 20×1년 말 사채 BV: 84,018 × 1.15 - 8,000 = 88,621
6) 총이자비용: (100,000 + 8,000 × 3년) - 87,169 = (-)36,831

03 ④ 20×3년 N/I에 미치는 영향: (-)3,764 + (-)7,855 = (-)11,619
1) 상환손실: -45,000 + [(1) + (2)] × 40% = (-)3,764
   (1) 20×3년 초 사채의 BV: 108,000/1.1 = 98,182
   (2) 20×3년 초 ~ 7월 1일까지 유효이자: 98,182 × 10% × 6/12 = 4,909
2) 이자비용: 98,182 × 10% × 6/12 × 40% + 98,182 × 10% × 60% = (-)7,855

04 ① 20×1년 말 사채의 장부금액: 11,341,054 + 11,341,054 × 5% - 3,000,000 = 8,908,107
20×1년 말 사채할증발행차금: 8,908,107 - 8,000,000 = 908,107
1) 20×1년 초의 현재가치: 11,341,054

구분	20×1. 12. 31.	20×2. 12. 31.	20×3. 12. 31.	20×4. 12. 31.	20×5. 12. 31.	계
원금	2,000,000	2,000,000	2,000,000	2,000,000	2,000,000	10,000,000
이자	1,000,000	800,000	600,000	400,000	200,000	3,000,000
합계	3,000,000	2,800,000	2,600,000	2,400,000	2,200,000	13,000,000
현가계수	0.95238	0.90703	0.86384	0.82270	0.78353	
현재가치	2,857,140	2,539,684	2,245,984	1,974,480	1,723,766	11,341,054

2) 20×1년 초 ~ 4월 1일 유효이자: 11,341,054 × 5% × 3/12 = 141,763
3) 20×1년 초 ~ 4월 1일 액면이자: 1,000,000 × 3/12 = 250,000

05 ② 1) 20×4년 1월 1일 사채의 장부금액: 2,400,000 × 0.95238 + 2,200,000 × 0.90703 = 4,281,178
2) 20×4년 1월 1일 상환금액: 2,400,000 ÷ 1.04 + 2,200,000 ÷ 1.04² = 4,341,716
3) 사채상환손실: 4,281,178 - 4,341,716 = (-)60,538

06 ② 1) 실질적 조건변경 여부 판단

    (1) 새로운 미래현금흐름의 현재가치(10%): 5,000 × 2.4868 + 100,000 × 0.7513 = 87,564

    (2) 최초 금융부채 현재가치의 10%: 98,182 × 10% = 9,818

    (3) 현재가치 차이: 98,182 - 87,564 - 500 = 10,118

       ◐ 실질적인 조건의 변경에 해당

2) 조건변경일의 회계처리

[20×1년 초]

차) 사채(구)	98,182	대) 사채(신)[1]	83,189
		조건변경이익	14,993
차) 조건변경이익	500	대) 현금	500

[1] 변경된 미래현금흐름의 현재가치(12%): 5,000 × 2.4018 + 100,000 × 0.7118 = 83,189

07 ③ 1) 실질적 조건변경 여부 판단

    (1) 새로운 미래현금흐름의 현재가치(10%): 5,000 × 2.4868 + 100,000 × 0.7513 = 87,564

    (2) 최초 금융부채 현재가치의 10%: 98,182 × 10% = 9,818

    (3) 현재가치 차이 98,182 - 87,564 - 1,000 = 9,618

       ◐ 실질적인 조건의 변경에 해당 ×

2) 조건변경일의 회계처리

[20×1년 초]

차) 사채	10,618	대) 조건변경이익	10,618
차) 사채	1,000	대) 현금	1,000

기출 유형 정리

01 ① 1) 사채발행비가 존재하는 경우 사채발행가액 산정

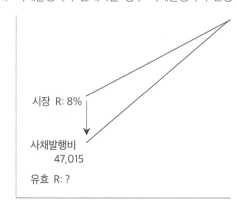

    ◐ 사채발행비 ○: 시장 R ≠ 유효 R

    ◐ 사채발행가액 산정방법 ① or ②

       ① PV(CF) by 시장 R - 사채발행비

         : 1,000,000 × 0.7938 + 50,000 × 2.5771

          - 47,015 = 875,640

       ② PV(CF) by 유효 R

    ◐ 20×1년 이자비용: 기초BV × 유효 R

       : 875,640 × 유효 R = 87,564, 유효 R: 10%

2) F/S분석

B/S		20×1년 말
	사채	액면금액
	(사채할인발행차금)	(역산)
	사채 BV ① + ② - ③	• PV(잔여 CF) by 유효 R
		• ① × (1 + R) - ③
		875,640 × 1.1 - 50,000 = 913,204

I/S		20×2년
이자비용		기초BV ① × R × 보유기간/12
		913,204 × 10% × 12/12 = 91,320

02 ① 1) 20×2년 초 사채의 장부금액: 84,000 - 2,000(사채할인발행차금 = 사채 기말BV - 기초BV) = 82,000
2) 사채의 유효이자율: 8,200 ÷ 82,000 = 10%
3) 20×3년 말 사채의 장부금액: 기초장부금액 84,000 × 1.1(= 1 + 유효이자율) - 액면이자 6,200 = 86,200

03 ② 1) 사채상환시점 사채의 장부금액

차) 사채(장부금액)(역산)	639,184	대) 현금	637,000
		상환이익	2,184

2) 사채상환비율(R): 639,184 ÷ (875,645 × 1.1 - 50,000) = 70%
3) 20×2년 말 사채의 장부금액: 1,050,000/1.1 × (1 - 70%) = 286,364(단수차이)

04 ① 유효이자율(R): (148,420 - 120,000) × (1 + R) = (152,400 - 120,000), R = 14%

05 ② 1) 사채의 기중 발행

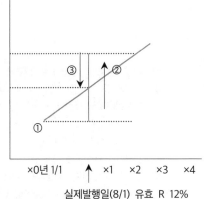

① 20×1년 초 CF의 PV = PV(CF) by 실제발행일 R
: 3,000,000 × 0.63552 + 180,000 × 3.03735
= 2,453,283
② 20×1년 초 ~ 발행일까지 유효이자
= ① × 유효 R × 미보유/12
: 2,453,283 × 12% × 7/12 = 171,730
③ 20×1년 초 ~ 발행일까지 액면이자
= 액면금액 × 액면 R × 미보유/12
: 3,000,000 × 6% × 7/12 = 105,000
● 현금수령액(사채발행가액): ① + ② = 2,625,013
● 사채 BV(사채순발행가액): ① + ② - ③ = 2,520,013

×0년 1/1   ×1   ×2   ×3   ×4

실제발행일(8/1) 유효 R 12%

2) 20×0년 8월 1일
[순액법]

차) 현금(사채발행가액)	① + ②	대) 사채(사채순발행가액)	① + ② - ③
	2,625,013		2,520,013
		미지급이자	③
			105,000

		B/S		20×0년 8/1
현금	① + ②	사채		액면금액
	2,625,013			3,000,000
		(사채할인발행차금)		(역산)
				479,987
		사채 BV		① + ② - ③
				2,520,013
		미지급이자		③
				105,000

3) 20×0년 말

[순액법]

차)	이자비용(N/I)	기초BV ① × R × 보유기간/12	대)	현금	액면이자
		2,453,283 × 12% × 5/12 = 122,664			180,000
	미지급이자	③		사채	대차차액
		105,000			47,664

		B/S	20×0년 말
	사채		액면금액
			3,000,000
	(사채할인발행차금)		(역산)
			432,323
	사채 BV		PV(잔여 CF) by 유효 R
		2,453,283 × 1.12 - 180,000 = 2,567,677	

	I/S	
이자비용		기초BV ① × R × 보유기간/12
		2,453,283 × 12% × 5/12 = 122,664

● 20×0년도 상각되는 사채할인발행차금: 기말B/S상 사채 BV - 기초B/S상 사채 BV
= 2,567,677 - 2,520,013 = 47,664

4) 지문분석

① 실제발행일의 순수 사채발행금액: 2,520,013(① + ② - ③) ● ○

② 20×0년도 상각되는 사채할인발행차금: 47,664(기말사채 BV - 기초사채 BV) ● ×

③ 20×0년 말 사채할인발행차금 잔액: 432,323(사채액면금액 - 사채 BV) ● ○

④ 사채권면상 발행일과 실제발행일 사이의 액면발생이자: 105,000(③) ● ○

⑤ 사채권면상 발행일과 실제발행일 사이의 사채가치의 증가분(경과이자 포함): 171,730(②) ● ○

06 ⑤   1) 사채의 CF

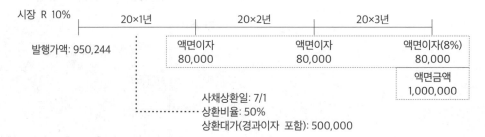

시장 R 10%

발행가액: 950,244

| | 20×1년 | 20×2년 | 20×3년 |

액면이자 80,000 | 액면이자 80,000 | 액면이자(8%) 80,000

액면금액 1,000,000

사채상환일: 7/1
상환비율: 50%
상환대가(경과이자 포함): 500,000

2) 이자지급일 사이의 일부 조기상환 시 사채의 상환손익

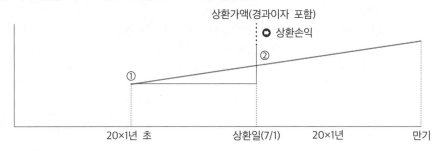

상환가액(경과이자 포함)

○ 상환손익

②

①

20×1년 초   상환일(7/1)   20×1년   만기

① 기초사채의 장부가액(BV): PV(잔여 CF) by 취득 시 유효 R
         = 950,244

② 기초 ~ 상환시점까지 유효이자: ① × 취득 시 유효 R × 보유기간/12
         = 950,244 × 10% × 6/12 = 47,512

○ 사채상환손익(N/I): (-)상환대가 + (① + ②) × 상환비율
         (-)500,000 + (950,244 + 47,512) × 50% = (1,122)

3) 이자지급일 사이의 일부 조기상환 시 사채의 이자비용

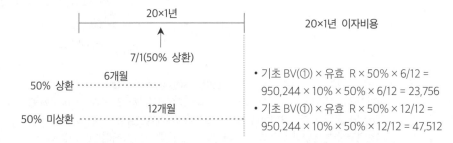

20×1년

7/1(50% 상환)

50% 상환   6개월

50% 미상환   12개월

20×1년 이자비용

• 기초 BV(①) × 유효 R × 50% × 6/12 =
950,244 × 10% × 50% × 6/12 = 23,756

• 기초 BV(①) × 유효 R × 50% × 12/12 =
950,244 × 10% × 50% × 12/12 = 47,512

Ⅰ. 상환된 사채에서 발생하는 이자비용: 기초BV × 유효 R × 상환비율 × 보유기간/12

Ⅱ. 미상환된 사채에서 발생하는 이자비용: 기초BV × 유효 R × (1 - 상환비율) × 12/12

4) 이자지급일 사이의 일부 조기상환 시 N/I에 미치는 영향

I/S

(사채상환손실)	(-)상환대가 + (① + ②) × 상환비율
	(-)500,000 + (950,244 + 47,512) × 50% = (1,122)
(이자비용)	
Ⅰ. 상환된 사채에서 발생	기초BV × 유효 R × 상환비율 × 보유기간/12
	950,244 × 10% × 50% × 6/12 = (23,756)
Ⅱ. 미상환된 사채에서 발생	기초BV × 유효 R × (1 - 상환비율) × 12/12
	950,244 × 10% × 50% × 12/12 = (47,512)

○ N/I 영향: (1,122) + (23,756) + (47,512) = (72,390)

07 ③ 1) 사채의 CF

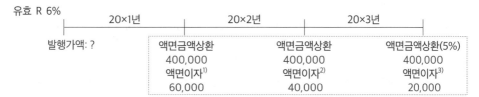

유효 R 6%

	20×1년	20×2년	20×3년
발행가액: ?	액면금액상환 400,000 액면이자[1] 60,000	액면금액상환 400,000 액면이자[2] 40,000	액면금액상환(5%) 400,000 액면이자[3] 20,000

연속상환사채의 매기 말 액면이자: 기초 잔여 액면금액 × 액면이자율

[1] 기초 잔여 액면금액 1,200,000 × 5% = 60,000
[2] 기초 잔여 액면금액 (1,200,000 - 400,000) × 5% = 40,000
[3] 기초 잔여 액면금액 (1,200,000 - 800,000) × 5% = 20,000

2) 기말 B/S(20×1년 말)

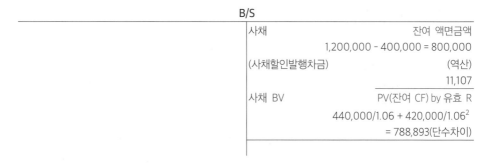

B/S	
사채	잔여 액면금액
	1,200,000 - 400,000 = 800,000
(사채할인발행차금)	(역산)
	11,107
사채 BV	PV(잔여 CF) by 유효 R
	440,000/1.06 + 420,000/1.06²
	= 788,893(단수차이)

08 ② 1) 20×1년 초 PV(CF): 1,000,000 × 0.7118 + 80,000 × 2.4018 = 903,944
2) 20×1년 초 ~ 4/1 유효이자: 903,944 × 12% × 3/12 = 27,118
　● 현금수취액: 1) + 2) = 931,062

09 ② 1) 유효이자율법
　(1) 20×2년 말 사채 장부금액: (87,565 × 1.1 - 5,000) × 1.1 - 5,000 = 95,454
　(2) 20×2년 이자비용: (87,565 × 1.1 - 5,000) × 10% = 9,132
2) 정액법
　(1) 20×2년 말 사채 장부금액: 87,565 + (100,000 - 87,565) × 2/3 = 95,855
　(2) 20×2년 이자비용: (100,000 - 87,565)/3 + 5,000 = 9,145
3) 수정분개

차) 사채할인발행차금	401	대) 이자비용	13
		이익잉여금	388

10 ④ 1) 20×4년 1월 1일 사채 A의 장부금액: 50,000 × 1.7355 + 1,000,000 × 0.8264 = 913,175
2) 20×4년 1월 1일 사채 B의 발행금액: 30,000 × 1.7833 + 1,000,000 × 0.8573 = 910,799
3) 20×4년 1월 1일 사채상환 시 회계처리(순액법)

차) 사채 A	913,175	대) 사채 B	910,799
		사채상환이익	2,376(단수차이)

11 ⑤　1) 20×1년 초 사채의 장부금액: 1,000,000 × 0.7938 + 50,000 × 2.5771 - 46,998 = 875,657
　　　2) 유효이자율: 87,566 ÷ 875,657 = 10%
　　　3) 20×2년 말 사채의 장부금액: 1,050,000 ÷ (1 + 10%) = 954,545
　　　4) 20×3년 초부터 4월 1일까지 유효이자: 954,545 × 10% × 3/12 = 23,863
　　　5) 20×3년 4월 1일 사채상환손익(약식분개)

차) 기초BV + 3개월 유효이자[1]	587,045	대) 현금	570,000
		상환이익	17,045

　　　　[1] (954,545 + 23,863) × 60% = 587,045

12 ⑤　1) 20×1년 초 사채의 장부금액: 5,000,000 × 0.7938 + 300,000 × 2.5770 - 50,000 = 4,692,100
　　　2) 유효이자율: 4,692,100 × (1 + R) - 300,000 = 4,814,389, R = 9%
　　　3) 20×2년 이자비용: 4,814,389 × 9% = 433,295

13 ③　1) 20×1년 초 AC금융부채 장부금액: 1,900,504 - 92,604 = 1,807,900
　　　2) 발행시점의 유효이자율: 216,948/1,807,900 = 12%
　　　3) 20×2년 초 AC금융부채 장부금액: 1,807,900 × 1.12 - 160,000 = 1,864,848
　　　4) 20×2년 유효이자: (1,807,900 × 1.12 - 160,000) × 12% = 223,782
　　　5) 상환시점 약식분개

차) 3) + 4)[1]	2,088,630	대) 현금	2,000,000
		상환이익(대차차액)	88,630

　　　　[1] 상환대가에 경과이자가 포함되어 있으므로 기초 금융부채의 장부금액과 유효이자의 합계와 상환대가를 비교하여 상환이익을 계산한다.

14 ①　1) 20×2년 초 사채의 상각후원가: 1,000,000 × 0.9246 + 60,000 × 1.8861 = 1,037,766
　　　　* 20×1년 중에 발행하였어도 기말에 미지급이자를 제거하는 분개 후에는 기초에 발행한 사채와 장부금액이 동일하다.
　　　2) 20×2년 당기순이익에 미치는 영향: 사채상환이익 18,886 - 이자비용 22,830 = (-)3,944(단수차이)
　　　　(1) 사채상환이익: 18,886

차) (기초장부금액 + 유효이자) × 60%[1]	628,886	대) 현금	610,000
		상환이익	18,886

　　　　　[1] (1,037,766 + 1,037,766 × 4% × 3/12) × 60% = 628,886
　　　　(2) 이자비용: 1,037,766 × 4% × 60% × 3/12 + 1,037,766 × 4% × 40% × 12/12 = 22,830

15 ③　1) 사채의 CF

2) 사채의 기중 발행

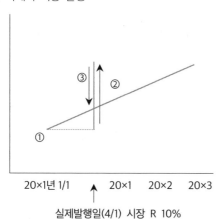

① 20×1년 초 CF의 PV = PV(CF) by 실제발행일 R
   : 1,000,000 × 0.7513 + 60,000 × 2.4868
   = 900,508
② 20×1년 초 ~ 발행일까지 유효이자
   = ① × 유효 R × 미보유/12
   : 900,508 × 10% × 3/12 = 22,513
③ 20×1년 초 ~ 발행일까지 액면이자
   = 액면금액 × 액면 R × 미보유/12
   : 1,000,000 × 6% × 3/12 = 15,000
● 현금수령액(사채발행가액): ① + ② = 923,021
● 사채 BV(사채순발행가액): ① + ② - ③ = 908,021

20×1년 1/1 　 20×1 　 20×2 　 20×3

실제발행일(4/1) 시장 R 10%

3) 당기손익 - 공정가치측정금융부채(FVPL금융부채) 분류 시

[순액법]

차)	현금(사채발행가액)	① + ② 923,021	대)	FVPL금융부채 (사채순발행가액) 미지급이자	① + ② - ③ 908,021 ③ 15,000
차)	사채발행비(N/I)	10,000	대)	현금(사채발행비용)	10,000

B/S

현금	① + ② - 사채발행비 913,021	FVPL금융부채 BV 미지급이자	① + ② - ③ 908,021 ③ 15,000

* 사채발행비용은 I/S에 당기비용처리한다.

4) 상각후원가측정금융부채 분류 시

[순액법]

차)	현금(사채발행가액)	① + ② 923,021	대)	사채(사채순발행가액) 미지급이자	① + ② - ③ 908,021 ③ 15,000
차)	사채	10,000	대)	현금(사채발행비용)	10,000

B/S

현금	① + ② - 사채발행비 913,021	사채 BV 미지급이자	① + ② - ③ - 사채발행비 898,021 ③ 15,000

16 ⑤ 1) 실질적 조건의 변경 여부 판단: 실질적 조건의 변경에 해당
    (1) 20×2년 초 BV: $1,000,000 \times 0.8264 + 80,000 \times 1.7355 = 965,240$
    (2) 20×2년 초 PV(변경된 CF) by 최초 R: $1,000,000 \times 0.7513 + 30,000 \times 2.4868 = 825,904$
    (3) 판단: $139,336(= 965,240 - 825,904) > 965,240 \times 10\%$
  2) 조건변경이익: $965,240 - 783,854(= 1,000,000 \times 0.7118 + 30,000 \times 2.4018) = 181,386$(단수차이)
  3) 이자비용: $783,854 \times 12\% = 94,062$

17 ① 1) 실질적 조건의 변경 여부 판단: 실질적 조건의 변경에 해당
    (1) 20×2년 말 변경 전 차입금의 장부금액: $500,000 \times 0.9070 + 25,000 \times 1.8594 = 500,000$(액면발행)
    (2) 20×2년 말 PV(변경된 CF) by 최초 유효 R: $500,000 \times 0.7835 + 10,000 \times 4.3295 = 435,045$
    (3) 판단: $64,955(= 500,000 - 435,045) > 500,000 \times 10\%$
  2) 20×2년 말 장기차입금: $500,000 \times 0.6806 + 10,000 \times 3.9927 = 380,227$
    * 실질적 조건의 변경에 해당하므로 변경시점의 유효이자율을 사용한다.

18 ① 1) 실질적 조건의 변경 여부 판단: 실질적 조건의 변경에 해당
    (1) 변경된 현금흐름의 현재가치(당초의 유효이자율 사용): $1,000,000 \times 0.7118 + 40,000 \times 2.4018 =$
      807,872
    (2) 판단: $158,346(= 966,218 - 807,872) > 966,218 \times 10\%$
  2) 조건변경이익: $966,218 - 748,828(= 1,000,000 \times 0.6575 + 40,000 \times 2.2832)^{1)} = 217,390$
    [1] 실질적 조건의 변경에 해당하는 경우 기존 사채는 상환하고 새로운 사채를 발행하는 것으로 보아 변경일의 시장이자율을 적용하여
       변경된 현금흐름의 현재가치를 구한다.

19 ⑤ 1) 20×1년 말 AC금융부채 장부금액: $950,252 \times 1.1 - 80,000 = 965,277$
  2) 20×2년 초 변경된 현금흐름의 현재가치(10% 사용): $1,000,000 \times 0.6830 + 50,000 \times 3.1699 = 841,495$
  3) 20×2년 초 변경된 현금흐름의 현재가치(12% 사용): $1,000,000 \times 0.6355 + 50,000 \times 3.0374 = 787,370$
  4) 실질적 조건의 변경 여부 판단: $(965,277 - 841,495) > 965,277 \times 10\%$
    ❍ 실질적 조건의 변경에 해당
    * 실질적 조건의 변경에 해당하므로 기존 부채는 상환하고 새로운 부채를 발행하는 것으로 보아 변경일의 시장이자율을 적용하여 변경된
      현금흐름의 현재가치를 구한다.
  5) 20×2년 회계처리

20×2년 초	차) AC금융부채(변경 전)	965,277	대) AC금융부채(변경 후)	787,370
			조건변경이익(N/I)	177,907
20×2년 말	차) 이자비용[1]	94,484	대) 현금	50,000
			AC금융부채	44,484

    [1] $787,370 \times 12\% = 94,484$

    ❍ 20×2년 당기손익에 미친 영향: $177,907 - 94,484 = 83,423$

20 ⑤ 1) 20×1년 초 사채의 발행금액: 951,637
    * $(200,000 + 80,000) \times 0.9091 + (200,000 + 64,000) \times 0.8265 + (200,000 + 48,000) \times 0.7513 + (200,000 + 32,000) \times$
      $0.6830 + (200,000 + 16,000) \times 0.6209 = 951,637$
  2) 20×2년 이자비용: $(951,637 \times 1.1 - 280,000) \times 10\% = 76,680$
  3) 실질적 조건의 변경 여부 판단: 실질적 조건의 변경에 해당
    (1) ×3년 초 기존 현금흐름의 현재가치(10%): 579,474
    (2) ×3년 초 변경된 현금흐름의 현재가치(10%): 450,789
    (3) $579,474 - 450,789 > 579,474 \times 10\%$

4) 조건변경일의 회계처리(순액)

| 차) 사채(구) | 579,474 | 대) 사채(신)[1] | 427,068 |
| | | 조건변경이익 | 152,406(단수차이) |

[1] ×3년 초 변경된 현금흐름의 현재가치(12%)

21 ① 1) 20×1년 초 현금흐름의 현재가치: 1,000,000 × 0.7 + 80,000 × 2.4 = 892,000
2) 20×1년 초부터 4월 1일까지의 이자비용: 892,000 × 12% × 3/12 = 26,760
3) 20×1년 초부터 4월 1일까지의 액면이자: 80,000 × 3/12 = 20,000
4) 20×1년 초 금융부채의 장부금액: 1) + 2) - 3) = 898,760
5) FVPL금융부채이므로 발행시점의 거래원가는 비용처리한다.

관련 유형 연습

01 ③ 1) 사채의 CF

2) 이자지급일 사이의 일부 조기상환 시 사채의 상환손익

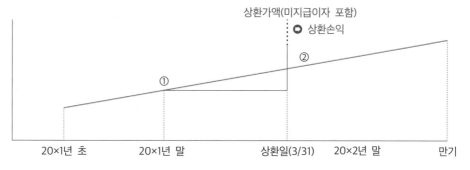

① 기초사채의 장부가액(BV): PV(잔여 CF) by 취득 시 유효 R
= 240,000/1.1 + 3,240,000/1.1² = 2,895,868
② 기초 ~ 상환시점까지 유효이자: ① × 취득 시 유효 R × 보유기간/12
= 2,895,868 × 10% × 3/12 = 72,397
○ 사채상환손익(N/I): (−)상환대가 + (① + ②) × 상환비율
= (−)3,150,000 + (2,895,868 + 72,397) × 100% = (181,735)(단수차이)

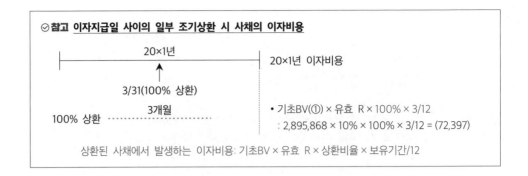

참고 이자지급일 사이의 일부 조기상환 시 사채의 이자비용

20×1년

20×1년 이자비용

3/31(100% 상환)

100% 상환 ········· 3개월

• 기초BV(①) × 유효 R × 100% × 3/12
: 2,895,868 × 10% × 100% × 3/12 = (72,397)

상환된 사채에서 발생하는 이자비용: 기초BV × 유효 R × 상환비율 × 보유기간/12

02 ④ 1) 사채의 CF

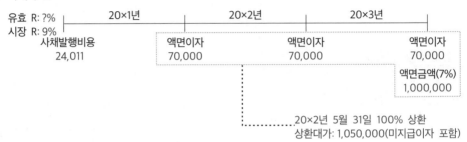

유효 R: ?%
시장 R: 9%

사채발행비용
24,011

20×1년

20×2년

20×3년

액면이자
70,000

액면이자
70,000

액면이자
70,000

액면금액(7%)
1,000,000

20×2년 5월 31일 100% 상환
상환대가: 1,050,000(미지급이자 포함)

2) 사채발행비가 존재하는 경우 사채발행가액 산정

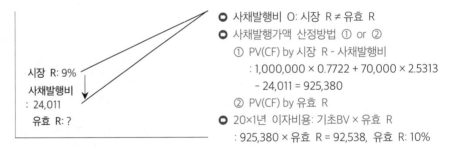

시장 R: 9%

사채발행비
: 24,011

유효 R: ?

● 사채발행비 O: 시장 R ≠ 유효 R
● 사채발행가액 산정방법 ① or ②
① PV(CF) by 시장 R - 사채발행비
: 1,000,000 × 0.7722 + 70,000 × 2.5313
- 24,011 = 925,380
② PV(CF) by 유효 R
● 20×1년 이자비용: 기초BV × 유효 R
: 925,380 × 유효 R = 92,538, 유효 R: 10%

3) 이자지급일 사이의 일부 조기상환 시 사채의 상환손익

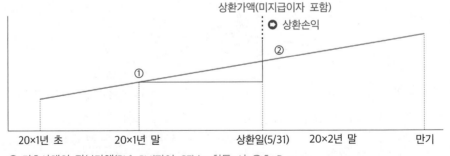

상환가액(미지급이자 포함)

● 상환손익

②

①

20×1년 초   20×1년 말   상환일(5/31)   20×2년 말   만기

① 기초사채의 장부가액(BV): PV(잔여 CF) by 취득 시 유효 R
= 70,000/1.1 + 1,070,000/1.1^2 = 947,934(단수차이)
② 기초 ~ 상환시점까지 유효이자: ① × 취득 시 유효 R × 보유기간/12
= 947,934 × 10% × 5/12 = 39,497
● 사채상환손익(N/I): (-)상환대가 + (① + ②) × 상환비율
= (-)1,050,000 + (947,934 + 39,497) × 100% = (62,569)(단수차이)

03 ⑤ 1) 사채의 CF

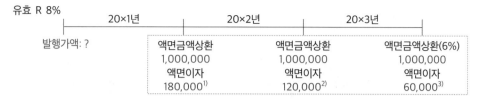

유효 R 8%

	20×1년	20×2년	20×3년
발행가액: ?	액면금액상환 1,000,000 액면이자 180,000[1]	액면금액상환 1,000,000 액면이자 120,000[2]	액면금액상환(6%) 1,000,000 액면이자 60,000[3]

연속상환사채의 매기 말 액면이자: 기초 잔여 액면금액 × 액면이자율

[1] 액면이자: 기초 잔여 액면금액 3,000,000 × 6% = 180,000
[2] 액면이자: 기초 잔여 액면금액 (3,000,000 - 1,000,000) × 6% = 120,000
[3] 액면이자: 기초 잔여 액면금액 (3,000,000 - 2,000,000) × 6% = 60,000

2) 발행시점 B/S(20×1년 초)

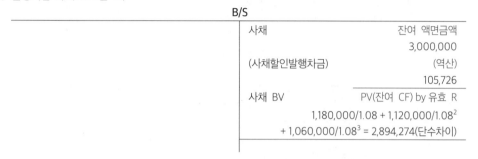

	B/S	
	사채	잔여 액면금액 3,000,000
	(사채할인발행차금)	(역산) 105,726
	사채 BV	PV(잔여 CF) by 유효 R 1,180,000/1.08 + 1,120,000/1.08² + 1,060,000/1.08³ = 2,894,274(단수차이)

04 ③ 1) 사채의 CF

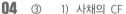

유효 R: 10%

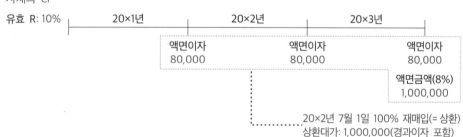

	20×1년	20×2년	20×3년
	액면이자 80,000	액면이자 80,000	액면이자 80,000
			액면금액(8%) 1,000,000

20×2년 7월 1일 100% 재매입(= 상환)
상환대가: 1,000,000(경과이자 포함)

2) 이자지급일 사이의 일부 조기상환 시 사채의 상환손익

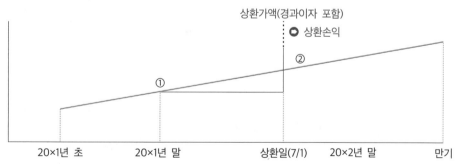

상환가액(경과이자 포함)
● 상환손익
②
①

20×1년 초	20×1년 말	상환일(7/1)	20×2년 말	만기

① 기초사채의 장부가액(BV): PV(잔여 CF) by 취득 시 유효 R
= 80,000/1.1 + 1,080,000/1.1² = 965,289(단수차이)
② 기초 ~ 상환시점까지 유효이자: ① × 취득 시 유효 R × 보유기간/12
= 965,289 × 10% × 6/12 = 48,264
● 사채상환손익(N/I): (-)상환대가 + (① + ②) × 상환비율
= (-)1,000,000 + (965,289 + 48,264) × 100% = 13,553(단수차이)

3) 이자지급일 사이의 일부 조기상환 시 N/I에 미치는 영향

I/S	
(사채상환이익)	(-)상환대가 + (① + ②) × 상환비율
	(-)1,000,000 + (965,289 + 48,264) × 100% = 13,553
(이자비용)	
Ⅰ. 상환된 사채에서 발생	기초BV × 유효 R × 상환비율 × 보유기간/12
	965,289 × 10% × 100% × 6/12 = (48,264)

❍ N/I 영향: 13,553 + (48,264) = (34,711)(단수차이)

> **⊘참고 20×3년의 당기손익에 미치는 영향**
>
> 1. 20×2년 말 60% 재발행분 이자비용(유효 R: 10% 적용)
>   - ❍ 이자비용 기초BV × 유효 R(재발행 시 시장 R) × 재발행비율 × 보유기간/12
>   - ❍ 이자비용 1,080,000/1.1 × 10% × 60% × 12/12 = (58,909)
> 2. 20×2년 소각분 40%: 소각 후 F/S에 미치는 영향은 없다.

05 ① 1) 표시이자를 연 n회 지급하는 경우

적용이자율	적용이자율: R × 이자지급기간/12 • 적용액면이자율: 10% × 6개월/12 = 5% • 적용유효이자율: 12% × 6개월/12 = 6%
적용만기	적용만기: 만기 × 12/이자지급기간 • 적용만기: 3년 × 12/6개월 = 6년

2) 20×1년 회계처리

[20×1. 6. 30.]

차) 이자비용	기초BV × R	대) 현금	액면이자
	95,083[1] × 6% = 5,705		5,000
		사채	대차차액
			705

[20×1. 12. 31.]

차) 이자비용	[기초BV × (1 + R) - 액면이자] × R	대) 현금	액면이자
	(95,083[1] × 1.06 - 5,000) × 6%		5,000
	= 5,747		
		사채	대차차액
			747

[1] 20×1년 초 사채 BV: 5,000 × 4.91732 + 100,000 × 0.70496 = 95,083

❍ 20×1년 이자비용: (5,705) + (5,747) = (11,452)

> **⊘참고 20×2년 4월 1일 상환 시 인식할 이자비용**
>
> 20×2년 초 사채 BV 96,535 × 유효 R 6% × 보유기간 3/6개월 = 2,896

⚡ Self Study

1년에 2회 액면이자를 지급하는 경우 이자지급기간 1회를 6개월로 하므로 기중 상환 시 발생한 이자비용은 보유기간에 6개월을 기준으로 하여 산정하여야 한다.

06 ④ 1) 사채의 이자비용 구간 분석

2) 시점별 사채의 BV 구분
   (1) 20×1년 4월 1일 발행가액: $100,000 \times 0.71178 + 10,000 \times 2.40183 = 95,196$
   (2) 20×2년 4월 1일 발행가액: $95,196 \times (1 + 12\%) - 10,000 = 96,620$

3) 각 시점별 회계처리

[20×1. 12. 31.]

차)	이자비용(A)	기초BV_1 × R × 보유기간(9개월)/12 $95,196 \times 12\% \times 9/12 = 8,568$	대)	미지급이자	액면이자 × 보유기간(9개월)/12 $10,000 \times 9/12 = 7,500$
				사채	대차차액 1,068

[20×2. 3. 31.]

차)	미지급이자	액면이자 × 보유기간(9개월)/12 7,500	대)	현금	액면이자 10,000
	이자비용(B)	기초BV_1 × R × 보유기간(3개월)/12 $95,196 \times 12\% \times 3/12 = 2,856$		사채	대차차액 356

[20×2. 12. 31.]

차)	이자비용(C)	기초BV_2 × R × 보유기간(9개월)/12 $96,620 \times 12\% \times 9/12 = 8,696$	대)	미지급이자	액면이자 × 보유기간(9개월)/12 $10,000 \times 9/12 = 7,500$
				사채	대차차액 1,196

● 20×2년 이자비용: (B) + (C) = (11,552)

07 ① • 당기순이익에 미친 영향: (10,270) = (4,460) + (6,000) + 190
• 기타포괄손익에 미친 영향: 4,497

1) 20×1년 말 사채의 공정가치(15%): $6,000 \times 1.6257 + 100,000 \times 0.7561 = 85,364$
2) 20×1년 말 기준금리 변동만 반영한 사채의 공정가치(12%): 89,861[1]
   [1] $6,000 \times 1.6901 + 100,000 \times 0.7972 = 89,861$
3) 수수료비용: (4,460)
4) 표시이자비용: (6,000)
5) FVPL금융부채 공정가치 변동액: 90,051 - 85,364 = 4,687
6) FVPL금융부채평가이익(기타포괄손익): 89,861 - 85,364 = 4,497
7) FVPL금융부채평가이익(당기손익): 4,687 - 4,497 = 190
8) 회계처리

	차) 현금	90,051	대) FVPL금융부채	90,051
20×1년 초	차) 수수료비용	4,460	대) 현금	4,460
	차) 이자비용	6,000	대) 현금	6,000
20×1년 말	차) FVPL금융부채	4,687	대) 금융부채평가이익(OCI)	4,497
			금융부채평가이익(NI)	190

08 ② 1) 실질적 조건의 변경 여부 판단: 실질적 조건의 변경에 해당
    (1) 최초 금융부채의 현재가치(6%): $100,000 \times 1.8334 + 2,000,000 \times 0.8900 = 1,963,340$
    (2) 새로운 미래현금흐름의 현재가치(6%): $20,000 \times 2.6730 + 2,000,000 \times 0.8396 = 1,732,660$
    (3) 판단: $1,963,340 - 1,732,660 > 1,963,340 \times 10\%$
2) 회계처리
[20×2년 초]

차) 사채(구)	1,963,340	대) 사채(신, 8%)[1]	1,639,140
		조건변경이익	324,200(단수차이)

[1] $20,000 \times 2.5770 + 2,000,000 \times 0.7938 = 1,639,140$
[20×2년 말]

차) 이자비용[2]	131,131	대) 현금	20,000
		사채	111,131

[2] $1,639,140 \times 8\% = 131,131$

실력 점검 퀴즈

01 ③ 1) 유효이자율: $11,400/95,000 = 12\%$
2) 20×2년 이자비용: (1) + (2) = 8,676
    (1) 상환분(50%): $(95,000 \times 1.12 - 10,000) \times 12\% \times 50\% \times 6/12 = 2,892$
    (2) 미상환분(50%): $(95,000 \times 1.12 - 10,000) \times 12\% \times 50\% \times 12/12 = 5,784$

02 ④ 1) 20×3년 초 사채의 장부금액: $950,263 + (191,555 - 1,000,000 \times 8\% \times 2년) = 981,818$
2) 20×3년 상환 시 지급한 현금: $981,818 + 8,182 = 990,000$

03 ⑤ 1) 20×2년 초 사채의 장부금액: $43,000 - 3,000 = 40,000$
2) 유효이자율: $6,000/40,000 = 15\%$

04 ④ 1) 20×2년 초 사채의 장부금액: $1,000,000 \times 0.8574 + 60,000 \times 1.7833 = 964,398$
2) 20×2년 초 ~ 6월 30일까지 유효이자: $964,398 \times 8\% \times 6/12 = 38,576$
3) 20×2년 상환대가: $964,398 + 38,576 + 32,000 = 1,034,974$(단수차이)

05 ② 1) 20×1년 초 사채 발행금액
    $(2,000,000 + 6,000,000 \times 10\%) \times 0.92593$(1년, 8% 현가)
    $+ (2,000,000 + 4,000,000 \times 10\%) \times 0.85734$(2년, 8% 현가)
    $+ (2,000,000 + 2,000,000 \times 10\%) \times 0.79383$(3년, 8% 현가)
    $= 6,211,460$
2) 유효이자율법에 의한 상각표

일자	장부금액	유효이자(8%)	현금지급액	원금상환액
20×1. 1. 1.	6,211,460			
20×1. 12. 31.	4,108,377	496,917	2,600,000	2,103,083
20×2. 12. 31.	2,037,047	328,670	2,400,000	2,071,330
		(이하생략)		

∴ 20×2년 말 장부금액: 2,037,047

06 ⑤ 1) 실질적 조건의 변경 여부 판단: 실질적 조건의 변경에 해당

1,000,000 - 893,060(= 20,000 × 2.6730 + 1,000,000 × 0.8396) > 1,000,000 × 10%

2) 조건변경 후 금융자산의 공정가치: 20,000 × 2.7232 + 1,000,000 × 0.8638 = 918,264

(1) 금융부채조정손익: 1,000,000 - 918,264 = 81,736

(2) 이자비용: 918,264 × 5% = 45,913

2차 문제 Preview

01

물음 1

(1) 실제 발행일의 사채 발행금액: 1) + 2) = 495,399

1) 20×1년 초 PV(CF): 500,000 × 0.8163 + 30,000 × 2.6243 = 486,879

2) 20×1년 초 ~ 4월 1일 유효이자: 486,879 × 7% × 3/12 = 8,520

3) 20×1년 초 ~ 4월 1일 액면이자: 30,000 × 3/12 = 7,500

(2) 20×1년도 이자비용: 486,879 × 7% × 9/12 = (-)25,561

(3) 총이자비용: (500,000 + 30,000 × 3년) - 495,399 = (-)94,601

물음 2

(1) 유효이자율: 8.56%

1) 20×1년 초 사채의 발행금액: 500,000 × 0.7938 + 30,000 × 2.5770 - 6,870 = 467,340

2) 유효이자율(R): 467,340 × (1 + R) - 30,000 = 477,340, R = 8.56%

(2) 사채상환이익: -485,500 + [1) + 2)] = 2,055

1) 20×2년 초 사채의 장부금액: 477,340

2) 20×2년 초 ~ 4월 1일 유효이자: 477,340 × 8.56% × 3/12 = 10,215

물음 3

20×1년 말 사채의 장부금액: (100,000 + 10,000)/1.09 + (100,000 + 5,000)/1.09^2 = 189,294

기초 유형 확인

01 ⑤   미래영업을 위하여 발생하게 될 원가는 충당부채로 인식할 수 없다.

02 ①   배당은 주주거래이므로 보고기간 말 부채로 인식하지 않는다. 또한 보고기간 후부터 재무제표 발행승인일 전 사이의 배당은 차기의 거래이다.

03 ⑤   과거에 우발부채로 처리하였다면 이후 충당부채의 인식조건을 충족하게 되면 충당부채로 인식한다.

04 ②   (1) 충당부채로 500,000 인식
   (2) 미래의 회계시스템 도입을 위하여 지출될 비용은 과거사건의 결과로 인한 비용이 아니므로 충당부채로 인식하지 아니한다.
   (3) 정기적인 수리비용 및 교체는 대체원가가 자산인식기준을 충족하는 경우 대체원가를 자산으로 인식한다.

05 ①   의무는 상대방이 누구인지 반드시 알아야 하는 것은 아니며, 경우에 따라서는 일반 대중이 될 수도 있다.

06 ③

(1) 손해배상손실: 2,000,000 - 500,000 =	1,500,000
(2) 손해배상손실	500,000
(3) 지급보증손실: 2,000,000 - 400,000 =	1,600,000
계	3,600,000

07 ⑤   제품보증 또는 이와 유사한 계약 등 다수의 유사한 의무가 있는 경우 의무이행에 필요한 자원의 유출가능성은 당해 유사한 의무 전체를 고려하여 결정한다. 비록 개별 항목의 의무이행에 필요한 자원의 유출가능성이 높지 않더라도 전체적인 의무이행을 의하여 필요한 자원의 유출가능성이 높을 경우에는 충당부채로 인식할 수 있다.

08 ⑤   충당부채를 결제하기 위하여 필요한 지출액의 일부 또는 전부를 제3자가 변제할 것이 예상되는 경우 기업이 의무를 이행한다면 변제를 받을 것이 거의 확실하게 되는 때에 한하여 변제금액을 인식하고 별도의 자산으로 회계처리한다.

09 ④ 1) 제품보증충당부채 잔액

    (1) 20×1년: (1,000대 × 2% - 8대) × 60 = 720

    (2) 20×2년: (3,000대 × 2% - 20대) × 60 = 2,400

2) 제품보증비용

    (1) 20×1년: 720 + 8대 × 60 = 1,200

    (2) 20×2년: (2,400 - 720) + (11 + 20)대 × 60 = 3,540

    * 예상되는 자산처분이 충당부채를 발생시킨 사건과 밀접하게 관련되었더라도 당해 자산의 예상처분이익은 충당부채를 측정하는 데 고려하지 아니한다. 자산의 예상처분이익은 당해 자산과 관련된 회계처리를 다루고 있는 한국채택국제회계기준서에서 규정하고 있는 시점에 인식한다.

10 ① 1) 20×2년 말 제품보증충당부채 잔액: (1,000대 × 2% + 3,000대 × 2% - 8대 - 11대 - 20대) × 60 = 2,460

2) 20×1년 말 제품보증충당부채 잔액: (1,000대 × 2% - 8대) × 60 = 720

3) 제품보증비: (2,460 - 720) + (11 + 20)대 × 60 = 3,600

11 ④ 기말충당부채: (100 + 156) × 0.90909 + (200 + 30) × 0.82645 + (100 + 0) × 0.75131 = 498

    * 구조조정과 직접적으로 관련이 있는 해고급여와 컨설팅비용만을 고려하여 구조조정충당부채를 계상한다.

12 ④ 1) 손실부담계약에 의한 손실 = Min[(1), (2)]

    (1) 계약을 이행하기 위해 소요되는 원가 - 계약에 의하여 기대되는 효익

    (2) 계약의 미이행 시 지급하여야 할 보상금 또는 위약금

2) 상품구입계약의 손실부담액: Min[100단위 × (100,000 - 75,000), 100단위 × 100,000 × 20%] = 2,000,000

3) 사무실임차계약의 손실부담액: Min[(10,000,000 + 10,000,000/1.1), 10,000,000 × 2] = 19,090,909

∴ 손실부담계약에 의한 손실(손실부담계약충당부채): 2,000,000 + 19,090,909 = 21,090,909

기출 유형 정리

01 ④ ① 우발자산의 경우 발생가능성이 높지만 확실하지 않은 경우 우발자산으로 주석공시하고, 거의 확실한 경우는 자산으로 인식한다.

② 손실부담계약을 이행하기 위하여 사용하는 자산에서 발생한 손상차손을 먼저 인식하고 손실부담계약의 충당부채를 인식한다.

③ 할인율에 반영되는 위험에는 미래현금흐름을 추정할 때 고려된 위험은 반영하지 않고 세전 이자율을 사용한다.

⑤ 충당부채는 현재가치로 평가한다.

02 ① 제3자가 이행할 것으로 예상되는 부분을 제외한 부분을 충당부채로 인식한다.

03 ②

구분	충당부채 판단
가. 구조조정 관련 충당부채	의무의 발생: 아래의 기준을 모두 충족한 경우에만 인식 ① 공식적이며 구체적인 계획 공표 ② 공표에 의한 정당한 기대 동 사례의 경우 위의 기준을 충족하지 못해 충당부채로 인식하지 않는다.
나. 소송충당부채	불리한 결과가 나타날 가능성이 높고, 의무이행을 위한 자원의 유출가능성이 높으면, 손실금액을 합리적으로 추정하여 충당부채로 인식하지만 동 사례의 경우 발생가능성이 높지 않아 충당부채로 인식하지 않는다.
다. 복구충당부채	현재가치 140,000은 충당부채로 인식한다.
라. 제3자 변제	제3자가 변제하는 경우에는 해당 부분을 별도의 자산으로 인식한다. 즉, 충당부채는 제3자의 변제 여부와 관계없이 200,000 전액을 인식한다.

　◉ 충당부채: 다. 140,000 + 라. 200,000 = 340,000

04 ③ A: 법률이 20×2년 말 현재 제정될 것이 거의 확실하므로 20×2년 말에 충당부채를 인식한다.
　　B: 20×1년 말까지 여과기를 설치하지 않았으므로 벌과금에 대하여 충당부채를 인식한다. 또한 20×2년 말 현재 벌과금 납부에 대한 의무가 발생하였고 그 금액이 납부서를 통하여 확정되었으므로 20×2년 말에는 충당부채를 미지급비용으로 대체시킨다.
　　C: 20×2년 말이 되어서야 의제의무가 성립하므로 20×2년 말에 충당부채를 인식한다.

05 ④ 20×1년 말 충당부채: 90,000
　　가. 굴착장치는 건설이 완료되었으므로 굴착장치에 대한 충당부채만 인식한다.
　　나. 자원의 유출가능성이 높지 않으므로 충당부채로 인식하지 않는다.

06 ② ① 고객충성제도로 인한 부채인식액은 충당부채가 아니라 계약부채이다. 이는 미래에 발생할 것으로 예상되는 비용을 미리 수익과 대응시키기 위하여 충당부채로 인식하는 것이 아닌, 가득되지 않은 수익을 이연시키기 위해 인식하는 것이다. 그러므로 고객충성제도에서 발생하는 계약부채는 충당부채가 아니다.
　　② 토지정화비용 등의 환경과 관련된 지출이 현재의무가 되기 위해서는 과거에 환경오염을 발생시켰으며, 그러한 환경오염으로 인해 법적 의무 또는 의제의무가 발생하여야만 한다. 이 경우 토지정화의 법규가 없었으므로 회사에게 법적인 의무는 발생하지 않았다. 그러나 이미 오염된 토지를 정화하는 것을 의무화하는 관계 법률이 연말 이후 곧 제정될 것이 기말 현재 거의 확실한 경우에는 현재의무를 발생시켰다고 볼 수 있다. 그러므로 과거 오염이 법적 의무를 발생시킨 것은 아니라고 하더라도 현재의무를 발생시킬 것이 거의 확실하므로 충당부채로 인식한다.
　　③ 공표는 했으나, 발표된 경영방침 또는 구체적이고 유효한 약속을 통하여 관련 당사자에게 표명한 것이 아니기 때문에, 관련 당사자가 기업이 구조조정을 이행할 것이라는 기대를 가질 수 없고, 의제의무가 발생하지 않는다. 따라서 충당부채로 인식하지 않는다.
　　④ 종업원의 교육훈련비는 교육시점에 지출의무가 발생하므로 미래의 예상지출을 충당부채로 인식하지 않는다.
　　⑤ 폐수처리시설과 관련된 지출예상액이 현재의무가 되기 위해서는 환경오염이 과거에 발생하고 그에 따른 환경정화와 관련된 지출을 이행하는 것 외에는 현실적인 대안이 없어야 한다. 그러나 폐수처리시설과 관련된 환경오염은 과거에 발생한 것이 아니라 미래에 발생될 것이라고 예상되는 오염이다. 또한 환경오염이 발생되지 않는 방식으로 공장을 운영한다면, 폐수처리시설과 관련된 지출이 반드시 발생하는 것도 아니므로(미래행위에 독립적이지 않음) 현재의무에 해당하지 않는다.

07 ③ ① 수선비는 미래행위와 독립적이지 않으므로 충당부채로 인식하지 않는다.

② 충당부채의 인식요건을 만족하므로 벌과금 관련하여 충당부채로 인식하여야 한다.

③ 신뢰성 있게 금액을 추정하기 어려운 경우 충당부채로 계상하지 않는다.

④ 충당부채의 인식요건을 만족하므로 제품보증과 관련하여 충당부채로 인식하여야 한다.

⑤ 구조조정계획의 이행에 착수하거나 구조조정의 주요내용을 공표하지 않았으므로, 관련 당사자가 기업이 구조조정을 이행할 것이라는 기대를 가질 수 없고, 의제의무가 발생하지 않는다. 따라서 충당부채로 인식하지 않는다.

08 ① 수선비는 과거사건의 결과가 아니므로 충당부채로 인식하지 않는다.

09 ④ 당초에 다른 목적으로 인식된 충당부채를 그 목적이 아닌 다른 지출에 사용할 수 없다.

10 ③

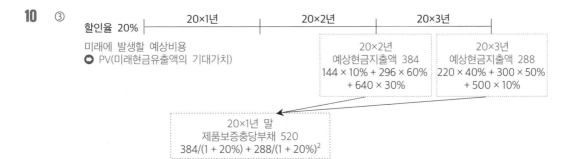

11 ② 제품보증기간이 1년인 경우 무상으로 수리해준다는 문구에서 제품보증은 고객에게 구매선택권이 없는 확신유형의 보증에 해당한다고 가정한다.

제품보증충당부채 인식액(B/S)	매출액의 일정비율: 매출액 × 보증예상비율 - 해당 실제보증비용 • 20×3년 제품보증충당부채: 600개 × 5% × 1,200 - 15,000 = 21,000 • 20×4년 제품보증충당부채: 800개 × 5% × 1,500 - 30,000 = 30,000
제품보증충당부채 관련 20×4년 N/I 영향 (9,000) + (47,000) = (56,000)	① 제품보증충당부채 증감액: 기말충당부채 BV - 기초충당부채 BV 30,000 - 21,000 = 9,000
	② 제품보증비용 실제발생액 17,000 + 30,000 = 47,000

> ⊘ **참고 제품보증기간이 2년인 경우**

제품보중충당부채 인식액(B/S)	매출액의 일정비율: 매출액 × 보증예상비율 - 해당 실제보증비용 • 20×3년 제품보증충당부채: 600개 × 5% × 1,200 - 15,000 = 21,000 • 20×4년 제품보증충당부채: (600개 × 5% × 1,200 + 800개 × 5% × 1,500) - (15,000 + 17,000 + 30,000) = 34,000
제품보증충당부채 관련 20×4년 N/I 영향 (13,000) + (47,000) = (60,000)	① 제품보증충당부채 증감액: 기말충당부채 BV - 기초충당부채 BV 34,000 - 21,000 = 13,000
	② 제품보증비용 실제발생액 17,000 + 30,000 = 47,000

12 ⑤ 20×3년 말 제품보증충당부채: (3,000 + 4,000 + 6,000) × 5% × 200 - (20,000 + 30,000 + 40,000) = 40,000

13 ② 20×1년 말 제품보증충당부채: 6,740

* (1,800 × 20% + 3,000 × 50% + 7,000 × 30%) × 0.9091 + (3,000 × 30% + 4,000 × 60% + 5,000 × 10%) × 0.8264 = 6,740
* 미래예상현금흐름을 이용하여 충당부채를 산정하였으므로 당기 실제지출액은 고려하지 않는다.

14 ③ ① 중간재무보고서는 연차재무제표보다 적은 정보를 공시할 수 있다.
② 직전 연차재무보고서를 연결기준으로 작성한 경우 중간재무보고서도 연결기준으로 작성할 수 있다.
④ 중간보고기간 말 현재 자산의 정의를 충족하지는 못하지만 그 후에 정의를 충족할 가능성이 있다는 이유로 또는 중간기간의 이익을 유연화하기 위하여 자산으로 계상할 수 없다.
⑤ 계절적, 주기적 또는 일시적으로 발생하는 수익은 연차보고기간 말에 미리 예측하여 인식하거나 이연하는 것이 적절하지 않은 경우 중간보고기간 말에도 미리 예측하여 인식하거나 이연하여서는 안 된다.

15 ④ A. 중간재무제표에 포함되는 포괄손익계산서, 자본변동표 및 현금흐름표는 당해 회계연도 누적기간만을 직전 회계연도의 동일기간과 비교하는 형식으로 작성한다. ➋ 포괄손익계산서 제외

16 ④ 투자자산의 공정가치가 보고기간 말과 재무제표 발행승인일 사이에 하락한 것은 보고기간 말의 상황과 관련된 것이 아니라 보고기간 후에 발생한 상황이 반영된 것이다.

17 ③ 보고기업에 유의적인 영향력이 있는 개인이나 그 개인의 가까운 가족은 보고기업의 특수관계자로 본다. 이때 개인의 가까운 가족의 범위는 자녀, 배우자, 배우자의 자녀, 당해 개인이나 배우자의 피부양자를 포함한다.

18 ③ ① 보고기간 후에 발생한 상황을 나타내는 사건을 반영하기 위하여, 재무제표에 인식된 금액을 수정하지 않는다.
② 보고기간 말과 재무제표 발행승인일 사이에 투자자산의 공정가치가 하락한다면, 재무제표에 투자자산으로 인식된 금액을 수정하지 않는다.
③ 보고기간 후에 지분상품 보유자에 대해 배당을 선언한 경우, 그 배당금을 배당선언시점에 부채로 인식한다.
④ 보고기간 말에 존재하였던 상황에 대한 정보를 보고기간 후에 추가로 입수한 경우에도 그 정보를 반영하여 공시 내용을 수정한다.
⑤ 경영진이 보고기간 후에 기업을 청산하거나 경영활동을 중단할 의도를 가지고 있거나, 청산 또는 경영활동의 중단 외에 다른 현실적 대안이 없다고 판단하는 경우에는 다른 가정에 따라 재무제표를 작성해야 한다.

19 ③ ① 한국채택국제회계기준에 따라 중간재무보고서를 작성한 경우, 그 사실을 공시하여야 한다.
② 중간재무보고서상의 재무상태표는 당해 중간보고기간 말과 직전 연도 연차보고기간 말을 비교하는 형식으로 작성한다.
④ 중간재무보고서를 작성할 때 인식, 측정, 분류 및 공시와 관련된 중요성의 판단은 해당 중간기간의 재무자료에 근거하여 이루어져야 한다.
⑤ 중간재무보고서상의 재무제표는 연차재무제표보다 더 적은 정보를 제공하므로 신뢰성은 낮고, 적시성은 높다.

20 ③ 특정 중간기간에 보고된 추정금액이 최종 중간기간에 중요하게 변동하였지만 최종 중간기간에 대하여 별도의 재무보고를 하지 않는 경우에는, 추정의 변동 성격과 금액을 해당 회계연도의 연차재무제표에 주석으로 공시한다.

21 ② 중간재무보고서에 포함해야 하는 최소한의 구성요소는 요약재무상태표, 요약된 하나 또는 그 이상의 포괄손익계산서, 요약자본변동표, 요약현금흐름표, 선별적 주석이다.

01 ⑤ ① 불법적인 환경오염은 그 자체로 현재의무를 발생시키는 과거사건에 해당한다. 따라서 미래행위와 독립적으로 의무가 발생하여 충당부채로 인식한다.

② 우발부채 및 우발자산은 재무제표에 인식하지 않으며, 주석으로 공시한다.

③ 최초 인식과 관련된 지출에 대응되는 충당부채를 다른 어떤 지출에 대하여 사용하지 않는다. 특정 충당부채와 관련된 지출이 충당부채의 장부금액과 다를 경우에 그 차이는 당기손익으로 인식한다.

④ 현재의무를 발생시키는 과거사건에 대해서는 당해 사건으로부터 발생된 의무가 법적 의무이거나 의제의무를 이행하는 것 이외에는 현실적인 대안이 없어야 한다.

⑤ 미래영업을 위하여 발생하게 될 원가는 미래영업에서 발생하는 수익과 대응되어야 하므로 충당부채로 인식하지 않는다.

02 ① ① 연대보증으로 인한 보증의무 중 본인부담금과 제3자가 부담할 수 없을 것이라고 예상되는 금액은 충당부채로, 제3자가 부담하리라 예상되는 금액은 우발부채로 인식한다.

② 충당부채는 기본적으로 미래예상현금지출액을 적절한 할인율로 할인한 금액으로 측정한다. 이 경우 현금지출액을 추정할 때 고려한 위험을 할인율에 중복하여 반영하면, 충당부채금액이 과소평가될 수 있으므로 현금흐름을 추정할 때 고려된 위험은 할인율에 반영하지 않는다.

③ 충당부채와 관련된 측정치는 모두 세전 금액으로 한다. 따라서 미래현금흐름은 세전 금액으로, 할인율은 세전 이자율로 측정한다.

④ 충당부채를 결제하기 위하여 필요한 지출액의 일부 또는 전부를 제3자가 변제할 것이 거의 확실하게 되는 때에 한하여 변제금액을 인식한다. 변제자산을 인식하는 경우에도 충당부채와 상계하지 않고 별도의 자산으로 회계처리한다. 그러나 충당부채와 관련하여 포괄손익계산서에 인식된 비용은 제3자의 변제와 관련하여 인식한 금액과 상계하여 표시할 수 있다.

⑤ 최초 인식과 관련된 지출에 대응되는 충당부채를 다른 어떤 지출에 대하여 사용하지 않는다. 특정 충당부채와 관련된 지출이 충당부채의 장부금액과 다를 경우에 그 차이는 당기손익으로 인식한다.

03 ⑤ ① 미래예상영업손실은 미래의 사건에 의존하여 발생하는 것이므로 현재의무가 아니다. 따라서 충당부채로 인식하지 않는다.

⑤ 손실부담계약의 경우 계약상의 의무에 따른 회피불가능한 원가는 계약을 해지하기 위한 최소순원가로서, 계약을 이행하기 위하여 소요되는 원가와 계약을 이행하지 못하였을 때 지급하여야 할 보상금(또는 위약금) 중에서 작은 금액을 말한다.

04 1. × 기업이 당해 책임을 이행할 것이라는 정당한 기대를 상대방이 가지게 하여야 의제의무가 발생한다.

2. ○

3. × 현재의무가 발생하였는지를 판단할 때는 보고기간후사건이 제공하는 추가적인 증거도 고려한다.

4. × 세전 이자율이다.

5. ○

6. × 고려하지 않는다.

7. ○

8. ○

9. × 미래영업을 위하여 발생할 원가는 충당부채로 인식할 수 없다.

10. ○

11. ○

05 ② 20×3년 말 제품보증충당부채 장부금액: 1,000개 × 3% × @730 - 8,000 = 13,900

06 ④ 중간재무보고서를 작성할 때 인식, 측정, 분류 및 공시와 관련된 중요성의 판단은 해당 중간기간의 재무자료에 근거하여 이루어져야 한다.

실력 점검 퀴즈

01 ⑤ 세전 금액으로 측정한다.

02 ⑤ 20×2년 말 충당부채: (1,500대 + 4,000대) × 3% × 20 - (5 + 15 + 30)대 × 20 = 2,300

03 ② 충당부채: 120,000 + 350,000 = 470,000

04 ⑤ 처분이익은 고려하지 않는다.

05 ① 유가증권의 공정가치 하락은 수정을 요하지 않는 보고기간후사건이다.

2차 문제 Preview

01

구분	20×2년 말 재무상태표에 충당부채로 계상할 금액
사례 1	230,000
사례 2	600,000
사례 3	358,666
사례 4	10,000
사례 5	600,000
사례 6	7,500,000

[사례 1]

보고기간 말 현재의무가 존재하는 충당부채금액을 추정하는 데 필요한 정보를 보고기간 후 재무제표 발행승인일 전에 입수하면, 그 정보를 반영해서 보고기간 말 재무상태표에 인식할 충당부채금액을 추정한다. 수선유지비는 법적 강제사항 여부와 관계없이 충당부채로 인식하지 않는다. 만약, 재무제표 발행승인일 (20×3년 2월 25일) 후에 벌과금 230,000을 납부하였다면, 20×2년 말 충당부채로 인식할 금액은 200,000이다. 그리고 20×3년에 230,000을 납부할 때 30,000을 추가로 비용처리한다.

사례 2

㈜동영고속의 충당부채: $1,000,000 \times 50\% + 500,000 \times 20\% = 600,000$

지출액의 일부 또는 전부를 제3자가 변제할 것이 예상되는 경우, 변제를 받을 것이 거의 확실하게 되는 때에 한하여 변제금액을 별도의 자산으로 회계처리한다. 다만, 그 금액이 관련 충당부채금액을 초과할 수 없다. 이 경우 충당부채와 관련하여 인식된 비용은 제3자의 변제와 관련하여 인식한 금액과 상계하여 표시할 수 있다.

차)	미지급금	200,000	대)	보증충당부채	600,000
	변제자산	300,000			
	보증손실	100,000			

사례 3

1) 1대당 무상수리비용 예상액
   (1) 20×3년 말: $0 \times 70\% + 2,000 \times 20\% + 10,000 \times 10\% = 1,400$
   (2) 20×4년 말: $0 \times 70\% + 4,000 \times 20\% + 20,000 \times 10\% = 2,800$

2) 20×2년 말 충당부채: $1,400 \times 0.9091 \times 100대 + 2,800 \times 0.8264 \times 100대 = 358,666$

사례 4

충당부채로 인식할 금액은 10,000이다. 관련 자산의 예상처분이익은 충당부채금액에 영향을 미치지 않는다.

사례 5

차)	이벤트 관련 비용	600,000	대)	이벤트 관련 충당부채	600,000
차)	변제자산	600,000	대)	이벤트 관련 비용 or 별도 수익	600,000

* 제3자의 변제가 거의 확실한 경우 동 금액은 자산으로 인식하고 충당부채에서 차감하지 않는다. 또한 자산으로 인식할 금액은 충당부채로 인식한 금액을 초과할 수 없다.

사례 6

20×2년 말 충당부채로 인식할 금액: 7,500,000

* 연속적인 범위 내에 분포하고 각각의 발생확률이 동일한 경우 당해 범위의 중간값을 사용하여 충당부채를 계상하고, 지출액의 일부 또는 전부를 제3자가 변제할 것이 예상되는 경우 변제를 받을 것이 거의 확실하게 되는 때에 한하여 변제금액을 별도의 자산으로 회계처리한다.

제9장 | 자본

기초 유형 확인

01 ② 주주지분에 미친 영향: 1월 (6,000,000) + 4월 2,160,000 + 6월 700,000 + 9월 400,000
= (-)2,740,000

02 ③ 자본의 증감: 140,000
- 기말자본: 500,000 - 200,000 = 300,000
- 기초자본: 300,000 - 기초부채 = 160,000 ○ 기초부채: 140,000
1) 주주와의 거래: 50,000 - 30,000 = 20,000
2) 총포괄손익: 120,000

03 ②

[20×1년 1월 20일]				
차) 자기주식	60,000	대) 현금		60,000
[20×1년 4월 10일]				
차) 현금	30,000	대) 자기주식		20,000
		자기주식처분이익		10,000
[20×1년 5월 25일]				
차) 현금	10,000	대) 자기주식		40,000
자기주식처분이익	10,000			
자기주식처분손실	20,000			

04 ③ 주식병합으로 인하여 자본금총액은 변하지 않는다. 「상법」상 주식병합은 감자의 절차를 포함하는 개념이지만 회계상의 주식병합은 감자의 절차를 포함하는 개념이 아니라는 것에 유의하여야 한다.

05 ① 1) 자본총계: 5,000 × 1,000주 + 4,000 × 500주 + 10,000 × 150주 - 4,000 × 250주 + 7,000 × 250주
= 9,250,000
2) 자본잉여금: (4,000 - 5,000) × 500주 + (10,000 - 5,000) × 150주 + (7,000 - 4,000) × 250주
= 1,000,000

1월 10일	차) 현금	5,000,000	대) 자본금	5,000,000
3월 6일	차) 현금	2,000,000	대) 자본금	2,500,000
	주식할인발행차금	500,000		
5월 11일	차) 현금	1,500,000	대) 자본금	750,000
			주식할인발행차금	500,000
			주식발행초과금	250,000
8월 12일	차) 자기주식	1,000,000	대) 현금	1,000,000
12월 31일	차) 현금	1,750,000	대) 자기주식	1,000,000
			자기주식처분이익	750,000

06 ① 차기이월이익잉여금: 262,000

기초미처분이익잉여금		300,000
재무구조개선적립금 이입		40,000
현금배당 및 주식배당:	(50,000) + (10,000) =	(-)60,000
시설확장적립금 적립		(-)10,000
이익준비금 적립:	(30,000 + 50,000) × 10% =	(-)8,000
차기이월이익잉여금		262,000

07 ① 1) 누적적 상환우선주
   (1) 발행금액: $500,000 × 20\% × 2.40183 + 1,000,000 × 0.71178 = 951,963$
   (2) 이자비용: $951,963 × 12\% = 114,236$
2) 비누적적 상환우선주
   (1) 발행금액: $1,000,000 × 0.71178 = 711,780$
   (2) 이자비용: $711,780 × 12\% = 85,414$

08 ① 1) 최대배당가능이익을 x라고 하면, $x + x × 10\% = 220,000$
   ∴ 최대배당가능이익(x) = 200,000
2) 최대배당가능이익의 배분

구분	기본배당	잔여배당	합계
우선주	25,000	25,000[1]	50,000
보통주	25,000	125,000	150,000

[1] $\text{Min} \begin{cases} 150,000 × 500,000/1,000,000 = 75,000 \\ \text{한도: } 500,000 × (10\% - 5\%) = 25,000 \end{cases} = 25,000$

09 ② 기초이익잉여금 100,000 - 현금배당 3,000 - 주식배당 2,000 - 주식할인발행차금 500 - 중간배당 1,000 + 당기순이익 8,000 + 재평가잉여금 중 이익잉여금으로 대체한 금액 400 = 기말이익잉여금 101,900
   * 이익준비금과 임의적립금의 이입·적립은 이익잉여금 총계 변동에 영향을 미치지 않는다. 본 문제는 미처분이익잉여금을 구하는 문제가 아니라 이익잉여금을 구하는 문제이다.

10 ② 1) 부채요소: $200,000 × 0.7513 = 150,260$
      ◉ 비누적적 우선주이므로 상환금액에 대해서만 PV평가액을 부채로 인식한다.
   2) 자본요소: $195,000 - 150,260 = 44,740$
   3) 당기손익에 미친 영향(이자비용): $150,260 × 10\% = 15,026$ 감소

20×1년 초	차) 현금	195,000	대) 상환우선주(부채)	150,260
			자본항목	44,740
20×1년 말	차) 이자비용	15,026	대) 상환우선주(부채)	15,026
	차) 이익잉여금	16,000	대) 현금	16,000

01 ⑤　20×1년 말 자본총계: $3,000,000 + 100 \times 12,000 - 200,000 - 20 \times 11,000 + 10 \times 13,000 + 850,000 + 130,000$
　　　　　　　　　$= 4,890,000$

02 ④　1) 자본 증가 분석

자본의 증가(① + ②)	① 자본거래	+ 현금유입 - 현금유출 or 자산·부채 증감
= 1,505,000	(40,000)	= - 100주 × 1,300 + 60주 × 1,500
	+	
	② 손익거래(ⓐ + ⓑ)	ⓐ N/I
	1,545,000	1,500,000
		ⓑ OCI변동
		150주 × (1,300 - 1,000) = 45,000
		= 총포괄손익(ⓐ + ⓑ)
		= 1,545,000

2) 회계처리

20×1. 3. 3.	차)	자기주식	130,000	대)	현금	130,000
20×1. 8. 7.	차)	현금	90,000	대)	자기주식	78,000
					자기주식처분이익	12,000
	차)	자본금	40,000	대)	자기주식	52,000
		감자차손	12,000			
20×1. 8. 9.	차)	FVOCI금융자산	150,000	대)	현금	150,000
20×1. 12. 31.	차)	FVOCI금융자산	45,000	대)	금융자산평가이익	45,000
	차)	집합손익	1,500,000	대)	이익잉여금	1,500,000

03 ④　자본 증가 분석

자본의 증가(① + ②)	① 자본거래	+ 현금유입 - 현금유출 or 자산·부채 증감
= 기말자본(20,000,000 - 10,000,000)	400,000	= 1,000,000 - 600,000
- 기초자본(6,000,000 - 2,800,000)		
= 6,800,000	+	
	② 손익거래(ⓐ + ⓑ)	ⓐ N/I
	6,400,000(역산)	-
		ⓑ OCI변동
		-
		= 총포괄손익(ⓐ + ⓑ)
		= 6,400,000

04 ④ 자본 증가 분석

자본의 증가(① + ②)
= 125,000

① 자본거래
170,000

+ 현금유입 - 현금유출 or 자산·부채 증감
= 200주 × 1,500 - 50주 × 1,000 - 100주 × 800주

+

② 손익거래(ⓐ + ⓑ)
(45,000)

ⓐ N/I
-

ⓑ OCI변동
(1,200 - 1,500) × 150주 = (45,000)
= 총포괄손익(ⓐ + ⓑ)
= (45,000)

05 ② 기말자본총계: 9,500,000 - 60주 × 6,000 + 20주 × 7,500 + 10주 × 5,000 + 20주 × 4,500 + 300,000
= 9,730,000

06 ④

①	차)	자기주식	8,000	대)	현금	8,000
	→ 기타자본요소 8,000 감소					
②	차)	토지	70,000	대)	자본금	50,000
					주식발행초과금	20,000
	차)	주식발행초과금	1,000	대)	현금	1,000
	→ 납입자본(자본금 + 주식발행초과금) 69,000 증가					
③	→ 취득원가가 순실현가능가치보다 작으므로 저가법 적용대상 아님					
④	차)	이익잉여금	50,000	대)	현금	50,000
	→ 20×1년도에 대한 주주총회라고 하더라도 20×2년도의 재무제표에 반영해야 하므로 결산배당 관련 회계처리가 20×1년도의 자본에 미치는 영향은 없음					
	→ 이익잉여금 50,000 감소					
⑤	차)	FVOCI금융자산	20,000	대)	금융자산평가이익	20,000
	→ 기타자본요소 20,000 증가					

07 ①

1) 회계처리

20×1년 3월 1일	차)	자기주식	1,400,000	대)	현금	1,400,000
20×1년 6월 1일	차)	현금	1,080,000	대)	자기주식	840,000
					자기주식처분이익	240,000
20×1년 9월 1일	차)	자기주식	640,000	대)	현금	640,000
20×1년 12월 1일	차)	현금	600,000	대)	자기주식	880,000
		자기주식처분이익	240,000			
		자기주식처분손실	40,000			
20×1년 12월 31일	차)	자본금	100,000	대)	자기주식	320,000
		감자차손	220,000			

2) 지문분석
① 자본총계 변동(= 현금유입·유출액)
: - 100주 × 14,000 + 60주 × 18,000 - 40주 × 16,000 + 60주 × 10,000 = (360,000)
②③ 자기주식 관련 처분손익은 자본거래이지 손익거래가 아니므로 포괄손익계산서에 보고되지 않는다.
④ 20×2년 말 자본금: 5,000 × 1,000주 - 5,000 × 20주 = 4,900,000
⑤ 감자차손: 220,000

08 ①

20×1년 3월 1일	차) 자기주식 @6,800 × 50주 = 340,000	대) 현금	340,000
20×1년 4월 1일	차) 자기주식 @5,600 × 20주 = 112,000	대) 현금	112,000
20×1년 4월 21일	차) 현금 @6,900 × 30주 = 207,000	대) 자기주식 @6,800 × 30주 = 204,000 자기주식처분이익 3,000	
20×1년 4월 30일	차) 현금 @4,800 × 10주 = 48,000 자기주식처분이익 3,000 자기주식처분손실 17,000	대) 자기주식 @6,800 × 10주 = 68,000	

* 기업이 취득한 자기주식을 외부로 처분하는 경우 처분대가와 처분된 자기주식의 장부금액인 취득원가와의 차이를 자기주식처분이익(자본잉여금) 또는 자기주식처분손실(자본조정)로 인식한다. 자기주식처분손실은 자기주식처분이익과 우선상계한다. 자기주식처분손실은 주주총회에서 이익잉여금의 처분으로 상각할 수 있다.

09 ④

1) 기초자본총계: 500,000 + 1,000 + 40,000 + 30,000 - 35,000 + 10,000 = 546,000
2) 자본의 변동: (80,000 - 100,000) + 20주 × 800 + 200,000 - 1,500 + 10,000 = 204,500
3) 기말자본총계: 1) + 2) = 750,500
4) 각 거래별 회계처리

A거래	차) 자본금 @500 × 10주 = 5,000 감자차익 1,000 감자차손 1,000	대) 자기주식 @700 × 10주 = 7,000	
B거래	차) 재평가잉여금 20,000	대) 토지	20,000
C거래	차) 현금 @800 × 20주 = 16,000	대) 자기주식 @700 × 20주 = 14,000 자기주식처분이익 2,000	
D거래	차) 건물 200,000	대) 자본금 @500 × 300주 = 150,000 주식발행초과금 50,000	
E거래	차) 미처분이익잉여금 1,500 차) 집합손익 10,000	대) 현금 1,500 대) 미처분이익잉여금 10,000	

* 20×1년 초 토지의 평가액: 70,000 + 30,000 = 100,000

10 ⑤

20×1년 2월 1일	차) 현금 600주 × 700 - 30,000	대) 자본금 600주 × 500 주식발행초과금 90,000	
20×1년 3월 10일	차) 자본금[1] 300,000	대) 이월결손금 250,000 감자차익 50,000	
20×1년 5월 2일	차) 화재발생손실 400,000 차) 현금 40,000	대) 유형자산(장부금액) 400,000 대) 보험금수익 40,000	
20×1년 8월 23일	차) 이익준비금 200,000	대) 자본금	200,000
20×1년 9월 30일	차) 현금 80,000	대) 정부보조금 or 이연수익	80,000
20×1년 11월 17일	차) 현금 500주 × 700	대) 자기주식 500주 × 650 자기주식처분이익 25,000	

[1] 3,000주 × (1 - 0.8) × 500 = 300,000

❍ 20×1년 말 자본잉여금: 100,000 + 90,000 + 50,000 + 25,000 = 265,000

11 ④ 1) 우선주의 구분

(1) 우선주 A: ㈜리비가 우선주를 상환할 수 있는 권리를 가지고 있다. 따라서 ㈜리비는 현금지급의 의무를 부담하지 않으므로 동 상환우선주 A는 자본으로 분류되고 이에 따라 당기손익에 미치는 영향은 없다.

(2) 우선주 B: ㈜리비는 20×5년 1월 1일에 확정된 금액으로 우선주를 상환하여야 하므로 현금지급의 의무를 부담한다. 이에 따라 상환우선주 B는 금융부채로 분류된다. 더하여 비누적적 우선주이므로 상환금액의 현재가치만을 금융부채로 분류하고 이에 대한 매기 말 상각액은 이자비용으로 처리한다.

2) 우선주 B의 F/S분석

(1) 금융부채의 CF

유효이자율 R: 5%

| 20×1년 | 20×2 ~ 3년 | 20×4년 |

상환금액 B
100주 × 5,000 = 500,000

* 비누적적 우선주이므로 액면배당은 금융부채의 현금흐름에 고려하지 않고 이익의 처분으로 본다.

(2) 20×1년 회계처리

① 발행 시

차) 현금	①	대) 상환우선주	PV(상환금액)
	411,350	(금융부채)	500,000 × 0.8227 = 411,350

② 기말

차) 이자비용(N/I)	① × R	대) 상환우선주	① × R
	411,350 × 5% = 20,568	(금융부채)	20,568

B/S			20×1년 말
		상환우선주(금융부채)	PV(상환금액)
			411,350 × 1.05 − 0 = 431,918

I/S	
이자비용	기초PV(상환금액) × 유효 R
	411,350 × 5% = 20,568

(3) 20×2년 기말 회계처리

차) 이자비용(N/I)	① × R	대) 상환우선주	① × R
	431,918 × 5% = 21,596	(금융부채)	21,596
차) 이익잉여금	이익의 처분	대) 현금	A
	20,000		20,000

B/S			20×2년 말
		상환우선주(금융부채)	PV(상환금액)
			431,918 × 1.05 − 0 = 453,514

I/S	
이자비용	기초PV(상환금액) × 유효 R
	431,918 × 5% = 21,596

● 20×1년과 20×2년의 당기손익에 미치는 영향의 합계: (20,568) + (21,596) = (42,164)

12 ②

구분	우선주 배당액	보통주 배당액
전기이전분(×1, ×2)	(2,000,000 × 3%) × 2 = 120,000	-
당기분	2,000,000 × 3% = 60,000	8,000,000 × 2% = 160,000
잔여분	40,000[1]	220,000(역산)
합계	220,000	380,000

[1] 잔여분 Min(①, ②)
  ① (600,000 - 120,000 - 60,000 - 160,000) × 2,000,000/(2,000,000 + 8,000,000) = 52,000
  ② 2,000,000 × (5% - 3%) = 40,000

13 ⑤ 20×1년 이자비용: (200주 × 600 × 0.8900 + 200주 × 500 × 3% × 1.8334) × 6% = 6,738

14 ④ 1) 누적적, 5% 부분참가적 우선주

구분	우선주	보통주
누적분	① 우선주자본금 × 최소배당률 × 배당금을 수령 못한 누적연수 6,000,000 × 2% × 2년(20×1, 20×2) = 240,000	-
당기분	② 우선주자본금 × 최소배당률 6,000,000 × 2% = 120,000	③ 보통주자본금 × 최소배당률 10,000,000 × 2% = 200,000
잔여분	④ 우선주잔여분: Min[A, B] = 180,000 A: 우선주자본금 × (부분참가적 비율 - 최소배당률) 6,000,000 × (5% - 2%) = 180,000 B: 잔여배당 × 우선주자본금/(우선주자본금 + 보통주자본금) (1,080,000 - 240,000 - 120,000 - 200,000) × 6,000,000/16,000,000 = 195,000	배당가능액 - ①②③④ = 340,000
합계	⑤ 우선주배당액 540,000	배당가능액 - ⑤ = 보통주배당액 1,080,000 - 540,000 = 540,000

2) 비누적적, 완전참가적 우선주

구분	우선주	보통주
당기분	② 우선주자본금 × 최소배당률 6,000,000 × 2% = 120,000	③ 보통주자본금 × 최소배당률 10,000,000 × 2% = 200,000
잔여분	④ 우선주잔여분: 잔여배당 × 우선주자본금/(우선주자본금 + 보통주자본금) (1,080,000 - 120,000 - 200,000) × 6,000,000 /16,000,000 = 285,000	배당가능액 - ①②③④ = 475,000
합계	⑤ 우선주배당액 405,000	배당가능액 - ⑤ = 보통주배당액 1,080,000 - 405,000 = 675,000

15 ⑤ 보유자가 발행자에게 특정일이나 그 후에 확정되었거나 결정가능한 금액으로 상환해 줄 것을 청구할 수 있는 권리가 있는 우선주는 부채로 분류한다.

16 ①

I. 미처분이익잉여금	← 당기 말 B/S상 미처분이익잉여금	미처분 이익잉여금	이익잉여금 변동액	자본총계 변동액
전기이월미처분이익잉여금		800,000		
회계정책변경누적효과				
전기오류수정				
- 중간배당액		감소	감소	감소
+ 재평가잉여금 이익잉여금 대체		증가	증가	변동 없음
+ 당기순이익		증가 1,200,000	증가 1,200,000	증가 1,200,000
II. 임의적립금이입액				
+ 사업확장적립금 등의 이입		증가 300,000	변동 없음	변동 없음
III. 이익잉여금처분액	↑ 다음 회계연도의 정기주주총회일에 회계처리 ↓			
- 이익준비금 적립		감소 (40,000)[1]	변동 없음	변동 없음
- 주식할인발행차금 등 상각액		감소	감소	변동 없음
- 배당금(현금배당 및 주식배당)		감소 (500,000)	감소 (500,000)	감소 (400,000)
- 임의적립금 적립		감소 (250,000)	변동 없음	변동 없음
IV. 차기이월미처분이익잉여금	← 다음 기의 이월액	1,510,000	700,000	800,000

[1] 20×1년 이익준비금(1,000,000)이 보통주자본금(30,000,000)의 1/2에 도달하지 않았으므로 현금배당액의 10%를 이익준비금에 적립한다.

17 ①

1) 기초미처분이익잉여금: 250,000
2) 20×1년 미처분이익잉여금 처분액: $(100,000) + (20,000) + (25,000) + (100,000 \times 10\%)^{1)} = (155,000)$
   [1] 이익준비금이 자본금의 1/2에 도달하지 않았으므로 10% 모두 적립한다.
3) 20×2년 미처분이익잉여금 처분액: $(200,000) + (200,000 \times 10\%) = (220,000)$
4) 20×2년 당기순이익(A): $250,000 - 155,000 + A - 220,000 = 420,000$, A = 545,000

01 ④ 1) 자본 증가 분석

자본의 증가(① + ②) =   ① 자본거래   + 현금유입 - 현금유출 or 자산·부채 증감
150,000   150,000   = 30주 × 5,000

                                    +

                                 ② 손익거래(ⓐ + ⓑ)   ⓐ N/I
                                                         -

                                                        ⓑ OCI변동
                                                         -

                                                        = 총포괄손익(ⓐ + ⓑ)
                                                         -

* 자기주식의 취득은 20×1년에 발생하였으므로 20×2년 자본 증가액에는 영향을 주지 않는다.

2) 회계처리

차) 현금	150,000	대) 자기주식	90,000
		자기주식처분이익	60,000

02 ① 1) 자본 증가 분석

자본의 증가(① + ②) =   ① 자본거래   + 현금유입 - 현금유출 or 자산·부채 증감
기말자본 - 기초자본   40,000   = - 130,000 + (200주 × 600 - 30,000) + 80,000
(3,500,000 - 1,300,000)

                                    +

                                 ② 손익거래(ⓐ + ⓑ)   ⓐ N/I
                                 40,000   130,000

                                                        ⓑ OCI변동
                                                         ?

                                                        = 총포괄손익(ⓐ + ⓑ)
                                                        = 40,000

❍ 기말자본(A) - 2,200,000 = 40,000 + 40,000, 기말자본(A): 2,280,000

2) 회계처리 - 주주거래

20×1. 3. 8.	차) 이익잉여금	143,000	대) 현금	130,000
			이익준비금	13,000
	차) 이익잉여금	50,000	대) 자본금	50,000
20×1. 5. 8.	차) 현금	120,000	대) 자본금	100,000
			주식발행초과금	20,000
	차) 주식발행초과금	30,000	대) 현금	30,000
20×1. 10. 9.	차) 현금	80,000	대) 자기주식	70,000
			자기주식처분이익	10,000

03 ④ 자본 증가 분석

자본의 증가(① + ②) =
기말자본(15,000,000 - 6,000,000)
- 기초자본(11,000,000 - 5,000,000)
= 3,000,000

① 자본거래   + 현금유입 - 현금유출 or 자산·부채 증감
  (500,000)   = - 500,000

+

② 손익거래(ⓐ + ⓑ) ⓐ N/I
  3,500,000(역산)   3,400,000(역산)

  ⓑ OCI변동
   100,000

  = 총포괄손익(ⓐ + ⓑ)
  = 3,500,000

04 ③ 1) 우선주의 구분: ㈜한국은 20×2년 말 확정된 금액으로 우선주를 상환하여야 하므로 현금지급의 의무를 부담한다. 이에 따라 동 우선주는 금융부채로 분류된다. 더하여 비누적적 우선주이므로 상환금액의 현재가치만을 금융부채로 분류하고 이에 대한 매기 말 상각액은 이자비용으로 처리한다.

2) 금융부채의 CF

	20×1년	20×2년
유효이자율 R: 8%		상환금액 1,000주 × 700 = 700,000

* 비누적적 우선주이므로 액면배당은 금융부채의 현금흐름에 고려하지 않고 이익의 처분으로 본다.

3) 20×1년 회계처리 - 비누적적 상환우선주

  (1) 발행 시

차) 현금	①	대) 상환우선주(금융부채)	PV(상환금액)
	600,110		700,000 × 0.8573 = 600,110

  (2) 기말(×1년)

차) 이자비용(N/I)	① × R	대) 상환우선주(금융부채)	① × R
	600,110 × 8% = 48,009		48,009

B/S		기말
	상환우선주(금융부채)	PV(상환금액)
		600,110 × 1.08 - 0 = 648,119

I/S		
이자비용		기초PV(상환금액) × 유효 R
		600,110 × 8% = 48,009

05 ① 1) 배당가능이익: 이익배당가능액(누적 N/I)/(1 + 10%) = (840,000 - 290,000 - 220,000)/(1 + 10%) = 300,000

2) 보통주와 우선주의 배당가능액

구분	우선주	보통주
누적분	① 우선주자본금 × 최소배당률 × 배당금을 수령 못한 누적연수 6,000주 × @100 × 5% × 2년(20×4, 20×5) = 60,000	-
당기분	② 우선주자본금 × 최소배당률 6,000주 × @100 × 5% = 30,000	③ 보통주자본금 × 최소배당률 10,000주 × @100 × 5% = 50,000
잔여분	④ 우선주잔여분: Min[A, B] = 30,000 　A: 우선주자본금 × (부분참가적 비율 - 최소배당률) 　　600,000 × (10% - 5%) = 30,000 　B: 잔여배당 × 우선주자본금/(우선주자본금 + 보통주자본금) 　　(300,000 - 90,000 - 50,000) × 600,000 　　/1,600,000 = 60,000	배당가능액 - ①②③④ = 130,000
합계	⑤ 우선주배당액 120,000	배당가능액 - ⑤ = 보통주배당액 300,000 - 120,000 = 180,000

06 ③

Ⅰ. 미처분이익잉여금	미처분이익잉여금	이익잉여금 변동액	자본총계 변동액
전기이월미처분이익잉여금	50,000,000		
회계정책변경누적효과			
전기오류수정			
- 중간배당액	감소 (500,000)	감소 (500,000)	감소 (500,000)
+ 재평가잉여금 이익잉여금 대체	증가	증가	변동 없음
+ 당기순이익	증가 8,500,000	증가 8,500,000	증가 8,500,000
Ⅱ. 임의적립금이입액			
+ 사업확장적립금 등의 이입	증가 2,000,000	변동 없음	변동 없음
Ⅲ. 이익잉여금처분액			
- 이익준비금 적립	감소 (130,000)[1]	변동 없음	변동 없음
- 주식할인발행차금 등 상각액	감소 (500,000)	감소 (500,000)	변동 없음
- 배당금(현금배당 및 주식배당)	감소 (9,800,000)	감소 (9,800,000)	감소 (800,000)
- 임의적립금 적립	감소 (2,600,000)	변동 없음	변동 없음
Ⅳ. 차기이월미처분이익잉여금	46,970,000	(2,300,000)	7,200,000

[1] 이익준비금 적립: (현금배당 800,000 + 중간배당 500,000) × 10% = 130,000

* 주식배당은 미처분이익잉여금과 이익잉여금은 감소시키지만 자본총계에는 영향이 없다.

01 ②　이익잉여금: 300,000 - 10,000 - 100,000 = 190,000

　　* 이익잉여금을 물었으므로 미처분이익잉여금의 적립과 이입은 고려하지 않는다.

02 ②　자본총액: (-)100주 × 3,000 + 50주 × 3,600 + 50주 × 4,000 - 35,000 + 200,000 + 130,000
　　　　　　= 375,000

03 ③

구분	우선주	보통주
전기 이전	200주 × @500 × 4% × 3 = 12,000	-
당기	200주 × @500 × 4% = 4,000	500주 × @500 × 4% = 10,000
잔여분	Min[200주 × @500 × (7% - 4%), 6,857[1)] = 3,000	21,000
합계	19,000	31,000

　　[1)] (50,000 - 12,000 - 4,000 - 10,000) × 100,000/(100,000 + 250,000) = 6,857

04 ②　자본총액: 2,000,000 - 10주 × 700 + 100주 × 800 - 5,000 + 6주 × 600 + 55,000 + 200,000 - 10,000
　　　　　　= 2,316,600

05 ③　1) 기초자본: 5,000 - 2,500 = 2,500
　　　　2) 기말자본: 7,000 - 3,400 = 3,600
　　　　3) 자본의 증가: 3,600 - 2,500 = 1,100
　　　　4) 1,100 = 300 - 200 + 80 + 당기순이익, 당기순이익 = 920

06 ③　1) 기초자본: 20,000 + 4,000 + 30,000 - 600 × 10주 = 48,000
　　　　2) 기말자본총계: 48,000 - 20주 × 450 + 8주 × 700 + 50,000 = 94,600

2차 문제 Preview

01

구분	자본금	자본잉여금	자본조정	이익잉여금
거래 1	① 3,000,000	② (-)400,000		
거래 2	③ 200,000			④ (-)500,000
거래 3			⑤ (-)1,100,000	⑥ (-)1,100,000
거래 4	⑦ (-)250,000	⑧ 0	⑨ 700,000	⑩ 0

거래 1

회계처리

20×1년 2월 28일	차)	주식발행초과금	1,000,000	대)	자본금	1,000,000
20×1년 3월 1일	차)	현금	2,800,000	대)	자본금	2,000,000
					주식발행초과금	800,000
	차)	주식발행초과금	200,000	대)	현금	200,000

거래 2

회계처리

20×1년 3월 2일	차) 미처분이익잉여금	660,000	대) 미지급배당금	300,000
			미교부주식배당금	200,000
			이익준비금	60,000
			임의적립금	100,000
20×1년 4월 1일	차) 미교부주식배당금	200,000	대) 자본금	200,000

거래 3

회계처리

| 20×1년 5월 20일 | 차) 자기주식(우선주) | 2,200,000 | 대) 현금 | 2,200,000 |
| 20×1년 12월 31일 | 차) 미처분이익잉여금 | 1,100,000 | 대) 자기주식(우선주) | 1,100,000 |

거래 4

회계처리

20×1년 6월 1일	차) 현금	450,000	대) 자기주식	500,000
	자기주식처분손실	50,000		
	차) 자본금	250,000	대) 자기주식	500,000
	감자차손	250,000		

02

자본금	① 14,000,000
자본잉여금	② 450,000
자본조정	③ (-)450,000
이익잉여금	④ 2,650,000

구분	자본금	자본잉여금	자본조정	기타포괄손익누계액	이익잉여금
기초	7,500,000	1,500,000	-	(-)20,000	3,000,000
연차현금배당	-	-	-	-	(-)1,050,000
보통주 유상증자[1]	5,000,000	(-)250,000	-	-	-
자기주식 취득	-	-	(-)900,000	-	-
보통주 무상증자	1,500,000	(-)1,000,000	-	-	(-)500,000
자기주식 처분[2]	-	200,000	450,000	-	-
당기순이익					1,200,000
기말	14,000,000	450,000	(-)450,000	(-)20,000	2,650,000

[1] 보통주 유상증자 회계처리

| 차) 현금 | 5,000주 × @950 = 4,750,000 | 대) 자본금 | 5,000주 × @1,000 = 5,000,000 |
| 주식발행초과금 | 250,000 | | |

[2] 자기주식 처분 회계처리

| 차) 현금 | 500주 × @1,300 = 650,000 | 대) 자기주식 | 500주 × @900 = 450,000 |
| | | 자기주식처분이익 | 200,000 |

기초 유형 확인

01 ④ 1) 20×1년 말 공정가치평가로 인식할 평가손실: @(4,700 - 4,900) × 100주 = (-)20,000

> * 취득 시 수수료는 비용처리, 취득 시 취득원가는 취득시점의 공정가치

2) 20×2년 처분이익: 18,000

차) 현금	@(5,200 - 50) × 40주	대) FVPL금융자산	@4,700 × 40주
		처분이익(대차차액)	18,000

3) 20×2년 평가이익: @(5,400 - 4,700) × 60주 = 42,000

02 ③ 1) 20×1년 포괄손익계산서에 인식할 기타포괄손익: @(4,700 - 4,950) × 100주 = (-)25,000

> * 취득 시 수수료는 취득원가에 가산

2) 20×2년 처분손익: @50 × 40주 = (-)2,000

차) FVOCI금융자산	@(5,200 - 4,700) × 40주	대) 평가손실(OCI)	@250 × 40주
		평가이익(OCI)	10,000
차) 현금	@(5,200 - 50) × 40주	대) FVOCI금융자산	@5,200 × 40주
처분손실	@50 × 40주 = 2,000		

3) FVOCI금융자산과 FVPL금융자산은 분류와 관계없이 총포괄손익(= 자산의 변동)은 항상 일치한다.

03 ① 거래원가: 2,268
- 100,000 × 0.7513 + 4,000 × 2.4869 + 거래원가 = 100,000 × 0.7722 + 4,000 × 2.5313

04 ③ 당기손익에 미친 영향: 6,655

B/S		20×1년 초
FVPL금융자산	FV	
	85,077	

> * 취득 시 거래원가 2,268은 비용처리

B/S		20×1년 말
FVPL금융자산	FV	
	90,000	

I/S		20×1년

N/I 영향: 이자수익 = 액면이자 = 4,000
평가손익 = 기말FV - 기초FV = 90,000 - 85,077 = 4,923
취득 시 수수료비용: (-)2,268
OCI 변동: -

05 ① 당기손익에 미친 영향: 4,861

B/S			20×1년 초
AC금융자산	총장부금액 ① × (1 + R) − 액면이자		
	87,345		
(손실충당금)	(-)		
	상각후원가 87,345		

B/S			20×1년 말
AC금융자산	총장부금액 ① × (1 + R) − 액면이자		
	87,345 × 1.09 − 4,000 = 91,206		
(손실충당금)	(-)3,000		
	상각후원가 88,206		

I/S			20×1년

N/I 영향: 이자수익 = 기초총장부금액 × 유효 R × 보유기간/12 = 87,345 × 9% = 7,861
　　　　 손상차손 = 기말B/S상 손실충당금 − 기초B/S상 손실충당금 = (-)3,000 − 0 = (-)3,000
OCI 변동: -

06 ① AC금융자산과 FVOCI금융자산은 당기손익에 미치는 영향이 동일하다. 05번 해설 참고

07 ⑤ 1) 당기손익에 미친 영향: 4,861
　　　2) 기타포괄손익에 미친 영향: 1,794 − 0 = 1,794

B/S			20×1년 초
FVOCI금융자산	기말FV		
	87,345		
		평가손익(FV)	기말FV − 총장부금액
			-
		평가손익	기말기대신용손실누계액
		(손실충당금)	-

B/S			20×1년 말
FVOCI금융자산	기말FV		
	90,000		
		평가손익(FV)	기말FV − 총장부금액
			90,000 − 91,206 = (-)1,206
		평가손익	기말기대신용손실누계액
		(손실충당금)	3,000

I/S			20×1년

N/I 영향: 이자수익 = 기초총장부금액 × 유효 R × 보유기간/12 = 87,345 × 9% = 7,861
　　　　 손상차손 = 기말기대손실누계액 − 기초기대손실누계액 = (3,000) − 0 = (-)3,000
OCI 변동: 금융자산평가이익 = 기말B/S상 OCI − 기초B/S상 OCI
　　　　 금융자산평가이익(FV평가) = 1,794 − 0 = 1,794

08 ② 손상차손: (4,000/1.1 + 64,000/1.1²) − (8,000/1.1 + 108,000/1.1² − 2,000) = (-)38,000

09 ④ 손상차손환입: 87,000/1.1 - 64,000/1.1 = 20,909

10 ② 손상차손: (4,000/1.1 + 64,000/1.1²) - (8,000/1.1 + 108,000/1.1² - 2,000) = (-)38,000

11 ④ 손상차손환입: 87,000/1.1 - 64,000/1.1 = 20,909

12 ④ 1) 재분류일: 20×3년 1월 1일
2) 재분류일 회계처리

차)	FVPL금융자산	재분류일 FV 88,000	대)	FVOCI금융자산	재분류일 FV 88,000
	재분류손실(N/I)	대차차액 2,196		금융자산평가손실	재분류일 B/S상 OCI
					2,196

B/S(재분류 전)

FVOCI금융자산	재분류일 FV 88,000		
		OCI(FV평가)	재분류일 FV - 총장부금액 (-)7,196
		OCI(손상)	기대손실누계액 5,000

* 20×2년 말 총장부금액: (92,790 × 1.12 - 10,000) × 1.12 - 10,000 = 95,196

B/S(재분류 후)

FVPL금융자산	재분류일 FV 88,000	

3) 20×3년 말 회계처리

차)	현금	10,000	대)	이자수익[1]	10,000
차)	FVPL금융자산	4,000	대)	금융자산평가이익(N/I)[2]	4,000

[1] 이자수익: 100,000 × 10% = 10,000
[2] 평가이익: 92,000 - 88,000 = 4,000

13 ⑤ 1) 재분류일: 20×3년 1월 1일
2) 재분류일 회계처리

차)	AC금융자산	재분류일 총장부금액 95,196	대)	FVOCI금융자산	재분류일 FV 88,000
				금융자산평가손실	재분류일 FV - 총장부금액 2,196
				금융자산평가이익	5,000
차)	금융자산평가이익	재분류일 기대손실누계액 5,000	대)	손실충당금	5,000

B/S(재분류 전)

FVOCI금융자산	재분류일 FV 88,000		
		OCI(FV평가)	재분류일 FV - 총장부금액 (-)7,196
		OCI(손상)	기대손실누계액 5,000

B/S(재분류 후)

AC금융자산	재분류일 총장부금액 95,196	
(손실충당금)	(기대손실누계액) (-)5,000	
	상각후원가 90,196	

3) 20×3년 말 회계처리

차)	현금	10,000	대)	이자수익[1]	11,424
	AC금융자산	1,424			
차)	손상차손[2]	2,000	대)	손실충당금	2,000

[1] 95,196 × 12% = 11,424
[2] 7,000 - 5,000 = 2,000

14 ③ 20×5년 이자수익: 110,000 - 95,652 = 14,348

* FVPL금융자산에서 FVOCI · AC금융자산으로 재분류 시 재분류일의 공정가치를 기준으로 재분류일의 시장이자율을 적용하여 재분류 이후의 이자수익을 인식한다.

기출 유형 정리

01 ③ ① 기본대여계약과 관련 없는 계약상 현금흐름의 위험이나 변동성에 노출시키는 계약조건은 원리금 지급만으로 구성되는 계약상 현금흐름이 생기지 않는다.

② 금융자산의 매도가 일어나거나 미래에 일어날 것으로 예상되는 경우에도 사업모형은 계약상 현금흐름을 수취하기 위해 금융자산을 보유하는 것일 수 있다.

④ 계약상 현금흐름의 수취와 금융자산의 매도 둘 다를 통해 목적을 이루는 사업모형은 계약상 현금흐름 수취와 금융자산의 매도 둘 다가 사업모형의 목적을 이루는 데 필수적이다. 그러나 이러한 사업모형에서 일어나야만 하는 매도의 빈도나 금액에 대한 기준은 없다.

⑤ 사업모형은 특정 사업목적을 이루기 위해 금융자산의 집합을 함께 관리하는 방식을 반영하는 수준에서 결정한다.

02 ④ 당기손익-공정가치로 측정되는 지분상품에 대한 특정 투자에 대하여는 후속적인 공정가치 변동을 기타포괄손익으로 표시하도록 최초 인식시점에 선택할 수 있다. 다만, 한 번 선택하면 이를 취소할 수 없다.

03 ① ② 당기손익-공정가치로 측정되는 지분상품에 대한 특정 투자의 후속적인 공정가치 변동은 최초 인식시점에는 기타포괄손익으로 표시하는 것을 선택할 수 있다.

③ 금융자산의 전체나 일부의 회수를 합리적으로 예상할 수 없는 경우에는 해당 금융자산의 총장부금액을 직접 줄일 수 있다.

④ 기타포괄손익-공정가치측정금융자산의 손상차손은 당기손실로 인식하고, 손상차손환입도 당기손익으로 인식한다.

⑤ 회계불일치를 제거하거나 유의적으로 줄이는 경우에는 최초 인식시점에 해당 금융자산을 당기손익-공정가치측정항목으로 지정할 수 있으며, 지정 후 이를 취소할 수 없다.

04 ③ ① 원가나 상각후원가로 측정하는 자산에 결제일 회계처리방법을 적용하는 경우, 최초 인식 시 매매일의 공정가치로 인식한다.

② FVPL금융자산이 아닌 경우, 취득과 직접 관련된 거래원가는 최초 인식하는 공정가치에 가산하여 측정한다.

④ FVPL금융자산에 결제일 인식방법을 사용하는 경우 매매일과 결제일 사이에 수취할 자산의 공정가치 변동은 당기손익으로 인식한다.

⑤ FVOCI금융자산에 결제일 인식방법을 사용하는 경우 매매일과 결제일 사이에 수취할 자산의 공정가치 변동은 기타포괄손익으로 인식한다.

05 ② 1) 주식 A(FVPL금융자산 - 취득 시 수수료비용처리)

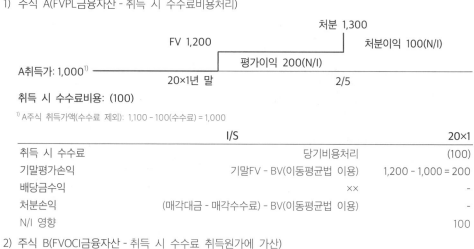

¹⁾ A주식 취득가액(수수료 제외): 1,100 - 100(수수료) = 1,000

I/S		20×1
취득 시 수수료	당기비용처리	(100)
기말평가손익	기말FV - BV(이동평균법 이용)	1,200 - 1,000 = 200
배당금수익	××	-
처분손익	(매각대금 - 매각수수료) - BV(이동평균법 이용)	-
N/I 영향		100

2) 주식 B(FVOCI금융자산 - 취득 시 수수료 취득원가에 가산)

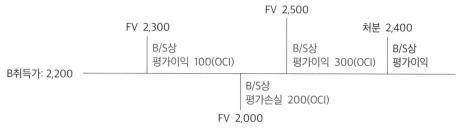

(1) 20×1년 F/S

B/S		
FVOCI금융자산	기말FV 2,300	
	금융자산평가이익(OCI)	기말FV - 취득원가 2,300 - 2,200 = 100

❍ FVOCI금융자산 취득원가: 기말FV - 기말B/S상 OCI누계 = 2,300 - 100 = 2,200

I/S	
N/I 영향	배당금수익: 0
OCI 영향	OCI 변동 = 기말B/S상 OCI - 기초B/S상 OCI: 100 - 0 = 100

(2) 처분 시 I/S

I/S 영향	N/I 영향	① 처분손익	FVOCI지분상품은 처분이익을 인식하지 않음
	OCI 영향	① 당기발생분	처분가(FV) - 기초장부가(BV) 2,400 - 2,500 = (100)
		② 재분류조정(처분)	처분 시 재분류조정 없음

06 ④ 1) FVPL금융자산 분류 시

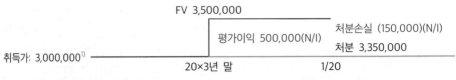

취득가: 3,000,000[1]

FV 3,500,000

평가이익 500,000(N/I)

처분손실 (150,000)(N/I)
처분 3,350,000

20×3년 말

1/20

취득 시 수수료비용: (30,000)

[1] 취득가액(수수료 제외)

2) FVOCI금융자산 분류 시

취득가: 3,030,000[1]

FV 3,500,000

평가이익 470,000(OCI)

(-)평가이익 150,000(OCI)
처분 3,350,000

20×3년 말

1/20

[1] 취득가액(수수료 포함)

3) 20×3년 I/S

구분	FVPL금융자산	FVOCI금융자산
N/I 영향		
수수료비용	(30,000)	-
평가이익	500,000	-
OCI 영향	-	470,000
총포괄손익	470,000	470,000

4) 20×4년 I/S

구분	FVPL금융자산	FVOCI금융자산
N/I 영향		
처분손실	(150,000)	-
OCI 영향	-	(150,000)
총포괄손익	(150,000)	(150,000)

07 ⑤

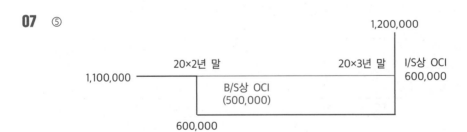

1,100,000

20×2년 말

1,200,000

20×3년 말

I/S상 OCI
600,000

B/S상 OCI
(500,000)

600,000

08 ⑤ ① 20×1년 기중 FVOCI 취득원가: 100,000 + 500 = 100,500
② 20×1년 기말 FVOCI 평가이익: 110,000 - 100,500 = 9,500
③ 20×2년 기말 FVOCI 평가손실: 98,000 - 100,500 = (-)2,500
④ 20×3년 처분 직전 FVOCI 평가손실 잔액: 99,000 - 100,500 = (-)1,500

09 ⑤ 일부 매출채권을 제외하고는 최초 인식시점에 금융자산이나 금융부채를 공정가치로 측정하며, FVPL금융자산 또는 FVPL금융부채가 아닌 경우에 해당 금융자산의 취득이나 해당 금융부채의 발행과 직접 관련되는 거래원가는 공정가치에 가감한다.

10 ③ 1) A의 20×1년 당기순이익에 미친 영향: 207,218
    (1) 평가이익: 1,888,234 - 1,801,016 = 87,218
    (2) 이자수익: 2,000,000 × 6% = 120,000
  2) B의 20×1년 당기순이익에 미친 영향: 142,537
    (1) 이자수익: 1,425,366 × 10% = 142,537
  3) C의 20×1년 당기순이익에 미친 영향: 50,000
    (1) 이자수익: 500,000 × 10% = 50,000
  ○ 20×1년 당기순이익에 미치는 영향: 1) + 2) + 3) = 399,755 증가

11 ④ 1) CF 분석

  2) 기중 발행 분석
    ① 20×6년 7/1 CF의 PV
      *취득 시 유효이자율과 액면이자율이 동일하므로 액면발행이다.
    ②③ 20×6년 7/1 ~ 10/1까지 이자(유효이자 = 액면이자): 80,000 × 3/12 = 20,000
  3) 취득 시 F/S분석

차) AC금융자산	① + ② - ③	대) 현금	① + ②
	1,000,000		1,020,000
미수이자	③		
	20,000		

B/S

AC금융자산	① + ② - ③	
	1,000,000	
미수이자	③	
	20,000	

  4) 기말F/S분석

차) 미수이자	액면이자 × R × 보유기간/12	대) 이자수익(N/I)	기초BV ① × R × 보유기간/12
	20,000		1,000,000 × 8% × 3/12
			= 20,000

B/S

AC금융자산	① × (1 + R) - ③	
	PV(잔여 CF) by 취득 시 R	
	1,000,000	

I/S

이자수익		기초BV ① × R × 보유기간/12
		1,000,000 × 8% × 3/12 = 20,000

12 ④ 1) FVPL금융자산 분류

액면이자율법 사용

```
                                              처분가액 975,000
                    FV 970,000                     └─ 처분이익 5,000(N/I)
                          ┌──────────────────────┘
                          평가이익 19,780(N/I)
                          이자수익 1,000,000 × 8% = 80,000
   ┌──────────────────────┘
   취득가: 950,220        20×1년 말                    20×2년 초
```

2) FVOCI금융자산 · AC금융자산
  ● 동일한 금융자산의 경우 FVOCI금융자산과 AC금융자산의 분류는 당기손익에 미치는 영향이 동일하다. 그러므로, AC금융자산을 기준으로 풀이한다.
  (1) 20×1년 I/S분석

I/S	N/I 영향 95,022	① 취득손익	미수이자 + 공정가치 - 현금지급액
		② 취득 시 거래원가	없음
		③ 이자수익	기초총장부가 × 취득 시 유효이자율 × 보유기간/12 950,220 × 10% × 12/12 = 95,022
		④ 처분손익	(매각대금 - 수수료) - 처분 직전 상각후원가 (매각대금 - 수수료) - (처분 직전 FV - 처분 직전 B/S평가손익)

  (2) 20×2년 I/S분석

I/S	N/I 영향 9,758	① 취득손익	미수이자 + 공정가치 - 현금지급액
		② 취득 시 거래원가	없음
		③ 이자수익	기초총장부가 × 취득 시 유효이자율 × 보유기간/12
		④ 처분손익	(매각대금 - 수수료) - 처분 직전 상각후원가 (매각대금 - 수수료) - (처분 직전 FV - 처분 직전 B/S평가손익) 975,000 - (950,220 × 1.1 - 80,000) = 9,758

13 ⑤

구분	FVPL금융자산	FVOCI금융자산	AC금융자산
20×1년			
기말BV	990,000	990,000	927,910 × 1.12 - 100,000 = 939,259
N/I 영향	162,090	111,349	111,349
이자수익	1,000,000 × 10% = 100,000	927,910 × 12% = 111,349	927,910 × 12% = 111,349
평가손익	990,000 - 927,910 = 62,090	-	-
OCI 영향	-	990,000 - 939,259 = 50,741	-
총포괄손익	162,090	162,090	111,349
20×2년			
N/I 영향	30,000	80,741	80,741
이자수익	1,000,000 × 10% × 3/12 = 25,000	939,259 × 12% × 3/12 = 28,178	939,259 × 12% × 3/12 = 28,178
처분손익	1,020,000 - (990,000 + 25,000) = 5,000	1,020,000 - (939,259 + 28,178) = 52,563	1,020,000 - (939,259 + 28,178) = 52,563
OCI 영향	-	(50,741)	-
총포괄손익	30,000	30,000	80,741

14 ④ 1) AC금융자산과 FVOCI금융자산은 유효이자율법을 적용하므로 당기손익에 미치는 영향은 동일하지만 FVOCI금융자산은 평가이익이 발생하므로 총포괄이익은 FVOCI금융자산이 크다.

2) FVPL금융자산과 FVOCI금융자산은 공정가치측정을 원칙으로 하므로 모든 조건이 동일하면 총포괄손익은 동일하다. 그러나 동 문제의 경우 FVPL금융자산의 수수료비용이 더 낮으므로 총포괄이익은 FVPL금융자산이 FVOCI금융자산보다 크다.

    ● ㈜한국(FVPL금융자산) > ㈜민국(FVOCI금융자산) > ㈜대한(AC금융자산)

15 ① 1) 20×1년 총장부금액: 900,508 × 1.1 − 60,000 = 930,559

2) 20×2년 총장부금액: 930,559 × 1.1 − 60,000 = 963,615

3) 20×1년 말 재무상태표상 기타포괄손익누계액: 912,540 − 930,559 = (−)18,019

4) 20×2년 말 재무상태표상 기타포괄손익누계액: 935,478 − 963,615 = (−)28,137

5) 20×2년 기타포괄이익에 미치는 영향: (−)28,137 − (−)18,019 = (−)10,118

6) 20×3년 당기순이익에 미치는 영향(처분이익): 950,000 − 963,615 = (−)13,615

16 ⑤ ① 20×1년 말에 공정가치가 상각후원가보다 작으므로 FVOCI금융자산의 자본총액보다 AC금융자산의 자본총액이 크다.

② 20×1년 이자수익: 95,198 × 12% = 11,424

③ AC금융자산과 FVOCI금융자산은 유효이자율법과 기대손실모형을 적용하므로 당기손익에 미치는 영향은 같다.

④ 20×2년 말 재무상태표상 OCI누계액: 99,099 − 110,000/1.12 = 884(단수차이)

⑤ AC금융자산과 FVOCI금융자산은 유효이자율법과 기대손실모형을 적용하므로 처분손익은 동일하다.

17 ③ 1) 20×1년 말 B/S

B/S		
FVOCI금융자산	기말FV 90,000	
	금융자산평가손익	기말FV − 총장부금액[1] 90,000 − 93,925 = (3,925)
	금융자산평가손익	기말기대신용손실누계액 2,000

[1] 기말총장부금액: 92,790 × 1.12 − 10,000 = 93,925

2) 20×2년 말 B/S − 신용손상 전

B/S		
FVOCI금융자산	기말FV	
	금융자산평가손익	기말FV − 총장부금액 (3,925)
	금융자산평가손익	기말기대신용손실누계액 2,000

* 기말총장부금액: 93,925 × 1.12 − 10,000 = 95,196
* 기말상각후원가: 95,196 − 2,000 = 93,196

3) 20×2년 말 B/S - 신용손상 후

<table>
<tr><td colspan="3" align="center">B/S</td></tr>
<tr><td>FVOCI금융자산</td><td align="right">기말FV
55,000</td><td></td></tr>
<tr><td></td><td>금융자산평가손익</td><td align="right">기말FV - 상각후원가[1]
55,000 - 61,834 = (6,834)</td></tr>
<tr><td></td><td>금융자산평가손익</td><td align="right">기말기대신용손실누계액</td></tr>
</table>

[1] 기말상각후원가: 5,000 × 2.40183 + 70,000 × 0.71178 = 61,834

4) 20×2년 당기손익에 미친 영향: (1) + (2) = (20,091)

   (1) 이자수익: 93,925 × 12% = 11,271

   (2) 손상차손: 61,834 - 93,196 = (31,362)

5) 20×2년 기타포괄손익에 미친 영향: (6,834) - (-3,925 + 2,000) = (4,909)

18 ① 발생가능성이 가장 높은 결과나 단일최선의 추정치를 의미하지 않는다.

19 ① 1) 20×1년 말 B/S

<table>
<tr><td colspan="2" align="center">B/S</td></tr>
<tr><td>AC금융자산</td><td align="right">총장부금액 × (1 + R) - 액면이자
(180,792 + 9,260) × 1.1 - 16,000 = 193,057</td></tr>
<tr><td>(손실충당금)</td><td align="right">(6,000)</td></tr>
<tr><td></td><td align="right">상각후원가 187,057</td></tr>
</table>

2) 20×2년 말 B/S - 신용손상 전

<table>
<tr><td colspan="2" align="center">B/S</td></tr>
<tr><td>AC금융자산</td><td align="right">총장부금액 × (1 + R) - 액면이자
193,057 × 1.1 - 16,000 = 196,363</td></tr>
<tr><td>(손실충당금)</td><td align="right">(6,000)</td></tr>
<tr><td></td><td align="right">상각후원가 190,363</td></tr>
</table>

3) 20×2년 말 B/S - 신용손상 후

<table>
<tr><td colspan="2" align="center">B/S</td></tr>
<tr><td>AC금융자산</td><td align="right">200,000/1.1 = 181,818</td></tr>
</table>

4) 20×2년 I/S

<table>
<tr><td colspan="2" align="center">I/S</td></tr>
<tr><td>N/I 영향: 이자수익</td><td align="right">기초총장부금액 × 유효 R × 보유기간/12
193,057 × 10% = 19,306</td></tr>
<tr><td>손상차손</td><td align="right">손상 후 상각후원가 - 손상 전 상각후원가
181,818 - 190,363 = (8,545)</td></tr>
</table>

   ◐ 20×2년 N/I에 미친 영향: 19,306 - 8,545 = 10,761 증가

20 ① 1) 20×1년 당기손익에 미친 영향: 69,399 - 50,000 = 19,399

    (1) 20×1년 이자수익: $(40,000 \times 3.3121 + 1,000,000 \times 0.7350) \times 8\% = 69,399$

    (2) 손상차손: (50,000)

  2) 20×2년 당기손익에 미친 영향: 71,751 - 278,524 = (206,773)

    (1) 20×2년 이자수익: $(867,484 \times 1.08 - 40,000) \times 8\% = 71,751$

    (2) 20×2년 말 손실충당금: $700,000 \times 0.8573 - (896,883 \times 1.08 - 40,000) = (328,524)$

    (3) 20×2년 손상차손: (328,524) - 50,000 = (278,524)

21 ① 1) 20×2년 말 B/S

B/S		
FVOCI금융자산	기말FV 188,000	
	금융자산평가손익	기말FV - 총장부금액[1] 188,000 - 189,301 = (1,301)
	금융자산평가손익	기말기대신용손실누계액 10,000

    [1] 기말총장부금액: $10,000 \times 1.78327 + 200,000 \times 0.85734 = 189,301$

  2) 20×3년 말 B/S

B/S		
FVOCI금융자산	기말FV 170,000	
	금융자산평가손익	기말FV - 총장부금액[1] 170,000 - 194,445 = (24,445)
	금융자산평가손익	기말기대신용손실누계액 14,000

    [1] 기말총장부금액: $189,301 \times 1.08 - 10,000 = 194,445$

  3) 20×3년 기타포괄손익: 기말B/S상 OCI누계 - 기초B/S상 OCI누계

    = (-24,445 + 14,000) - (-1,301 + 10,000) = (19,144)

22 ② 손상차손환입: $60,000/1.1 + 60,000/1.1^2 = 104,132$(단수차이)

23 ④ 1) 20×1년 초 발행가액: $1,000,000 \times 0.7118 + 100,000 \times 2.4019 = 951,990$

  2) 20×1년 말 총장부금액: $951,990 \times 1.12 - 100,000 = 966,229$

  3) 20×1년 말 신용손상 후 상각후원가: $1,000,000 \times 0.7972 + 60,000 \times 1.6901 = 898,606$

  4) 20×1년 당기순이익에 미친 영향: (1) + (2) = 46,616

    (1) 이자수익: $951,990 \times 12\% = 114,239$

    (2) 손상차손: 898,606 - 966,229 = (67,623)

  5) 20×1년 기타포괄이익에 미친 영향: 800,000 - 898,606 = (-)98,606

24 ② 1) 20×1년 초 금융자산의 최초 측정액: 1,000,000 × 0.8396 + 40,000 × 2.6730 = 946,520

2) 20×1년 총포괄이익: (700,000 - 946,520) + 40,000 = (-)206,520

　　* 총포괄이익은 주주와의 거래가 없고 부채의 변동이 없을 때, 자산의 변동과 일치하므로 금융자산의 기말공정가치에서 기초장부금액을 차감하고 액면이자를 더하면 쉽게 구할 수 있다.

3) 20×2년 당기순이익에 미치는 영향: 이자수익 42,720 + 손상차손환입 188,679 = 231,399(단수차이)

(1) 20×2년 이자수익: 800,000/1.06^2 × 6% = 42,720

(2) 20×2년 손상차손환입: 1,000,000/1.06 - 800,000/1.06 = 188,679

25 ③ 1) 20×1년 말 손상 후 상각후원가: 700,000 × 0.7118 + 70,000 × 2.4018 = 666,386

2) 20×1년 당기순이익에 미치는 영향(= 자산변동액): (-)172,854[1]

　　[1] AC금융자산 변동액 + 현금이자 = (666,386 - 939,240) + 100,000 = (-)172,854

> **⊘참고 정식풀이**
>
> 1. 20×1년 이자수익: 939,240 × 12% = 112,709
> 2. 20×1년 말 손상 전 상각후원가: 939,240 × 1.12 - 100,000 = 951,949
> 3. 20×1년 말 손상차손: 666,386 - 951,949 = (-)285,563
> 4. 20×1년 당기순이익에 미치는 영향: 112,709 - 285,563 = (-)172,854

26 ③ 기타포괄손익-공정가치측정금융자산을 당기손익-공정가치측정금융자산으로 재분류할 경우 계속 공정가치로 측정하고, 재분류 전에 인식한 기타포괄손익누계액은 재분류일에 재분류조정하여 당기손익으로 재분류한다.

27 ③ 1) 실질적 조건의 변경 여부 판단: 실질적 조건의 변경에 해당 ×

(1) 기존 금융자산의 장부금액: 1,000,000 × 0.9091 + 70,000 × 0.9091 = 972,737

(2) 변경된 현금흐름: 1,000,000 × 0.7513 + 50,000 × 2.4868 = 875,640

(3) 판단: 97,097(= 972,737 - 875,640) < 972,737 × 10%

2) 변경손실: 875,640 - 972,737 = (-)97,097(단수차이)

28 ① ② 양도자가 발생가능성이 높은 신용손실의 보상을 양수자에게 보증하면서 단기 수취채권을 매도한 것은 양도자가 소유에 따른 위험과 보상의 대부분을 이전하지 않는 경우의 예이다.

③ 금융자산을 기타포괄손익-공정가치측정범주에서 당기손익-공정가치측정범주로 재분류하는 경우에 계속 공정가치로 측정하며, 재분류 전에 인식한 기타포괄손익누계액은 자본에서 당기손익으로 재분류한다.

④ 양도자가 매도한 금융자산을 재매입시점의 공정가치로 재매입할 수 있는 권리를 보유하고 있는 것은 양수자가 소유에 따른 위험과 보상의 대부분을 보유하는 경우의 예이다.

⑤ 양도자가 매도 후에 미리 정한 가격으로 또는 매도가격에 양도자에게 금전을 대여하였더라면 그 대가로 받았을 이자수익을 더한 금액으로 양도자산을 재매입하는 거래는 양수자가 소유에 따른 위험과 보상의 대부분을 이전하는 경우의 예이다.

29 ⑤ 1) 재분류 시 회계처리(20×1년 중)

차)	FVPL금융자산	932,408	대)	FVOCI금융자산	932,408
	재분류손실(N/I)[1]	23,025		평가손실(OCI)	23,025

[1] 932,252 - (950,252 × 1.1 - 80,000) + 10,000 = (-)23,025

2) 20×2년 말 회계처리

차)	현금	80,000	대)	이자수익	80,000
	FVPL금융자산	49,420		평가이익(N/I)[1]	49,420

[1] 981,828 - 932,408 = 49,420

❍ 20×2년 당기손익에 미치는 영향: (-)23,025 + 80,000 + 49,420 = 106,395(단수차이)

30 ③ 1) 재분류 시 회계처리(20×3년 초)

차)	FVPL금융자산	45,000	대)	AC금융자산	50,000
	손실충당금	3,000			
	재분류손실(N/I)	2,000			

2) 20×3년 당기순이익에 미치는 영향: (-)2,000 + 5,000 + 1,000 = 4,000 증가
   (1) 재분류손실: (-)2,000
   (2) 이자수익(액면이자): 50,000 × 10% = 5,000
   (3) 평가이익: 46,000 - 45,000 = 1,000

31 ④ 1) 20×2년 말 AC금융자산의 상각후원가: 500,000 × 0.9259 + 30,000 × 0.9259 = 490,727
2) 20×2년 말 변경된 현금흐름의 현재가치(당초의 유효이자율 사용): 500,000 × 0.8573 + 20,000 × 1.7832 = 464,314
3) 변경손실: 464,314 - 490,727 = (-)26,413(단수차이)
   * 계약상 현금흐름의 변경이 금융자산의 제거조건을 충족하지 않는 경우, 변경된 현금흐름에 당초의 유효이자율을 적용한다.

32 ② ㄴ. 계약상 현금흐름의 수취와 금융자산의 매도 둘 다를 통해 목적을 이루는 사업모형하에서 금융자산을 보유하고, 금융자산의 계약 조건에 따라 특정일에 원금과 원금잔액에 대한 이자지급만으로 구성되어 있는 현금흐름이 발생하는 금융자산은 기타포괄손익-공정가치로 측정한다.
ㄹ. 금융자산을 기타포괄손익-공정가치측정범주에서 당기손익-공정가치측정범주로 재분류하는 경우, 재분류 전에 인식한 기타포괄손익누계액은 재분류일에 당기순이익으로 재분류조정된다.

33 ① 1) 20×1년 말 변경 전 상각후원가: $950,244 \times 1.1 - 80,000 = 965,268$

2) 20×1년 말 변경된 현금흐름의 현재가치(당초 유효이자율 10% 사용): $1,000,000 \times 0.7513 + 50,000 \times 2.4868 = 875,640$

3) 20×1년 말 변경시점의 회계처리

차) 조건변경손실[1]	89,628	대) AC금융자산	89,628
차) AC금융자산	124,360	대) 현금(거래원가)	124,360

[1] $965,268 - 875,640 = 89,628$

4) 20×1년 말 변경 후 AC금융자산 상각후원가: $875,640 + 124,360 = 1,000,000$

5) 20×2년 이자수익: $1,000,000 \times 5\% = 50,000$

* 변경 후 상각후원가가 액면금액과 일치하므로 변경시점의 거래원가를 반영한 유효이자율은 액면이자율과 일치한다.

> ⊘**참고**
>
> 금융자산의 총장부금액은 재협상되거나 변경된 계약상 현금흐름에 해당 금융자산의 최초 유효이자율로 할인한 현재가치로 재계산한다. 발생한 거래원가는 금융자산의 장부금액에 반영하여 해당 금융자산의 남은 존속기간 동안 상각한다.

34 ⑤ 재매입하기로 약정한 경우 위험과 보상을 보유하고 있는 것으로 보아 제거하지 않는다.

35 ③ 금융자산 전체가 제거조건을 충족하는 양도로 금융자산을 양도하고, 수수료를 대가로 해당 양도자산의 관리용역을 제공하기로 하고 수수료를 그 대가로 지급받기로 한 경우, 관리용역제공계약과 관련하여 자산이나 부채를 인식한다.

차) 현금	수취한 대가	대) 금융자산	BV
금융자산처분손실	N/I		
차) 관리용역자산	××	대) 관리용역부채	××

36 ⑤ 금융자산을 재분류하기 위해서는 그 재분류를 중요도에 따른 구분 없이 전진적용한다.

01 ② 계약상 현금흐름을 수취하기 위해 보유하는 것이 목적인 사업모형하에서 금융자산을 보유하고 금융자산의 계약조건에 따라 특정일에 원리금 지급만으로 구성되어 있는 현금흐름이 발생하면 금융자산을 상각후원가로 측정한다.

02 ③ ① 취득 시(12/1) 당기손익에 미치는 영향: (2,000) + 5,000 = 3,000
　　• 취득 시 수수료: (2,000)
　　• 취득손익: (2,500 - 2,000) × 10주 = 5,000

차)	FVPL금융자산	25,000	대)	현금(거래가격)	20,000
				금융자산취득이익(N/I)	5,000
차)	수수료비용(N/I)	2,000	대)	현금	2,000

② 최초 원가: 2,500 × 10주 = 25,000
③ 처분손익: (2,700 × 6주 - 1,000) - 25,000 × 6주/10주 = 200

| 차) | 현금 | 15,200 | 대) | FVPL금융자산 | 15,000 |
| | | | | 금융자산처분이익(N/I) | 200 |

④ 20×1년 말 평가손익: (2,800 - 2,500) × 4주 = 1,200
　　* 공정가치 계상 시 거래원가는 고려하지 않는다.
⑤ FVPL금융자산은 손상차손을 인식하지 않는다.

03 ⑤ 1) 이자수익: 1,000,000 × 10% × 6/12 = 50,000
　　2) 평가이익: (1) - (2) = 40,000
　　　　(1) 공정가치: 980,000 - 1,000,000 × 10% × 3/12(10/1 ~ 12/31) = 955,000
　　　　(2) 장부가치: 940,000 - 1,000,000 × 10% × 3/12(4/1 ~ 6/30) = 915,000
　　3) 당기순이익에 미치는 영향: 1) + 2) = 90,000

04 ③ 1) ㈜진리의 총이자비용(10%)
　　　　(1) 20×1년 1월 1일 사채 BV: 1,000,000(액면이자율과 시장이자율 동일)
　　　　(2) 총이자비용: 1,000,000 × 10% × 3년 + (1,000,000 - 1,000,000) = 300,000
　　2) ㈜자유의 총이자수익(12%)
　　　　(1) 20×1년 4월 1일
　　　　　① 20×1년 1월 1일 PV(CF): 1,000,000 × 0.71178 + 100,000 × 2.40183 = 951,963
　　　　　② 유효이자(20×1년 1월 1일 ~ 3월 31일): 951,963 × 12% × 3/12 = 28,559
　　　　　③ 미수이자(20×1년 1월 1일 ~ 3월 31일): 100,000 × 3/12 = (25,000)
　　　　　　* 20×1년 4월 1일 사채 구입가: 980,522 = ① + ②
　　　　　　* 20×1년 4월 1일 사채 BV: 955,522 = ① + ② - ③
　　　　(2) 총이자수익: (1,000,000 + 300,000) - 980,522 = 319,478

05 ② 최초 인식 후에 금융상품의 신용위험이 유의적으로 증가하지 아니한 경우에는 보고기간 말에 12개월 기대
신용손실에 해당하는 금액으로 손실충당금을 측정한다.

06 ② 1) 20×1년 F/S효과 및 회계처리

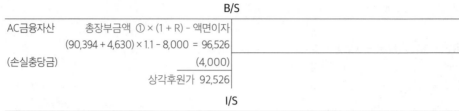

	B/S	
AC금융자산	총장부금액 ① × (1 + R) - 액면이자	
	(90,394 + 4,630) × 1.1 - 8,000 = 96,526	
(손실충당금)	(4,000)	
	상각후원가 92,526	

	I/S	
N/I 영향: 이자수익		기초총장부금액 × 유효 R × 보유기간/12
		(90,394 + 4,630) × 10% = 9,502
손상차손		기말B/S상 손실충당금 - 기초B/S상 손실충당금
		(4,000) - 0 = (4,000)
OCI 변동:		-

2) 20×2년 F/S효과 및 회계처리

	B/S	
AC금융자산	PV(변경 CF) by 최초 유효 R	
	50,000/1.1 = 45,455	

	I/S	
N/I 영향: 이자수익		기초총장부금액 × 유효 R × 보유기간/12
		96,526 × 10% = 9,653
손상차손		기말총장부금액 - 회수가능액 - 손실충당금
		(96,526 × 1.1 - 8,000) - 50,000/1.1 - 4,000 = (48,724)
OCI 변동:		-

07 ① 20×2년 말 B/S

	B/S		
FVOCI금융자산	기말FV		
	18,800,000		
		금융자산평가손실	기말FV - 총장부금액[1]
			18,800,000 - 18,930,070
			= (130,070)
		금융자산평가이익	기말기대신용손실누계액
			30,000

[1] 20,000,000 × 0.85734 + 1,000,000 × 1.78327 = 18,930,070
❶ 20×2년 말 B/S상 금융자산평가손실: (130,070) + 30,000 = (100,070)

08 ① 재분류일은 금융자산의 재분류를 초래하는 사업모형의 변경 후 첫 번째 보고기간의 첫 번째 날을 의미한다.

09 ③ 양도자가 금융자산을 통제하고 있다면 당해 금융자산에 대하여 지속적으로 관여하는 정도까지 당해 금융자
산을 계속하여 인식한다.

01 ②　최초 인식 후에 금융상품의 신용위험이 유의적으로 증가한 경우에는 매 보고기간 말에 전체기간 기대신용손실에 해당하는 금액으로 손실충당금을 측정하며, 그렇지 않은 경우에는 12개월 기대신용손실에 해당하는 금액으로 손실충당금을 측정한다.

02 ⑤

	B/S		20×1년 말
FVOCI금융자산	기말FV 18,800,000		
		평가손익(FV)	기말FV - 총장부금액 18,800,000 - 18,929,996 = (129,996)
		평가손익 (손실충당금)	기말기대신용손실누계액 900,000

* 20×1년 초 총장부금액: 20,000,000 × 0.79383 + 1,000,000 × 2.5771 = 18,453,700
* 20×1년 말 총장부금액: 18,453,700 × 1.08 - 1,000,000 = 18,929,996
◐ 20×1년 말 재무상태표상 평가손익: (129,996) + 900,000 = 770,004 평가이익

03 ②　1) 당기손익에 미치는 영향: FVOCI금융자산 = AC금융자산
　　　　* FVOCI금융자산과 AC금융자산은 유효이자율법과 기대신용손실모형을 적용하므로 당기손익에 미치는 영향이 같다.
　　　2) AC금융자산 분류 시 당기손익에 미치는 영향: 7,588
　　　　(1)　이자수익: 94,846 × 8% = 7,588
　　　3) FVPL금융자산 분류 시 당기손익에 미치는 영향: 11,154
　　　　(1)　이자수익: 100,000 × 6% = 6,000
　　　　(2)　평가이익: 100,000 - 94,846 = 5,154
　　　　* 기말시점 시장이자율이 표시이자율과 같은 6%이므로 기말 공정가치는 액면금액과 동일하다.
　　　◐ FVPL금융자산 > FVOCI금융자산 = AC금융자산

04 ⑤　총포괄손익에 미치는 영향: FVPL금융자산 = FVOCI금융자산
　　* FVPL금융자산과 FVOCI금융자산은 기말시점에 자산을 FV평가하므로 자산의 변동액이 동일하다. 자산의 변동은 총포괄손익에 미치는 영향과 동일하므로 총포괄손익에 미치는 영향도 두 자산은 동일하다.
　　◐ FVPL금융자산 = FVOCI금융자산 > AC금융자산

05 ⑤　최초 발생시점이나 매입할 때 신용이 손상되어 있는 상각후원가 측정 금융자산의 이자수익은 최초 인식시점부터 총장부금액에 신용조정유효이자율을 적용하여 계산한다.

06 ②　① 당기손익-공정가치로 측정되는 '지분상품에 대한 특정 투자'에 대해서는 후속적인 공정가치 변동은 최초 인식시점이면 기타포괄손익으로 표시하도록 선택할 수 있다.
　　　③ 금융자산 전체나 일부의 회수를 합리적으로 예상할 수 없는 경우에도 해당 금융자산의 총장부금액을 직접 줄일 수 있다.
　　　④ 기타포괄손익-공정가치 측정 금융자산의 기대신용손실을 조정하기 위한 기대신용손실액(손상차손)은 당기손실로 인식하고, 기대신용손실환입액(손상차손환입)은 당기손익으로 인식한다.
　　　⑤ 금융자산을 상각후원가 측정 범주에서 기타포괄손익-공정가치 측정 범주로 재분류하는 경우 재분류일의 공정가치로 측정하며, 재분류 전 상각후원가와 공정가치 차이에 따른 손익은 기타포괄손익으로 인식한다.

07 ⑤ FVOCI금융자산 처분이익은 '처분대가 - 총장부금액'으로 산정한다.

2차 문제 Preview

01

[물음 1]

20×2년 12월 31일 계약변경 합의 전 ㈜세무의 금융자산(A사채) 장부금액: 963,646

* 1,060,000 × 0.9091 = 963,646

[물음 2]

㈜세무가 계약변경시점에 인식할 계약변경손실: (-)109,228

1) 계약변경 후 현금흐름의 현재가치(10%): 40,000 × 2.4868 + 1,000,000 × 0.7513 = 850,772
2) 계약변경시점의 회계처리

차)	계약변경손실[1]	109,228	대)	AC금융자산	109,228
차)	현금	12,000	대)	AC금융자산	12,000

[1] 960,000 - 850,772 = 109,228

[물음 3]

㈜한국이 계약변경시점에 인식할 계약변경이익: 51,116

1) 실질적 조건의 변경 여부 판단: 실질적 조건의 변경에 해당

* 960,000 - 850,772 - 12,000 > 960,000 × 10%

2) 변경된 현금흐름의 현재가치(8%): 40,000 × 2.5771 + 1,000,000 × 0.7938 = 896,884
3) 조건의 변경시점의 회계처리(순액법)

차)	사채(구)	960,000	대)	사채(신)	896,884
				조건변경이익	63,116
차)	조건변경이익	12,000	대)	현금	12,000

02

[물음 1]

재분류일: 20×2년 1월 1일

[물음 2]

20×1년도 당기순이익에 미치는 영향: 65,024

1) 이자수익: 950,244 × 10% = 95,024
2) 손상차손: (-)30,000

[물음 3]

20×2년도 당기순이익에 미치는 영향: 116,527

1) 이자수익: (950,244 × 1.1 - 80,000) × 10% = 96,527
2) 손상차손환입: (10,000) - (30,000) = 20,000

* AC금융자산과 FVOCI금융자산은 당기손익에 미치는 영향이 동일하므로 AC금융자산으로 풀이해도 답이 동일하다.

제11장 | 복합금융상품

기초 유형 확인

01 ①

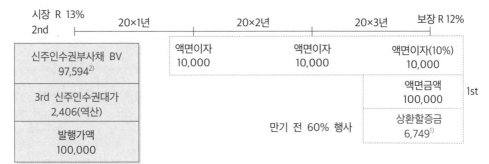

$$^{1)}\ 100{,}000 \times (12\% - 10\%) \times (1 + 1.12 + 1.12^2) = 6{,}749$$
$$^{2)}\ 10{,}000 \times 2.36115 + 106{,}749 \times 0.69305 = 97{,}594$$

02 ④ 20×3년 이자비용: $116{,}749/1.13 \times 13\% = 13{,}431$

03 ⑤

B/S		20×1년 말
신주인수권부사채	액면금액	100,000
상환할증금	+ 만기상환액	6,749
(신주인수권조정)	- 역산	(-)6,468
신주인수권부사채 BV	①	100,281
신주인수권대가	②	2,406

  ● 기말 신주인수권부사채 BV: PV(잔여 CF) by 취득 R = 기초BV × (1 + R) - 액면이자 = 97,594 × 1.13 - 10,000
    = 100,281

04 ④ 1) 40% 행사 시 회계처리

차) 현금	70,000 × 40%	대) 신주인수권조정	1,464 × 40%
상환할증금	6,749 × 40%	자본금	50,000 × 40%
신주인수권대가	2,406 × 40%	주식발행초과금	27,691 × 40%

  2) 행사시점에 자본총계에 미친 영향: $(70{,}000 + 6{,}749/1.13^2) \times 40\% = 30{,}114$

  3) 행사시점에 주식발행초과금의 증가액: $27{,}691 \times 40\% = 11{,}076$

  4) 만기 시 ㈜한영이 상환할 금액: 104,049

    * 액면금액 + 상환할증금 만기지급액 × (1 - 전환비율) = 100,000 + 6,749 × (1 - 40%) = 104,049

  5) 20×2년에 ㈜한영이 인식할 이자비용: (-)12,762

    * 기초PV(액면금액 + 액면이자 + 상환할증금 × (1 - 전환비율)) × 취득 R = [10,000/1.13 + {(110,000 + 6,749 × (1 - 40%)}/1.13²] × 13%
    = (-)12,762

6) 20×2년 말 재무상태표

B/S		20×2년 말
신주인수권부사채	액면금액	100,000
상환할증금	+ 만기상환액	4,049
(신주인수권조정)	- 역산	(-)3,120
신주인수권부사채 BV		① 100,929
신주인수권대가		② 1,444

❍ 기말 신주인수권부사채 BV: PV(잔여 CF) by 취득 R = [110,000 + 6,749 × (1 - 40%)]/1.13 = 100,929

05 ②

1) 부채요소: 963,481 - 96,348 = 867,133
2) 자본요소: 36,519 - 3,652 = 32,867
3) 전환사채의 발행시점 회계처리

차) 현금	1,000,000	대) 전환사채	1,000,000
전환권조정	186,520	상환할증금	150,000
		전환권대가[1]	36,520
차) 전환권조정[2]	96,348	대) 현금	100,000
전환권대가	3,652		

[1] 1,000,000 - (1,000,000 × 1.15 × 0.75131 + 40,000 × 2.48685) = 36,520
[2] 100,000 × 963,481/1,000,000 = 96,348

06 ②

1) 상환할증금의 만기지급액: 100,000 × (4% - 2%) × (1 + 1.04 + 1.04^2) = 6,243
2) 20×1년 초 전환사채의 공정가치: (100,000 + 6,243) × 0.8163 + 2,000 × 2.6243 = 91,975
3) 전환권대가: 100,000 - 91,975 = 8,025
4) 전환시점의 회계처리(순액법 - 100% 가정)

차) 전환사채	96,413	대) 자본금[1]	50,000
전환권대가	8,025	주식발행초과금(역산)	54,438

[1] 100,000/200 × 100 = 50,000

5) 주식발행초과금 증가액: 54,438 × 60% = 32,663
6) 20×2년도 이자비용: 96,413 × 7% × (1 - 60%) = 2,700

01 ③

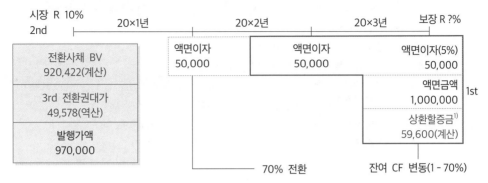

[1] 상환할증금: 1,000,000 × (105.96% - 1) = 59,600

1) ×2년 말 전환사채의 BV: PV(액면금액 + 액면이자 + 상환할증금) by 취득 시 시장 R × (1 - 전환비율)
   = (1,000,000 + 50,000 + 59,600)/1.1 × (1 - 70%) = 302,618
2) ×2년 말 전환권대가의 BV: 최초 발행 시 전환권대가 × (1 - 전환비율)
   = 49,578 × (1 - 70%) = 14,873

02 ⑤

1) 전환권대가: 980,000 - (1,000,000 × 106% × 0.7938 + 40,000 × 2.5770) = 35,492
2) 20×2년 말 전환사채의 장부금액: 1,100,000/1.08 × 40% = 407,407(단수차이)
3) 20×2년 말 전환권대가의 장부금액: 35,492 × 40% = 14,197

03 ⑤

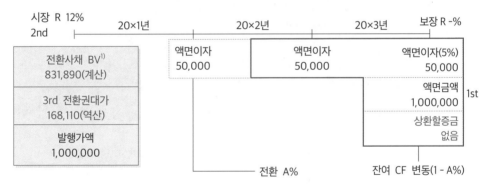

[1] 전환사채발행 시 BV: 50,000 × 연금현가(3년, 12%) + 1,000,000 × 현가(3년, 12%) = 831,890

[100% 전환 가정 시 회계처리]

차)	전환사채[1]	전환일의 BV	881,717	대)	자본금[2]	행사주식수 × 액면가	500,000
	전환권대가		168,110		주식발행초과금	대차차액	549,827

[1] 20×2년 초 전환사채 BV: 831,890 × 1.12 - 50,000 = 881,717
[2] 100% 전환 시 자본금 증가: 1,000,000/10,000 × 5,000 = 500,000
○ 전환비율: 329,896/549,827 = 60%(단수차이)

04 ③ ①② [발행시점의 회계처리]

차) 현금	1,000,000	대) 전환사채[1)](부채요소)	928,244
		전환권대가(자본요소)	71,756

[1)] (1,000,000 + 168,700) × 0.6575 + 70,000 × 2.2832 = 928,244

③ 20×1년 이자비용: 928,244 × 15% = 139,237

④⑤ [전환시점의 회계처리(100% 전환 가정)]

차) 전환사채	928,244 × 1.15 − 70,000	대) 자본금	1,000,000/20,000 × 5,000
전환권대가	71,756	주식발행초과금	819,237

- 전환 시 자본 증가액: (928,244 × 1.15 − 70,000) × 50% = 498,740
- 전환 시 주식발행초과금 증가액: 819,237 × 50% = 409,619

05 ⑤

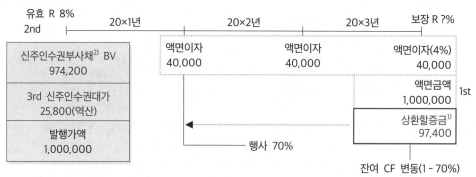

[1)] 상환할증금: 1,000,000 × (109.74% − 1) = 97,400
[2)] 신주인수권부사채: 40,000 × 2.5771 + 1,097,400 × 0.7938 = 974,200

[100% 행사 가정 시 회계처리]

차) 현금	행사주식수 × 행사가격	대) 자본금	행사주식수 × 액면가
	1,000,000		500,000
신주인수권부사채	PV(상환할증금)		
	97,400/1.08² = 83,505		
신주인수권대가	발행 시 BV	주식발행초과금	대차차액
	25,800		609,305

❍ 70% 행사 시 주식발행초과금 증가액: 609,305 × 70% = 426,511(단수차이)

06　⑤

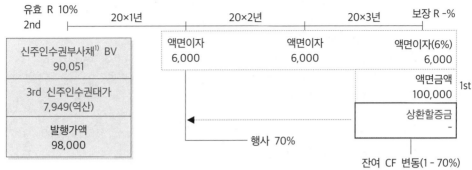

1) 신주인수권부사채: 6,000 × 2.4869 + 100,000 × 0.7513 = 90,051

[100% 행사 가정 시 회계처리]

차) 현금	행사주식수 × 행사가격	대) 자본금	행사주식수 × 액면가
	100주 × 8,000 = 800,000		100주 × 5,000 = 500,000
신주인수권부사채	PV(상환할증금)		
	-		
신주인수권대가	발행 시 BV	주식발행초과금	대차차액
	7,949		307,949

- 70% 행사 시 주식발행초과금 증가액: 307,949 × 70% = 215,564
- 20×2년 이자비용: 기초 변경된 CF의 신주인수권부사채 BV × 취득 시장 R
  = (90,051 × 1.1 - 6,000) × 10% = 9,306

07　④

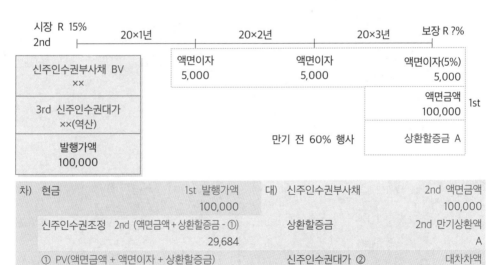

차) 현금	1st 발행가액	대) 신주인수권부사채	2nd 액면금액
	100,000		100,000
신주인수권조정　2nd (액면금액+상환할증금 - ①)		상환할증금	2nd 만기상환액
	29,684		A
① PV(액면금액 + 액면이자 + 상환할증금)		신주인수권대가 ②	대차차액

- 상환할증금(A): 100,000 + A - 29,684 = 5,000 × 2.2832 + (100,000 + A) × 0.6575,
  A = 20,000
- 만기지급액(60%): 액면금액 + 상환할증금 만기지급액 × (1 - 행사비율)
  = 100,000 + 20,000 × (1 - 60%) = 108,000

08 ④　1) 20×1년 초 신주인수권부사채의 공정가치: $1,000,000 × 0.7118 + 100,000 × 2.4019 = 951,990$

　　　　2) 20×1년 초 신주인수권대가 장부금액: $1,000,000 - 951,990 = 48,010$

　　　　3) 20×2년 이자비용: $(951,990 × 1.12 - 100,000) × 12\% = 115,947$

　　　　4) 20×2년 말 신주인수권부사채의 장부금액: $966,229 × 1.12 - 100,000 = 982,176$

　　　　5) 20×3년 초 주식발행초과금 증가액: $(1,000,000 + 48,010 - 1,000,000/20,000 × 5,000) × 40\% = 319,204$

　　　　6) 20×3년 이자비용: $982,176 × 12\% = 117,861$

09 ②　1) 신주인수권부사채 발행 시 공정가치: $1,000,000 × (1 + 10\%) × 0.7938 + 40,000 × 2.5770 = 976,260$

　　　　2) 신주인수권대가: $1,000,000 - 976,260 = 23,740$

10 ④　신주인수권 행사 시 자본변동액: $(1,000,000/20,000 × 20,000 + 1,000,000 × 10\% × 0.8573) × 40\%$

　　　　$= 434,292$

11 ④　1) 신주인수권대가: $100,000 - [(100,000 + 6,367^{1)}) × 0.7938 + 4,000 × 2.5770] = 5,258$

　　　　　　$^{1)}$ $2,000 × 1.06^2 + 2,000 × 1.06 + 2,000 = 6,367$

　　　　2) 20×2년 초 행사 시 회계처리(100%)

차) 현금	100,000	대) 자본금	50,000
신주인수권부사채	$6,367/1.08^2$	주식발행초과금	60,717
신주인수권대가	5,258		

　　　　3) 20×2년 초 40% 행사 시 주식발행초과금 증가액: $60,717 × 40\% = 24,286$

12 ①

차) 현금	900,000	대) 전환사채$^{1)}$	A 809,786
		전환권대가	B 90,214
차) 전환사채$^{2)}$	거래원가 × A/(A + B) = 8,998	대) 현금	거래원가 10,000
전환권대가	대차차액 1,002		

　　$^{1)}$ $40,000 × 3.7908 + (1,000,000 + 60,000) × 0.6209 = 809,786$
　　$^{2)}$ 전환사채 거래원가 차감액: $10,000 × 809,786/900,000 = 8,998$

　　● 부채 증가액: $809,786 - 8,998 = 800,788$
　　● 자본 증가액: $90,214 - 1,002 = 89,212$

13 ④

차) 조건변경손실	N/I 영향 700,000	대) 자본금	추가지급 주식 수 × 액면가 500,000
		주식발행초과금	대차차액 200,000
차) 전환사채	전환일의 BV	대) 자본금	행사주식수 × 액면가
전환권대가	발행 시 BV	주식발행초과금	대차차액

　　● 조건변경으로 인한 전환사채 전환 시 N/I 영향: $(200^{1)} - 100^{2)})주 × 7,000 = (-)700,000$

　　$^{1)}$ 변경된 조건하에서 전환으로 인하여 보유자가 수취하는 주식 수: $1,000,000/10,000 × 2주 = 200주$
　　$^{2)}$ 원래의 조건하에서 전환으로 인하여 보유자가 수취하였을 주식 수: $1,000,000/10,000 × 1주 = 100주$

14 ② 1) 전환사채 조기상환 시 N/I 영향: -PV(잔여 CF) by 상환 시 R + PV(잔여 CF) by 취득 시 R

= $-(240,000/1.09 + 3,240,000/1.09^2) + (240,000/1.1 + 3,240,000/1.1^2) = (51,375)$(단수차이)

2) 발행

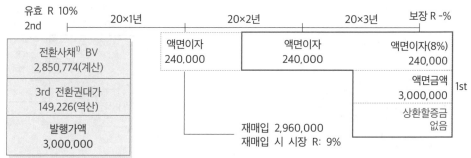

1) 전환사채발행 시 BV: $240,000 \times 2.48685 + 3,000,000 \times 0.75131 = 2,850,774$

3) 재매입

현금상환액 2,960,000	1. 사채상환액(FV): PV(잔여 CF) by 상환시점 R = $240,000/1.09 + 3,240,000/1.09^2 = 2,947,226$
	2. 자본상환액: 현금상환액 - 사채상환액 = 2,960,000 - 2,947,226 = 12,774

1st 부채요소	차) 전환사채	BV 2,895,851	대) 현금	1st 사채상환액(FV) 2,947,226
	사채상환손실(N/I)	대차차액 51,375		
2nd 자본요소	차) 전환권대가	BV 149,226	대) 현금	2nd 현금상환액 - 사채상환액 12,774
			전환권대가 재매입손실(자본)	대차차액 136,452

15 ⑤   1) 발행

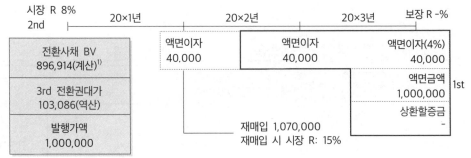

1) $1,000,000 \times 0.79383 + 40,000 \times 2.57710 = 896,914$

2) 조기상환일

현금상환액 1,070,000	1. 사채상환액(FV): PV(잔여 CF) by 상환시점 R $= 40,000/1.15 + 1,040,000/1.15^2 = 821,168$(단수차이) 2. 자본상환액: 현금상환액 - 사채상환액 $= 1,070,000 - 821,168 = 248,832$

1st 부채요소	차) 전환사채 BV $896,914 \times 1.08 - 40,000$ $= 928,667$	대) 현금 1st 사채상환액(FV) 821,168 사채상환이익(N/I) 대차차액 107,499
2nd 자본요소	차) 전환권대가 BV 103,086 전환권대가 재매입손실(자본) 대차차액 145,746	대) 현금 2nd 현금상환액 - 사채상환액 248,832

3) 지문분석

구분	계산근거
① 발행 당시 전환권대가	$103,086 \rightarrow$ ○
② 20×1년도 전환권조정 상각액	$928,667 - 896,914 = 31,753 \rightarrow$ ○
③ 20×2년 초 장부금액	$928,667 \rightarrow$ ○
④ 20×2년 초 전환사채의 조기상환일에 부채요소의 공정가치	$821,168 \rightarrow$ ○
⑤ 20×2년 초 조기상환 시 사채상환손실	상환이익 $107,499 \rightarrow$ ×

16 ⑤ 1) 발행

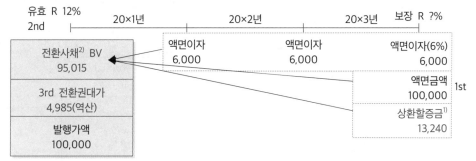

$^{1)}$ 상환할증금: 100,000 × (113.24% − 1) = 13,240
$^{2)}$ 전환사채발행 시 BV: 6,000 × 연금현가(3년, 12%) + 113,240 × 현가(3년, 12%) = 95,015

2) 지문분석

구분	계산근거
① 발행시점 부채요소의 장부금액	95,015 → ○
② 20×1년 말 전환사채의 자본요소	4,985 → ○
③ 20×2년 부채 증가금액	(95,015 × 12% − 6,000) × 1.12 = 6,050 → ○
④ 20×3년 초 전환사채 40% 전환 시 전환권대가 → 자본잉여금 대체 금액	4,985 × 40% = 1,994 → ○
⑤ 20×3년 초 전환사채상환이익	(113,240 + 6,000)/1.12 − 100,000 = 6,464 → ×

* 문제에서 상환시점의 전환사채의 시장이자율을 제시하지 않았으므로 전환사채상환액 100,000을 전환사채의 부채 부분에 대한 상환액으로 가정한다.

17 ④ 전환사채의 상환손익: (300,000/1.12 + 3,300,000/1.12^2) − (300,000/1.15 + 3,300,000/1.15^2)
= 142,453 증가(단수차이)

18 ⑤ 1) A안 조건변경손실: 3,000,000/1,000 × 3주 × 200 = 1,800,000
2) B안 조건변경손실: (3,000,000/1,000 × 3.2주 − 3,000,000/1,000 × 3주) × 700 = 420,000

19 ④ 1) 20×2년 전환사채의 장부금액: 1,000,000 × 108.6% × 0.8573 + 40,000 × 1.7832 = 1,002,356
2) 20×2년 40% 전환 시 자본 증가액: 1,002,356 × 40% = 400,942(단수차이)

20 ② 당기손익에 미친 영향(= 사채상환손익):
(1,086,000 + 40,000) × 60%/1.08 − (1,086,000 + 40,000) × 60%/1.1 = 11,374 증가(단수차이)

21 ④ 20×2년 당기순이익에 미치는 영향(= 전환사채 재매입이익): 17,957$^{1)}$ 증가
$^{1)}$ [(50,000/1.1 + 1,200,000/1.1^2) − (50,000/1.12 + 1,200,000/1.12^2)] × 50% = 17,957(단수차이)

01 ④

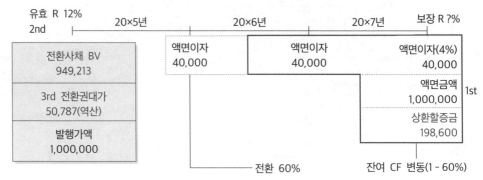

1) 100% 전환 가정 시 회계처리

차) 전환사채[1]	전환일의 BV 1,023,119	대) 자본금[2]	행사주식수 × 액면가 333,333
전환권대가	50,787	주식발행초과금	대차차액 740,573

[1] 20×6년 초 전환사채 BV: 949,213 × 1.12 - 40,000 = 1,023,119
[2] 100% 전환 시 자본금 증가: 1,000,000/3,000 × 1,000 = 333,333

2) 60% 전환 시 증가한 주식발행초과금: 740,573 × 60% = 444,344

02 ④

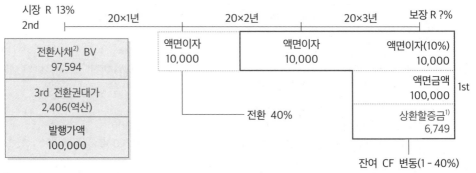

[1] 상환할증금: 100,000 × (106.749% - 1) = 6,749
[2] 전환사채 20×1년 초 BV: 10,000 × 2.36115(3년, 13% 연금현가) + 106,749 × 0.69305(3년, 13% 현가) = 97,594

[100% 전환 가정 시 회계처리]

차) 전환사채[1]	전환일의 BV 100,281	대) 자본금[2]	행사주식수 × 액면가 50,000
전환권대가	2,406	주식발행초과금	대차차액 52,687

[1] 20×2년 초 전환사채 BV: 97,594 × 1.13 - 10,000 = 100,281
[2] 100% 전환 시 자본금 증가: 100,000/10,000 × 5,000 = 50,000

구분	계산근거
① 20×1년 초 자본요소 증가액	2,406 → ○
② 20×1년 말 전환권조정 BV	(100,000 + 6,749) - 100,281 = 6,468 → ○
③ 20×2년 초 전환 시 자본 증가	100,281 × 40% = 40,112 → ○
④ 20×2년 이자비용	100,281 × 13% × (1 - 40%) = 7,821 → ×
⑤ 만기 시 상환액	(100,000 + 6,749) × (1 - 40%) = 64,049 → ○

03 ⑤ 전환권을 행사할 가능성이 변동하는 경우에도 전환상품의 부채요소와 자본요소로 분류된 금액을 후속적으로 재측정하지 않는다.

04 ③

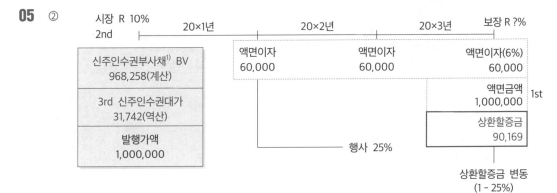

시장 R 12%
2nd

| 20×1년 | 20×2년 | 20×3년 | 보장 R 8% |

신주인수권부사채 BV
××(계산)

3rd 신주인수권대가
××(역산)

발행가액
1,000,000

액면이자 50,000 / 액면이자 50,000 / 액면이자(5%) 50,000

액면금액 1,000,000 / 1st

50% 행사

상환할증금[1)] 97,392

상환할증금 변동
(1 - 50%)

[1)] 상환할증금: $1,000,000 \times (8\% - 5\%) \times (1.08^2 + 1.08 + 1) = 97,392$

● 20×3년 초 신주인수권부사채 BV: PV[액면금액 + 액면이자 + 상환할증금 × (1 - 행사비율)]
= [50,000 + 1,000,000 + 97,392 × (1 - 50%)]/1.12 = 980,979

● 20×3년 이자비용: 980,979 × 12% = 117,717

05 ②

시장 R 10%
2nd

| 20×1년 | 20×2년 | 20×3년 | 보장 R ?% |

신주인수권부사채[1)] BV
968,258(계산)

3rd 신주인수권대가
31,742(역산)

발행가액
1,000,000

액면이자 60,000 / 액면이자 60,000 / 액면이자(6%) 60,000

액면금액 1,000,000 / 1st

행사 25%

상환할증금 90,169

상환할증금 변동
(1 - 25%)

[1)] 신주인수권부사채발행 시 BV: $60,000 \times 2.4869 + 1,090,169 \times 0.7513 = 968,258$

[100% 행사 가정 시 회계처리]

차)	현금		대)	자본금	
		행사주식수 × 행사가격			행사주식수 × 액면가
		100주 × 8,000 = 800,000			100주 × 5,000 = 500,000
	신주인수권부사채	PV(상환할증금)			
		90,169/1.1² = 74,520			
	신주인수권대가	발행 시 BV 31,742		주식발행초과금	대차차액 406,262

● 25% 행사 시 주식발행초과금 증가액: 406,262 × 25% = 101,566(단수차이)

06 ⑤ ① 신주인수권대가: 1,000,000 - (1,150,000 × 0.7513 + 50,000 × 2.4869) = 11,660

② 20×1년도 이자비용: 988,340 × 10% = 98,834

③ 20×2년 초 행사 시 회계처리(순액법, 100%) 가정

차) 현금	1,000,000	대) 자본금	500,000
신주인수권부사채	150,000/1.1²	주식발행초과금(역산)	635,627
신주인수권대가	11,660		

❏ 40% 행사 시 자본 증가액: (1,000,000 + 123,967) × 40% = 449,587

④ 20×2년 초 신주인수권 행사 직후 신주인수권부사채 장부금액: 987,660

* 1,000,000 × 0.8265 + 50,000 × 1.7355 + 150,000 × 0.8265 × (1 - 40%) = 987,660

⑤ 20×2년 이자비용: 987,660 × 10% = 98,766(단수차이)

07 ②

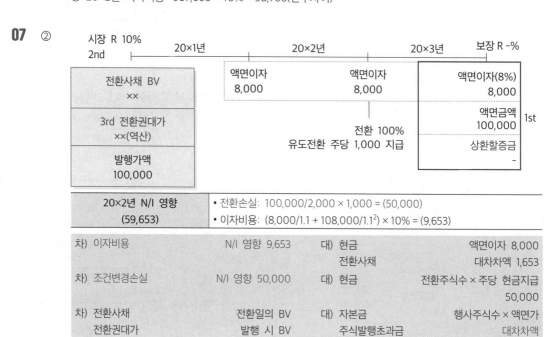

시장 R 10% 2nd	20×1년	20×2년	20×3년	보장 R -%
전환사채 BV ××	액면이자 8,000	액면이자 8,000	액면이자(8%) 8,000	1st
3rd 전환권대가 ××(역산)		전환 100% 유도전환 주당 1,000 지급	액면금액 100,000	
발행가액 100,000			상환할증금 -	

20×2년 N/I 영향 (59,653)	• 전환손실: 100,000/2,000 × 1,000 = (50,000)
	• 이자비용: (8,000/1.1 + 108,000/1.1²) × 10% = (9,653)

차) 이자비용	N/I 영향 9,653	대) 현금	액면이자 8,000
		전환사채	대차차액 1,653
차) 조건변경손실	N/I 영향 50,000	대) 현금	전환주식수 × 주당 현금지급 50,000
차) 전환사채	전환일의 BV	대) 자본금	행사주식수 × 액면가
전환권대가	발행 시 BV	주식발행초과금	대차차액

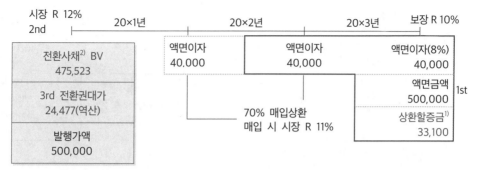

시장 R 12%
2nd

전환사채[2] BV
475,523

3rd 전환권대가
24,477(역산)

발행가액
500,000

20×1년 | 20×2년 | 20×3년 | 보장 R 10%

액면이자
40,000

액면이자
40,000

액면이자(8%)
40,000

액면금액
500,000   1st

70% 매입상환
매입 시 시장 R 11%

상환할증금[1]
33,100

[1] 상환할증금: $500,000 \times (10\% - 8\%) \times (1.1^2 + 1.1 + 1) = 33,100$
[2] 전환사채발행 시, BV: $40,000 \times 2.40183 + 533,100 \times 0.71178 = 475,523$

20×2년 N/I 영향 (23,746)	• 전환사채상환손실: (6,013)(단수차이) $= [-(40,000/1.11 + 573,100/1.11^2) + (40,000/1.12 + 573,100/1.12^2)] \times 70\%$ • 이자비용: $(475,523 \times 1.12 - 40,000) \times 12\% \times (1 - 70\%) = (17,733)$
현금상환액 355,000	• 사채상환액(FV): PV(잔여 CF) by 상환시점 R = $(40,000/1.11 + 573,100/1.11^2) \times 70\% = 350,823$ • 자본상환액: 현금상환액 - 사채상환액 = $355,000 - 350,823 = 4,177$

[재매입 시 회계처리]

1st 부채요소	차) 전환사채	BV	대) 현금	1st 사채상환액(FV)
		344,810		350,823
	사채상환손실(N/I) 대차차액 6,013			
2nd 자본요소	차) 전환권대가	BV ××	대) 현금 2nd 현금상환액 - 사채상환액	4,177
			전환권대가 재매입손실(자본) 대차차액	××

[재매입 후 기말 회계처리]

차) 이자비용	N/I 영향 17,733	대) 현금	액면이자 12,000
		전환사채	대차차액 5,733

09 ⑤

시장 R 13%
2nd

보장 R 12%

	20×1년	20×2년	20×3년

전환사채²⁾ BV
97,600

3rd 전환권대가
2,400(역산)

발행가액
100,000

액면이자
10,000

액면이자
10,000

20×2년 7월 1일
100% 전환청구

액면이자(10%)
10,000

액면금액
100,000 1st

상환할증금¹⁾
6,749

¹⁾ 상환할증금: 100,000 × (106.749% - 1) = 6,749
²⁾ 전환사채발행 시 BV: 10,000 × 2.3612 + 106,749 × 0.6931 = 97,600

차)	이자비용 ②	기초BV(①)¹⁾ × R × 보유기간/12 100,288 × 13% × 6/12 = 6,519	대)	미지급이자 ③	액면이자 × 보유기간/12 10,000 × 6/12 = 5,000
				전환사채 ② - ③	대차차액 1,519
차)	전환사채	① + ② - ③ 100,288 + 6,519 - 5,000 = 101,807	대)	자본금	행사주식수 × 액면가
	전환권대가	발행 시 BV 2,400		주식발행초과금	대차차액
차)	미지급이자	③ 5,000	대)	현금	5,000

¹⁾ 20×2년 초 전환사채 BV(①): 97,600 × 1.13 - 10,000 = 100,288

❏ 전환 시 주식발행가액: 101,807 + 2,400 = 104,207

실력 점검 퀴즈

01 ③   ×2년 이자비용: (10,000/1.08 + 210,000/1.08²) × 8% × (200,000 - 80,000)/200,000 = 9,086

02 ①   이자비용 감소액: 2,000,000 × (1 - 110.5%) × 0.7118 × 12% = 17,938

03 ④   1) 20×1년 초 전환권대가: 100,000 - (100,000 + 5,348 - 11,414) = 6,066
2) 20×1년 말 전환사채의 장부금액: (100,000 + 5,348) - 11,414 + 3,087 = 97,021
3) 100% 전환 시 주식발행초과금 증가액: (97,021 + 6,066) - 100,000/1,000 × 500 = 53,087
4) 60% 전환 시 주식발행초과금 증가액: 53,087 × 60% = 31,852

04 ②   조건변경손실(N/I): (1,000,000/20,000 × 10%)주 × 8,000 = 40,000

> ⊘**참고**
>
> 조건이 변경되는 시점에 변경된 조건하에서 전환으로 인하여 보유자가 수취하게 되는 대가의 공정가치의 차이는 손실이며 당기손익으로 인식한다.

05 ③   전환사채 상환손실: -1,190,000/1.08 + 1,190,000/1.1 = (20,034)

06 ③ 1) 신주인수권대가

   (1) 신주인수권부사채의 발행금액   4,800,000

   (2) 신주인수권부사채의 현재가치

     • 이자의 현재가치: 500,000 × 2.28323 =   1,141,615

     • 원금의 현재가치: 5,000,000 × 0.65752 =   3,287,600

     • 상환할증금의 현재가치: 337,440[1] × 0.65752 =   221,874   (4,651,089)

   (3) 신주인수권대가   148,911

   [1] 상환할증금: $5,000,000 \times (12\% - 10\%) \times (1 + 1.12 + 1.12^2) = 337,440$

2) 신주인수권 행사에 의한 자본 증가액

   $(5,000,000 \times 60\% \div 20,000) \times 10,000 + 337,440 \times 0.75614 \times 60\% = 1,653,091$

3) 20×2년 이자비용

   $(500,000 \times 1.62571 + 5,000,000 \times 0.75614) \times 0.15 + 337,440 \times 0.75614 \times 40\% \times 0.15 = 704,342$

∴ 20×2년 자본에 미치는 영향: 1,653,091 - 704,342 = 948,749

07 ③ 1) 상환할증금: $1,000,000 \times (10\% - 5\%) \times (1.1^2 + 1.1 + 1) = 165,500$

2) 20×3년 전환사채의 이자비용: $(1,000,000 + 50,000 + 165,500)/1.12 \times 12\% \times (1 - 60\%) = 52,092$

3) 20×3년 신주인수권부사채의 이자비용: $[1,000,000 + 50,000 + 165,500 \times (1 - 60\%)]/1.12 \times 12\%$
   $= 119,592$

2차 문제 Preview

01 　물음 1　

(1)

20×1년 이자비용	① 48,174

1) 상환할증금: $1,000,000 \times (4\% - 2\%) \times (1.04^3 + 1.04^2 + 1.04 + 1) = 84,929$

2) 일반사채의 공정가치: $1,000,000 \times 0.8227 + 20,000 \times 3.5459 = 893,618$

3) 상환할증금의 공정가치: $84,929 \times 0.8227 = 69,871$

4) 신주인수권부사채의 공정가치: 2) + 3) = 963,489

5) 신주인수권대가의 공정가치: 1,000,000 - 963,489 = 36,511

6) 20×1년 이자비용: $963,489 \times 5\% = 48,174$

(2)

신주인수권 행사 시 주식발행초과금 증가분	① 305,855
신주인수권 행사 직후 신주인수권부사채의 장부금액	② 968,856
20×2년 이자비용	③ 48,666

1) 주식발행초과금 증가분: $(1,000,000 + 75,199^{1)} + 36,511 - 500,000) \times 50\% = 305,855$

   1) $84,929 \times 0.8227 \times 1.05 + 84,929 \times 0.8227 \times 1.05 \times 5\% \times 6/12 = 75,199$

2) 신주인수권 행사 직후 신주인수권부사채의 장부금액: ① + ② = 968,856

   ① 일반사채의 장부금액: $(893,618 \times 1.05 - 20,000) + 918,299 \times 5\% \times 6/12 - 20,000 \times 6/12$
        $= 931,256$

   ② 상환할증금의 장부금액: $75,199 \times 50\% = 37,600$

3) 20×2년 이자비용: ① + ② = 48,666

    ① 일반사채의 이자비용: 918,299 × 5% = 45,915

    ② 상환할증금의 이자비용: 73,365 × 5% × 50% × 6/12 + 73,365 × 5% × 50% = 2,751

4) 50% 행사 시 회계처리

20×2년 7월 1일	차)	이자비용	1,834	대)	신주인수권부사채	1,834
	차)	현금	500,000	대)	자본금	250,000
		신주인수권부사채	37,600		주식발행초과금	305,855
		신주인수권대가	18,255			

물음 2

전환권 행사 시 주식발행초과금 증가분	① 271,483
전환권 행사 직후 전환사채의 장부금액	② 503,228
20×2년 이자비용	③ 37,187

1) 주식발행초과금 증가분: (1,006,455[1] + 36,511 - 500,000) × 50% = 271,483

    [1] (963,489 × 1.05 - 20,000) + 991,663 × 5% × 6/12 - 20,000 × 6/12 = 1,006,455

2) 전환권 행사 직후 전환사채의 장부금액: 1,006,455 × 50% = 503,228

3) 20×2년 이자비용: 991,663 × 5% × 50% × 6/12 + 991,663 × 5% × 50% = 37,187

4) 50% 행사 시 회계처리

20×2년 7월 1일	차)	이자비용	24,792	대)	미지급이자	10,000
					전환사채	14,792
	차)	전환사채	503,228	대)	자본금	250,000
		전환권대가	18,255		주식발행초과금	271,483

물음 3

사채상환손익	① 27,297

사채상환손익: 991,663 - (20,000 × 2.6730 + 1,084,929 × 0.8396) = 27,297

물음 4

당기순이익에 미치는 영향	① (-)100,000

1) 원래의 계약조건에서 발행할 주식수: 1,000,000 ÷ 10,000 = 100주

2) 변경된 계약조건에서 발행할 주식수: 1,000,000 ÷ 8,000 = 125주

3) 조건변경손실: (125 - 100)주 × 4,000 = 100,000

제12장 | 고객과의 계약에서 생기는 수익

기초 유형 확인

01 ② 20×1년 말 수취채권: 700, 20×1년 말 계약자산: 400, 20×1년 말 계약부채: 1,000

1) 제품 A - 회계처리

	차) 현금	300	대) 계약부채	300
20×1년 11월 30일	차) 수취채권	700	대) 계약부채	700

2) 제품 B - 회계처리

	차) 계약자산	400	대) 계약수익	400
20×1년 11월 30일				

02 ③
1) 동 계약의 변경은 계약의 범위가 확장되고 확장된 부분은 개별 판매가격을 반영하였으므로 별도의 계약이다.
2) 기존 계약 제품 40개에 대한 수익인식액: 40개 × @100 = 4,000
3) 추가 계약 제품 10개에 대한 수익인식액: 10개 × @95 = 950

03 ④
1) 동 계약의 변경은 계약의 범위가 확장되고 확장된 부분은 개별 판매가격을 반영하지 않았고 재화·용역이 구별되므로 기존 계약은 종료하고 새로운 계약이 시작되는 것으로 본다. 또한 기존 제품의 결함으로 인한 가격할인분은 기존 계약의 일부로 인식(매출에누리)한다.
2) 기존 계약 제품 40개에 대한 수익인식액: 40개 × @94[1] = 3,760
3) 추가 계약 제품 10개에 대한 수익인식액: 10개 × @94[1] = 940

[1] [(120 - 50)개 × @100 + 30개 × @80] ÷ (70 + 30)개 = @94

04 ④
1) 20×2년 수익인식액: 500개 × @90 = 45,000
2) 회계처리

	차) 수취채권	60,000	대) 수익	54,000
20×1. 12. 31.			환불부채[1]	6,000
20×2. 3. 31.	차) 수취채권	50,000	대) 수익	45,000
			환불부채[2]	5,000
20×2. 4. 1.	차) 환불부채	11,000	대) 수취채권	110,000
	현금	99,000		

[1] 600개 × @(100 - 90) = 6,000
[2] 500개 × @(100 - 90) = 5,000

05 ② 1) 20×2년 수익인식액: 36,000
- 20×2년 300개: 300개 × @100 = 30,000
- 20×1년 600개 소급분: 600개 × @(100 - 90) = 6,000

2) 회계처리

20×1. 12. 31.	차)	수취채권	60,000	대)	수익	54,000
					환불부채	6,000
20×2. 3. 31.	차)	수취채권	30,000	대)	수익	36,000
		환불부채	6,000			
20×2. 4. 1.	차)	현금	90,000	대)	수취채권	90,000

06 ① A사가 20×1년에 인식할 수익: 900,000

1) 제품 단위당 수익: (2,000,000 - 200,000) ÷ 100단위 = @18,000
2) 20×1년에 인식할 수익: 50단위 × @18,000 = 900,000
3) 회계처리

[20×1년 7월 1일]					
차)	환수자산(선급금)	200,000	대)	현금	200,000
[20×1년 판매 시]					
차)	현금	1,000,000	대)	계약수익	900,000
				환수자산(선급금)	100,000

* 고객에게 지급할 대가가 고객에게 받은 구별되는 재화나 용역에 대한 지급이 아니라면, 그 대가는 거래가격 즉, 수익에서 차감하여 회계처리한다.

07 ④ B사가 20×1년도에 인식할 수익: 400,000 - 10,000 = 390,000

1) 생산설비의 판매금액: 400,000
2) 고객에게 지급한 대가: 50,000 - 40,000 = 10,000

* 고객에게 지급한 대가가 경영자문의 대가(공정가치)를 초과하므로 동 초과액을 수익에서 차감한다. 만일 경영자문의 대가(공정가치)를 합리적으로 추정할 수 없는 경우에는 전액을 수익에서 차감한다.

3) 회계처리

[20×1년 11월 1일]					
차)	현금	400,000	대)	매출	390,000
				환불부채	10,000
[경영자문용역을 제공받을 때]					
차)	환불부채	10,000	대)	현금	50,000
	수수료비용	40,000			

08 ⑤   1) A사가 20×3년에 제품을 판매할 때 인식할 매출액: $400,000 \times 1.06^2 = 449,440$

    2) 회계처리

[20×1년 7월 1일]			
차) 현금	400,000	대) 계약부채	400,000
[20×1년 12월 31일]			
차) 이자비용	12,000	대) 계약부채	12,000
[20×2년 12월 31일]			
차) 이자비용[1]	24,720	대) 계약부채	24,720
[20×3년 6월 30일]			
차) 이자비용[2]	12,720	대) 계약부채	12,720
차) 계약부채	449,440	대) 매출	449,440
차) 매출원가	300,000	대) 재고자산	300,000

    [1] $400,000 \times 6\% \times 6/12 + 400,000 \times 1.06 \times 6\% \times 6/12 = 24,720$
    [2] $424,000 \times 6\% \times 6/12 = 12,720$

09 ②   20×1년 수익: $60,000 \times 90\% = 54,000$

10 ③   20×2년 수익: 76,000

    1) 거래가격의 배분
      (1) 도로 건설: $120,000 \times 70,000/140,000 = 60,000$
      (2) 교량 건설: $120,000 \times 70,000/140,000 = 60,000$

    2) 거래가격 변동분의 배분
      (1) 도로 건설: $10,000 \times 70,000/140,000 = 5,000$
      (2) 교량 건설: $10,000 \times 70,000/140,000 = 5,000$

    * 거래가격을 이행의무에 배분하는 기준(상대적 독립판매가격 기준으로 배분하는 데 사용한 비율)은 계약 개시 후 변경하지 않았다.

    3) 추가적으로 인식할 수익금액: $11,000 + 65,000 = 76,000$
      (1) 도로 건설: $(60,000 + 5,000) \times 100\% - 60,000 \times 90\% = 11,000$
      (2) 교량 건설: $60,000 + 5,000 = 65,000$

11 ②   A사가 제품을 판매하는 시점에 인식할 수익: 47,170

    1) 할인권의 추정 개별 판매가격: 3,000
    * @25,000(추가 제품 평균구입가격) × 20%(증분할인율) × 60%(할인권 행사가능성) = 3,000
    * 모든 고객은 앞으로 30일 동안 구매금액의 10% 할인을 받을 수 있기 때문에 고객에게 중요한 권리를 제공하는 할인은 10%에서 증분되는 20% 할인뿐이다.

    2) 거래가격 배분

구분	거래가격
제품	50,000 × 50,000/(50,000 + 3,000) = 47,170
할인권	50,000 × 3,000/(50,000 + 3,000) = 2,830
합계	50,000

    3) 회계처리

차) 현금	50,000	대) 매출	47,170
		계약부채	2,830

12 ⑤ 20×1년 말 충당부채: 3,000

20×1년 수익: 460,800

1) 보증용역의 개별 판매가격: (6,000 + 10,000) × (1 + 25%) = 20,000

2) 거래가격의 배분

(1) 기계: 480,000 × 480,000/(480,000 + 20,000) = 460,800

(2) 보증용역: 480,000 × 20,000/(480,000 + 20,000) = 19,200

*법적 무상보증기간을 초과하는 무상보증은 용역 유형의 보증에 해당하므로 별도의 수행의무이다.

3) 회계처리

차)	현금	480,000	대)	매출	460,800
				계약부채	19,200
차)	매출원가	300,000	대)	재고자산	300,000
차)	제품보증비	3,000	대)	제품보증충당부채	3,000

13 ① 1) ㈜대한이 20×1년에 수익으로 인식할 금액: @1,500 × 200개 + @150 × 40개 = 306,000

2) ㈜민국이 20×1년에 수익으로 인식할 금액: @1,350 × 200개 + @1,500 × 40개 = 330,000

14 ③ 1) 수익으로 인식할 금액: 10,000 × (1 - 1%) = 9,900

2) 비용으로 인식할 금액: (7,000) × (1 - 1%) + (20) = (-)6,950

3) 회계처리

	차)	현금	10,000	대)	매출	10,000
	차)	매출	100	대)	환불부채	100
판매 시	차)	매출원가	7,000	대)	재고자산	7,000
	차)	반품비용	20	대)	매출원가	70
		반환재고회수권	50			

15 ④

	차)	환불부채	100	대)	현금	150
		매출	50			
반품 시	차)	재고자산	150 × 70% - 50 = 55	대)	반환재고회수권	50
		반품비용	60		현금	30
					매출원가	50 × 70% = 35

16 ①

[20×1년 1월 1일]

차)	현금	1,000,000	대)	단기차입금	1,000,000

[20×1년 3월 31일]

차)	이자비용	50,000	대)	미지급이자	50,000
차)	단기차입금	1,000,000	대)	현금	1,050,000
	미지급이자	50,000			

17 ③

[20×1년 1월 1일]					
차)	현금	1,000,000	대)	단기차입금	1,000,000
[20×1년 3월 31일]					
차)	이자비용	50,000	대)	미지급이자	50,000
차)	단기차입금	1,000,000	대)	매출	1,050,000
	미지급이자	50,000			
차)	매출원가	800,000	대)	재고자산	800,000

18 ⑤

[20×1년 1월 1일]					
차)	현금	1,000,000	대)	리스보증금	900,000
				선수리스료	100,000
[20×1년 3월 31일]					
차)	리스보증금	900,000	대)	현금	900,000
차)	선수리스료	100,000	대)	리스료수익	100,000

19 ② 1) 회계처리

20×1년 매출	차)	현금	100,000,000	대)	매출	90,000,000
					계약부채	10,000,000
20×1년 말	차)	계약부채	3,000,000	대)	포인트매출	3,000,000
20×2년 말	차)	계약부채	6,000,000	대)	포인트매출	6,000,000
20×3년 말	차)	계약부채	1,000,000	대)	포인트매출	1,000,000

(1) 부여한 포인트의 개별 판매가격

제공된 포인트 총 개별 판매가격: 105 × 100,000포인트 = 10,500,000

(2) 거래가격 배분

① 일반매출액: 100,000,000 × 94,500,000/(94,500,000 + 10,500,000) = 90,000,000

② 포인트 관련 이연매출액: 100,000,000 × 10,500,000/(94,500,000 + 10,500,000) = 10,000,000

2) 연도별 누적 포인트 매출액

구분	이연매출	예상회수비율	누적매출액	당기매출액
20×1년 말	10,000,000	24,000/80,000 = 30%	3,000,000	3,000,000
20×2년 말	10,000,000	81,000/90,000 = 90%	9,000,000	6,000,000
20×3년 말	10,000,000	100%	10,000,000	1,000,000

20 ④ 1) 진행률

구분	20×1년도	20×2년도
누적발생원가(A)	3,000,000	11,200,000[1]
추정총계약원가(B)	15,000,000	16,000,000
누적진행률(A/B)	20%	70%

[1] 3,000,000 + 8,500,000 - 300,000 = 11,200,000(재료는 동 계약을 위해 별도로 제작된 것으로 발생원가에 포함한다)

2) 20×2년 계약수익: 18,000,000 × 70% - 18,000,000 × 20% = 9,000,000

3) 20×2년 계약손익: (18,000,000 - 16,000,000) × 70% - (18,000,000 - 15,000,000) × 20% = 800,000

21 ② 20×2년 말 계약자산(부채): 18,000,000 × 70% - 14,000,000 = (-)1,400,000

01 ① 계약은 서면으로, 구두로, 기업의 사업 관행에 따라 암묵적으로 체결할 수 있다.

02 ③ 거래가격은 고객이 지급하는 고정된 금액일 수도 있으나, 어떤 경우에는 변동대가를 포함하거나 현금 외의 형태로 지급될 수도 있다.

03 ⑤ ① 고객과의 계약에서 식별되는 수행의무는 계약에 분명히 기재한 재화나 용역에만 한정되지 않을 수 있다.
② 고객에게 재화나 용역을 이전하는 활동이 아니라면 그 활동은 수행의무에 포함되지 않는다.
③ 수행의무를 이행할 때(또는 이행하는 대로), 그 수행의무에 배분된 거래가격(변동대가 추정치 중 제약받는 금액을 제외)을 수익으로 인식한다.
④ 거래가격은 고객에게 약속한 재화나 용역을 이전하고 그 대가로 기업이 받을 권리를 갖게 될 것으로 예상하는 금액이며, 제3자를 대신해서 회수한 금액은 포함하지 않는다.

04 ③ 1) 제품 A - 회계처리

20×1년 11월 30일	차) 현금	300	대) 계약부채	300
	차) 수취채권	700	대) 계약부채	700
20×2년 1월 15일	차) 현금	700	대) 수취채권	700
20×2년 1월 31일	차) 계약부채	1,000	대) 계약수익	1,000

2) 제품 B - 회계처리

20×1년 11월 30일	차) 계약자산	400	대) 계약수익	400
20×2년 1월 31일	차) 수취채권	600	대) 계약수익	600
	차) 수취채권	400	대) 계약자산	400

○ 20×1년 말 수취채권: 700, 20×1년 말 계약자산: 400, 20×1년 말 계약부채: 1,000

05 ⑤

20×1년 12월 15일	차) 계약자산	8,000	대) 계약수익	8,000
20×2년 1월 10일	차) 수취채권	10,000	대) 계약자산	8,000
			계약수익	2,000
20×2년 1월 15일	차) 현금	10,000	대) 수취채권	10,000

06 ③ ① 계약의 각 당사자가 전혀 수행되지 않은 계약에 대해 상대방에게 보상하지 않고 종료할 수 있는 일방적이고 집행가능한 권리를 갖는다면, 그 계약은 존재하지 않는다고 본다.
② 고객과의 계약이 판단기준을 충족하지 못한다면, 나중에 충족되는지를 판단하기 위해 그 계약을 지속적으로 검토한다.
④ 재화나 용역이 구별되는 경우라면 기존 계약을 종료하고 새로운 계약을 체결한 것으로 회계처리한다.
⑤ 재화나 용역이 구별되지 않는 경우라면 기존 계약의 일부인 것처럼 회계처리한다.

07 ④ 식별가능한 각 수행의무를 기간에 걸쳐 이행하는지 또는 한 시점에 이행하는지는 계약 개시시점에 판단한다.

08 ⑤ ① 법률에 따라 기업이 보증을 제공하여야 한다면 그 법률의 존재는 약속한 보증이 수행의무가 아님을 나타낸다.
② 보증기간이 길수록, 약속한 보증이 수행의무일 가능성이 높다.
③ 제품이 합의된 규격에 부합한다는 확신을 주기 위해 기업이 정해진 업무를 수행할 필요가 있다면 그 업무는 수행의무를 생기게 하는 것으로 볼 수 없다.
④ 고객이 보증의 구매 여부를 선택할 수 없고 제품이 합의된 규격에 부합한다는 확신에 더하여 추가 용역을 제공한다면 용역 유형의 보증으로 별도의 수행의무로 본다.

09 ④ 환불부채는 보고기간 말마다 상황의 변동을 반영하여 새로 수정한다.

10 ③ 계약 개시 후에는 이자율이나 그 밖의 상황이 달라져도 그 할인율을 새로 수정하지 않는다.

11 ⑤ 계약에서 약속한 변동대가는 계약 전체에 기인할 수 있고 계약의 특정 부분에 기인할 수도 있다. 따라서 기업이 계약의 모든 수행의무에 거래가격의 변동대가를 배분하는 것이 적절하지 않을 수도 있다.

12 ④ 재화나 용역을 이전하는 예상시기가 달라지면 상각방식을 수정하고 이는 추정치의 변경으로 본다.

13 ④ 고객은 기업이 수행하는 대로 기업의 수행에서 제공하는 효익을 동시에 얻어 소비하고 기업은 수행하여 만들어지거나 가치가 높아지는 대로 고객이 통제하는 자산을 기업이 만들거나 그 자산 가치를 높인다. 수행하여 만든 자산이 기업 자체에는 대체 용도가 없고, 지금까지 수행을 완료한 부분에 대해 집행가능한 지급청구권이 기업에 있다면 기업은 재화나 용역에 대한 통제를 기간에 걸쳐 이전하므로 기간에 걸쳐 진행기준으로 수익을 인식한다.

14 ② 수행의무의 진행률을 합리적으로 측정할 수 없는 경우에는 수행의무의 산출물을 합리적으로 측정할 수 있을 때까지 발생원가의 범위에서만 수익을 인식한다.

15 ③ 지적재산의 라이선스를 제공하는 대가로 약속된 판매기준 로열티나 사용기준 로열티에 대한 수익은 후속 판매나 사용시점과 판매기준 또는 사용기준 로열티의 일부나 전부가 배분된 수행의무를 이행한 시점 중 나중의 사건이 일어난 시점에 인식한다.

16 ⑤ 1) 계약변경시점 개별 판매가격 반영한 경우의 20×1년 수익: (1) + (2) + (3) = 106,000
  (1) 20×1년 10월 31일 50개 판매에 따른 수익: 50개 × @1,000 = 50,000
  (2) 기존 계약 수량 중 40개 판매에 따른 수익: 40개 × @1,000 = 40,000
  (3) 추가 계약 수량 중 20개 판매에 따른 수익: 20개 × @800 = 16,000
  * 추가주문이 구별되는 재화이며, 개별 판매가격을 반영하고 있으므로 별도의 계약에 해당한다.
2) 계약변경시점 개별 판매가격 반영하지 않은 경우의 20×1년 수익: (1) + (2) + (3) = 106,400
  (1) 20×1년 10월 31일 50개 판매에 따른 수익: 50개 × @1,000 = 50,000
  (2) 기존 계약 수량 중 40개 판매에 따른 수익: 40개 × @940[1] = 37,600
  (3) 추가 계약 수량 중 20개 판매에 따른 수익: 20개 × @940[1] = 18,800
  [1] 단위원가 재계산: (70개 × @1,000 + 30개 × @800) ÷ 100개 = @940
  * 추가주문이 구별되는 재화이며, 개별 판매가격을 반영하고 있지 않으므로 기존 계약은 종료하고 새로운 계약이 시작되는 것에 해당한다.

17 ⑤ ① 매주의 청소용역이 구별되더라도, 기업은 청소용역을 기업회계기준서 제1115호 문단 22(2)에 따라 단일 수행의무로 회계처리한다.

② 매주의 청소용역이 실질적으로 서로 같고 고객에게 이전하는 방식이 같은 용역을 기간에 걸쳐 이전하면서 진행률 측정에 같은 방법(시간기준 진행률 측정)을 사용하는 일련의 구별되는 용역이다.

③ 계약변경일에 기업은 제공할 나머지 용역을 파악하고 그것들이 구별된다고 결론 짓는다. 그러나 나머지 대가로 지급받을 금액(510,000)은 제공할 용역의 개별 판매가격(540,000)을 반영하지 않는다.

④ 기업은 계약의 변경을 기업회계기준서 제1115호 문단 21(1)에 따라 원래 계약이 종료되고 새로운 계약이 체결된 것처럼 회계처리한다.

18 ② 20×3년 수익: (1,000,000 + 900,000 × 4)/5년 = 920,000

* 기존계약은 종료하고 새로운 계약이 시작되는 계약의 변경에 해당한다.

19 ② 1) 판매가격의 추정

(1) 제품 A: 50(판매가격)

(2) 제품 B: 25(시장평가 조정접근법)

(3) 제품 C: 50 × (1 + 50%) = 75(예상원가 · 이윤 가산접근법)

2) 배분가격

(1) 제품 A: 100 × 50/150 = 33

(2) 제품 B: 100 × 25/150 = 17

(3) 제품 C: 100 × 75/150 = 50

20 ① 1) A회사 수익인식액: 5,000개 × 1,000(직접매출) + 1,500개 × 1,100(위탁매출) = 6,650,000

2) D회사 수익인식액: 5,000개 × 1,100(직접매출) + 1,500개 × 100(위탁매출) = 5,650,000

21 ⑤ 1) A회사 수익인식액: 5,000개 × 1,000(직접매출) = 5,000,000

2) D회사 수익인식액: 4,500개 × 1,100(직접매출) = 4,950,000

* 500개는 D회사의 재고자산으로 보유한다.

22 ⑤ 1) 20×2년 상품권 사용분에 대한 수익: 90매 × 10,000 - 77,000 = 823,000

2) 20×2년 상품권 미사용분 중 상환의무가 없는 10%에 대한 수익: 10매 × 10,000 × 10% = 10,000

3) 20×1년 상품권 미사용분 중 상환의무가 있는 90%에 대한 기간경과분 수익

: 3매 × 10,000 × 90% = 27,000

* 기말시점에 미사용분 중 10%는 환불되지 않으므로 수익을 인식한다.

❍ 20×2년에 인식할 수익: 1) + 2) + 3) = 860,000

⊘ **참고**

계약의 식별기준을 충족하지 못하지만 고객에게 대가를 받은 경우에는 고객에게 받은 대가는 수익으로 인식하기 전까지 부채로 인식하며, 해당 부채는 고객에게 받은 대가로 측정하고 다음 사건 중 어느 하나가 일어난 경우에만 받은 대가를 수익으로 인식한다.

① 고객에게 재화나 용역을 이전해야 하는 의무가 남아있지 않고, 고객에게 약속한 대가를 모두 받았으며 그 대가는 환불되지 않는다,

② 계약이 종료되었고 고객에게 받은 대가는 환불되지 않는다.

---

23 ① 1) 할인권의 개별 판매가격: 1,500 × (30% - 10%) × 80% = 240
2) 계약부채: 2,000 × 240/(2,000 + 240) = 214

24 ⑤

차)	현금	20,000	대)	매출	20,000
차)	매출[1]	1,000	대)	환불부채	1,000
차)	매출원가	15,000	대)	재고자산	15,000
차)	반품비용	0	대)	매출원가[2]	750
	반환재고회수권	750			

[1] 20,000 × 5% = 1,000
[2] 15,000 × 5% = 750

> ⊘ **참고**
>
> 반품조건부로 판매되는 경우 환불부채 측정치는 변동할 수 있으므로 반품조건부 판매 거래가격은 변동대가에 해당한다.

25 ③

20×1년 1월 1일	차) 현금	1,000,000	대) 차입금	1,000,000
20×1년 4월 30일	차) 차입금	1,000,000	대) 현금	1,050,000
	이자비용	50,000		

26 ⑤ 1) ㈜세무의 회계처리

20×1년 1월 1일	차) 현금	200,000	대) 차입금	200,000
20×1년 6월 30일	차) 이자비용	10,000	대) 미지급이자	10,000
	차) 차입금	200,000	대) 매출	210,000
	미지급이자	10,000		
	차) 매출원가	100,000	대) 재고자산	100,000

2) ㈜한국의 회계처리

20×1년 1월 1일	차) 대여금	200,000	대) 현금	200,000
20×1년 6월 30일	차) 미수이자	10,000	대) 이자수익	10,000
	차) 재고자산	210,000	대) 대여금	200,000
			미수이자	10,000

27 ②

20×1년 1월 1일	차) 대여금	1,000,000	대) 차입금	1,000,000
20×1년 4월 30일	차) 이자비용	50,000	대) 미지급이자	50,000
	차) 차입금	1,000,000	대) 매출	1,050,000
	미지급이자	50,000		
	차) 매출원가	800,000	대) 재고자산	800,000

28 ④ [1st 부여된 보상점수(계약부채) 계상]
100,000 × 9,500/(100,000 + 9,500) = 8,676
[2nd 부여된 보상점수(선수수익) 연도별 배분]

구분	보상점수 배분액	× 누적회수 (회수된)	÷ 총예상회수 (회수될)	= 누적수익	당기수익(N/I)
20×1년 말	8,676	4,500	9,500	① 4,110	4,110
20×2년 말	8,676	8,500	9,700	② 7,603	② - ① = 3,493

29 ④ 1) 수익: 1,200,000/1 × 0.02 = 24,000
2) 비용: 1,200,000/1 × 0.012 = 14,400
If. 제3자의 계산인 경우 수익: 1,200,000/1 × (0.02 - 0.012) = 9,600

30 ① 1) 라이선스 사용대가수익: 200,000 - (72,000 - 60,000) - (30,000 - 15,000) = 173,000
2) 운영지원용역수익: 72,000 × 9/12 = 54,000
3) 20×1년 수익: 1) + 2) = 227,000

31 ① 동 거래는 특수프린터와 예비부품 제작에 대한 수행의무와 고객자산을 보관하는 용역에 대한 수행의무까지 총 3가지의 수행의무가 존재한다.

32 ③ 계약 당사자가 집행가능한 권리와 의무를 새로 설정하거나 기존의 집행가능한 권리와 의무를 변경하기로 승인할 때 계약변경이 존재한다.

33 ③ 변동대가(금액)는 기댓값 또는 가능성이 가장 높은 금액 중에서 기업이 받을 권리를 갖게 될 대가(금액)를 더 잘 예측할 것으로 예상하는 방법을 사용하여 추정한다.

34 ⑤ 1) 판매시점의 회계처리

차) 현금	200,000	대) 계약부채[1]	16,514
		매출	183,486

[1] 200,000 × 18,000/(18,000 + 200,000) = 16,514

● 20×1년 수익인식액: 183,486
2) 20×2년 수익인식액: 16,514 × 10,000/18,000 - 0 = 9,174

35 ② 1) 12월 1일 거래: 금융약정거래로 수익으로 인식할 금액은 없다.
2) 12월 26일 거래: 90개 × 100 = 9,000

36 ② ① 개별 판매가격의 변동은 반영하지 않는다.
③ 수령하는 대가의 개별 판매가격을 측정하는 것을 원칙으로 한다.
④ 기댓값 방식을 적용할 수 있다.
⑤ 대가에서 차감하여야 한다.

37 ② 1) 거래가격의 배분

차) 현금	1,000,000	대) 매출	800,000
		계약부채[1]	200,000

[1] 1,000,000 × 500,000포인트 × 0.5 ÷ (1,000,000 + 250,000) = 200,000

2) 20×2년 말 계약부채: 200,000 - 200,000 × (180,000 + 252,000) ÷ 480,000 = 20,000

38 ① 1) 20×1년 9월 1일 회계처리

차) 현금	500,000	대) 매출[1]	462,500
		계약부채(하자보증)	37,500

[1] 500,000 × 481,000/(481,000 + 39,000) = 462,500

2) 20×1년 12월 31일 회계처리

차) 계약부채[1]	12,500	대) 계약수익	12,500

[1] 37,500 × 10,000/(10,000 + 20,000) = 12,500

○ 총수익: 462,500 + 12,500 = 475,000

○ 부채: 37,500 - 12,500 = 25,000

39 ④ 1) 20×1년 12월 1일 회계처리

차) 현금	1,000,000	대) 금융부채	1,000,000

2) 20×1년 12월 31일 회계처리

차) 이자비용[1]	25,000	대) 미지급이자	25,000

[1] (1,100,000 - 1,000,000) × 1/4 = 25,000

3) 20×2년 3월 31일 회계처리

차) 이자비용	75,000	대) 미지급이자	75,000
차) 미지급이자	100,000	대) 매출	1,100,000
금융부채	1,000,000		
차) 매출원가	500,000	대) 재고자산	500,000

○ 20×2년 당기순이익에 미치는 영향: (-)75,000 + 1,100,000 - 500,000 = 525,000 증가

40 ① 기업회계기준서 제1115호에서는 계약상대방이 고객인 경우에만 해당 기준서를 적용하므로, 유형자산의 처분은 동 기준서를 적용하지 않는다. 그러나, 거래가격 산정에 관한 요구사항은 적용할 수 있다.

41 ⑤ 수익은 한 시점에 이행하는 수행의무 또는 기간에 걸쳐 이행하는 수행의무로 구분한다. 이러한 구분을 위해 먼저 통제 이전 지표에 의해 기간에 걸쳐 이행되는 수행의무인지를 판단하고, 이에 해당하지 않는다면 그 수행의무는 한 시점에 이행되는 것으로 본다.

42 ④ 1) ㈜대한의 수익인식액: @1,500 × 150개 + @50 × 80개 = 229,000

2) ㈜민국의 수익인식액: @1,350 × 200개 + @1,000 × 80개 = 350,000

43 ① 1) (상황 1)의 수익: 600,000 - (50,000 - 40,000) = 590,000

2) (상황 2)의 수익: 600,000 - 50,000 = 550,000

44 ⑤ 20×1년에 인식할 수익: 1) + 2) = 1,950,000

1) 고정대가: 1,500,000(인도되는 시점에 전액 수익인식)

2) 변동대가: (7,000,000 + 8,000,000) × 3% = 450,000[1]

<small>[1] 로열티는 변동대가를 추정하지 않으며, 권리가 확정되는 시점과 수행의무가 이행되는 시점 중 나중 시점에 수익을 인식한다.</small>

45 ⑤ 1) 20×1년 누적진행률: 4,000,000/10,000,000 = 40%

2) 20×2년 누적진행률: 6,600,000/11,000,000 = 60%

3) 지문분석

① 20×2년 계약손실

: (12,000,000 - 11,000,000) × 60% - (12,000,000 - 10,000,000) × 40% = (200,000)

② 20×3년 계약수익: 12,000,000 × (1 - 60%) = 4,800,000

③ 20×1년 말 계약자산: 12,000,000 × 40% - 2,800,000 = 2,000,000

④ 20×2년 말 누적계약수익: 12,000,000 × 60% = 7,200,000

⑤ 20×1년 말 수취채권: 2,800,000 - 2,600,000 = 200,000

46 ② 1) 20×2년 누적진행률: (2,400,000 + 4,950,000)/(2,400,000 + 4,950,000 + 3,150,000) = 70%

2) 20×2년 누적계약수익: (10,000,000 + 2,000,000) × 70% = 8,400,000

3) 20×2년 누적수취채권 증가액: 2,500,000 + 5,500,000 = 8,000,000

4) 20×2년 계약자산: 8,400,000 - 8,000,000 = 400,000

47 ④ 1) 20×2년 누적진행률: (2,760,000 + 5,030,000 - 380,000)/(9,200,000 + 300,000) = 78%

2) 20×2년 누적계약수익: 10,000,000 × 78% = 7,800,000

3) 20×2년 누적수취채권 증가액: 2,800,000 + 5,300,000 = 8,100,000

4) 20×2년 계약부채: 7,800,000 - 8,100,000 = (300,000)

48 ⑤ 1) 20×1년 총공사원가: 300,000 + 330,000 + 600,000 + 870,000 = 2,100,000

2) 20×1년 계약손실: 2,000,000 - 2,100,000 = (100,000)

49 ① 1) 20×1년 계약이익: (2,000,000 - 1,600,000) × 30% = 120,000

2) 20×2년 계약수익: Min[700,000, (480,000 + 540,000)] - 600,000 = 100,000

3) 20×2년 계약손실: 100,000 - 540,000 = (440,000)

50 ③ 1) 진행률

구분	20×5년	20×6년	20×7년
당기발생계약원가	210,000[1]	222,000[2]	318,000[3]
당기누적계약원가	210,000	432,000	750,000
추정총계약원가	700,000	720,000	750,000
진행률	30%	60%	100%

<small>[1] 20×5년 당기발생계약원가: (0 + 90,000 - 10,000) + 120,000 + 10,000 = 210,000
[2] 20×6년 당기발생계약원가: (10,000 + 100,000 - 40,000) + 140,000 + 12,000 = 222,000
[3] 20×7년 당기발생계약원가: (40,000 + 50,000 - 40,000) + 250,000 + 18,000 = 318,000</small>

2) 20×5년 계약이익: (1,000,000 - 700,000) × 30% = 90,000

3) 20×6년 계약이익: (1,000,000 - 720,000) × 60% - 90,000 = 78,000

4) 20×7년 계약이익: (1,000,000 - 750,000) × 100% - (90,000 + 78,000) = 82,000

51 ③   1) 20×1년 말 공사손익: 120,000 - 120,000 = 0

            2) 20×2년 말 진행률: (120,000 + 180,000) ÷ (120,000 + 180,000 + 200,000) = 60%

            3) 20×2년 공사이익: (600,000 - 500,000) × 60% - 0 = 60,000

관련 유형 연습

01 ⑤   고객에게 이전할 재화나 용역에 대하여 받을 권리를 갖게 될 대가의 회수가능성이 높다.

02 ③   고객과의 계약이 계약 개시시점에 계약에 해당하는지에 대한 판단기준을 충족하는 경우에는 사실과 상황에 유의적인 변동 징후가 없는 한 이러한 기준들을 재검토하지 않는다.

03 ①   보증기간이 길수록, 약속한 보증이 수행의무일 가능성이 높다.

04 ④   거래가격의 후속변동은 계약 개시시점과 같은 기준으로 계약상 수행의무에 배분한다. 따라서 계약을 개시한 후의 개별 판매가격 변동을 반영하기 위해 거래가격을 다시 배분하지는 않는다. 이행된 수행의무에 배분되는 금액은 거래가격이 변동되는 기간에 수익으로 인식하거나 수익에서 차감한다.

05 ②   계약 개시 후에는 이자율이나 그 밖의 상황이 달라져도 그 할인율을 새로 수정하지 않는다.

06 ①   1) 20×1년 수익인식액: 115,400

            (1) 20×1년 11월 30일: 60개 × @1,000 = 60,000

            (2) 20×1년 12월 1일: 60개 × (@150) = (9,000)

                * 기존 계약을 종료하고 새로운 계약을 체결한 것으로 본다.

            (3) 20×1년 12월 31일: 70개 × @920[1] = 64,400

                [1] 잔여제품 + 추가 제품의 단위당 판매가: (60개 × @1,000 + 40개 × @800)/100개 = @920

            2) 20×2년 수익인식액: 30개 × @920 = 27,600

07 ①   추가로 용역을 제공할 가능성이 높은 경우 추가 제공용역은 별도의 수행의무이므로 보험대리용역수수료는 일부 또는 전부를 이연하여 보험계약기간 동안 수익으로 인식한다. 따라서 보험대리수수료를 전액 수익으로 인식해서는 안 된다.

08 ②   소프트웨어의 개발과 지원용역은 별도로 식별되는 수행의무이므로 거래가격 100,000을 개별 판매가격 비율로 배분하고 각각 별도로 수익을 인식하여야 한다. 20×1년 말 현재 소프트웨어의 개발용역만이 제공되고 있으며, 개발용역은 기간에 걸쳐 이행하는 수행의무이므로 진행기준으로 수익을 인식한다. 지원용역은 20×1년 말 현재 수행하지 않고 있으므로 수익으로 인식할 금액은 없다.

            1) 거래가격의 배분: 100,000 × [90,000/(90,000 + 10,000)] = 90,000

            2) 진행률: 4,200시간/9,600시간 = 43.75%

           ➡ 20×1년에 인식할 수익: 90,000 × 43.75% = 39,375

09 ③   1) 진행률

            (1) 20×1년: 1,000,000/(1,000,000 + 3,000,000) = 25%

            (2) 20×2년: (1,000,000 + 2,000,000)/(1,000,000 + 2,000,000 + 1,000,000) = 75%

            2) 20×2년 공사수익: (5,000,000 - 4,000,000) × 75% - (5,000,000 - 4,000,000) × 25% = 500,000

10 ② 1) 20×1년 누적발생원가: 15,000 × 20% = 3,000
2) 20×2년 누적발생원가: 16,000 × 60% = 9,600
3) 20×2년 발생원가: 9,600 - 3,000 = 6,600

11 ④ 1) 누적진행률
20×1년: 900,000/4,500,000 = 20%
2) 계약손익
(1) 20×1년 계약이익: (5,000,000 - 4,500,000) × 20% = 100,000
(2) 20×2년 계약손실: (5,000,000 - 5,100,000) × 100% - 100,000 = (200,000)
(3) 20×3년 계약이익: (5,000,000 - 4,800,000) × 100% - (100,000) = 300,000

12 ① 1) 누적진행률
(1) 20×1년: 2,000,000/5,000,000 = 40%
(2) 20×2년: 3,300,000/5,500,000 = 60%
2) 공사손익
(1) 20×1년: (6,000,000 - 5,000,000) × 40% = 400,000
(2) 20×2년: (6,000,000 - 5,500,000) × 60% - 400,000 = (100,000)

13 ② 1) 계약분할 시 20×2년 계약손익: (400,000) + 930,000 = 530,000
(1) 20×2년 아파트: (5,800,000 - 6,000,000) × 100% - 200,000 = (400,000)
(2) 20×2년 상가: (3,200,000 - 2,000,000) × 90% - 150,000 = 930,000
2) 계약병합 시 20×2년 계약손익: (9,000,000 - 8,000,000) × 60% - 350,000 = 250,000

실력 점검 퀴즈

01 ① 1) 판매 시 회계처리

차) 현금	50,000	대) 매출	50,000
차) 매출	5,000	대) 환불부채	5,000
차) 매출원가	25,000	대) 재고자산	25,000
차) 반환재고회수권	2,500	대) 매출원가	2,500

2) 반품 시 회계처리

차) 환불부채	3,000	대) 현금	3,000
차) 재고자산	1,500	대) 반환재고회수권	1,500
차) 현금	1,800	대) 매출	1,800
차) 매출원가	1,500	대) 재고자산	1,500

02 ② 1) A: 100,000 × (1 + 10%) = 110,000
2) B: 100,000 × (1 + 10%)^2 = 121,000

03 ③ 변동대가의 추정이 가능한 경우, 계약에서 가능한 결과치가 두 가지뿐일 경우에는 가능성이 가장 높은 금액 이 변동대가의 적절한 추정치가 될 수 있다.

04 ④ 20×2년 총수익: 1) + 2) = 128,719

1) ㈜한국 관련 이자수익: (40,000 × 2.7232 × 1.05 - 40,000) × 5% = 3,719

2) ㈜대한 관련 매출: 125,000

05 ① 1) 포인트의 개별 판매가격: 10,000/5 × 1 × 0.7 × 75% = 1,050

2) 이연수익: 10,000 × 1,050/(1,050 + 9,450) = 1,000

06 ③ 1) 상황 A 당기순이익에 미치는 영향: 이자비용 = (1,300 - 1,200) × 3/6 = (-)50

2) 상황 B 당기순이익에 미치는 영향: (-)50 + 1,300 - 900 = 350

    (1) 이자비용: (-)50

    (2) 매출: 1,300

    (3) 매출원가: (-)900

07 ② 고객이 재화나 용역의 대가를 선급하였고 그 재화나 용역의 이전시점이 고객의 재량에 따라 결정된다면, 기업은 거래가격을 산정할 때 화폐의 시간가치가 미치는 영향을 고려하여 약속된 대가(금액)를 조정하지 않는다.

08 ⑤

구분	제품 매출	포인트 매출	방문서비스 수익	품질보증충당부채
20×0년	① 16,000,000	② 560,000		
20×1년		③ 1,680,000	④ 2,592,000	⑤ 750,000

1) 거래가격 배분

구분	개별 판매가격	거래가격	거래가격 배분
안마기	2,000,000		1,600,000
방문서비스	45,000 × 8회 = 360,000		288,000
포인트	2,000,000/@1,000 × 10포인트 × @7 = 140,000		112,000
합계	2,500,000	2,000,000	

2) 20×0년 제품 매출: 1,600,000 × 10대 = 16,000,000

3) 20×0년 수익

    (1) 제품: 1,600,000 × 10대 = 16,000,000

    (2) 방문서비스: 288,000 × 10대 × 28/80회 = 1,008,000

    (3) 포인트: 112,000 × 10대 × 70,000/140,000 = 560,000

4) 20×1년 포인트 매출

    (1) 20×0년 포인트 매출: 112,000 × 10대 × 70,000/140,000 = 560,000

    (2) 20×1년 누적포인트 매출: 112,000 × (10 + 15)대 × 280,000/350,000 = 2,240,000

    (3) 20×1년 포인트 매출: 2,240,000 - 560,000 = 1,680,000

5) 20×1년 방문서비스 수익

    (1) 20×1년 방문서비스 수익 중 20×0년 판매분: 288,000 × 10대 × 30/80회 = 1,080,000

    (2) 20×1년 방문서비스 수익 중 20×1년 판매분: 288,000 × 15대 × 42/120회 = 1,512,000

    (3) 20×1년 방문서비스 수익: 1,080,000 + 1,512,000 = 2,592,000

6) 20×1년 말 품질보증충당부채: 1,500,000 - 750,000 = 750,000

    cf. 20×0년 판매분은 20×1년 말 현재 보증기간이 종료되었으므로, 관련 충당부채인식액은 없다.

2차 문제 Preview

01

제품	구분	금액
제품 A	20×1년 당기순이익에 미치는 영향	① 42,550
	20×2년 당기순이익에 미치는 영향	② (-)200
제품 B	20×1년 당기순이익에 미치는 영향	③ (-)1,600
	20×2년 당기순이익에 미치는 영향	④ 3,600

1) 제품 A

(1) 20×1년 당기순이익: $150,000 \times (1 - 70\%) \times 95\% - 200 = 42,550$

(2) 20×2년 당기순이익: $(7,500 - 8,000) \times (1 - 70\%) - (250 - 200) = (-)200$

(3) 회계처리

	차) 현금	150,000	대) 매출	150,000
	차) 매출	7,500	대) 환불부채	7,500
20×1년 12월 31일	차) 매출원가	105,000	대) 재고자산	105,000
	차) 반품비용	200	대) 매출원가	5,250
	반환재고회수권	5,050		
	차) 환불부채	7,500	대) 현금	8,000
	매출	500		
20×2년 1월 31일	차) 재고자산	5,600	대) 반환재고회수권	5,050
	반품비용	50	현금	250
			매출원가	350

2) 제품 B

(1) 20×1년 당기순이익: $4,800 \times 2/6 = (-)1,600$

(2) 20×2년 당기순이익: $54,800 - 48,000 - 3,200 = 3,600$

(3) 회계처리

20×1년 11월 1일	차) 현금	50,000	대) 차입금	50,000
20×1년 12월 31일	차) 이자비용[1]	1,600	대) 미지급이자	1,600
	차) 이자비용[2]	3,200	대) 미지급이자	3,200
20×2년 4월 30일	차) 차입금	50,000	대) 매출	54,800
	미지급이자	4,800		
	차) 매출원가	48,000	대) 재고자산	48,000

[1] $4,800 \times 2/6 = 1,600$
[2] $4,800 \times 4/6 = 3,200$

물음 2

20×1년 수익	① 8,030,000
20×2년 수익	② 792,000

1) 대당 총거래가격: 300,000 + 60,000 - 43,200 = 316,800
2) 대당 거래가격 배분
   (1) 제품: 316,800 × 300,000/360,000 = 264,000
   (2) 통신서비스: 316,800 × 60,000/360,000 = 52,800
   (3) 회계처리

20×1년	차) 현금	316,800	대) 매출	264,000
			계약부채	52,800

3) 20×1년 제품 수익: 264,000 × (10 + 20)대 = 7,920,000
4) 20×1년 통신서비스 수익: 52,800 × 10대 × 3/24 + 52,800 × 20대 × 1/24 = 110,000
5) 20×1년 수익: 7,920,000 + 110,000 = 8,030,000
6) 20×2년 수익: 52,800 × 10대 × 12/24 + 52,800 × 20대 × 12/24 = 792,000

02

구분	제품 A	제품 B	제품 C
수익	① 7,640	② 5,780	③ 5,780

① 20×1년 제품 A 수익: 8,000 + 640 - 1,000(할인) = 7,640
   • 20×1년 3월 1일 제품 A 수익: 15,000 × 8,000/15,000 = 8,000
   • 20×1년 8월 1일 이행된 수행의무(제품 A)에 대한 거래가격 변동으로 인한 제품 A에 대하여 추가로
     인식할 수익: (4,200 - 3,000) × 8,000/15,000 = 640
② 20×1년 제품 B 수익: 5,780
   • 20×1년 3월 1일 제품 B 수익: 15,000 × 7,000/15,000 = 7,000
   • 20×1년 7월 1일 새로운 계약 체결로 인식할 제품 B의 수익: $(7,560^{1)} + 4,000) × 6,000/12,000$
     = 5,780

   [1] 이미 이전한 것과 구별되는 재화가 추가되었으나, 추가 재화의 협상가격이 추가 제품의 개별 판매가격을 반영하지 않았다. 따라서
   계약변경은 별도의 계약으로 회계처리하기 위한 조건을 충족하지 못하며, 계약변경을 원래 계약이 종료되고 새로운 계약이 체결된
   것으로 회계처리한다.

   cf. 20×1년 8월 1일 이행된 수행의무(제품 B)에 대한 거래가격 변동으로 인한 제품 B에 대하여 추가로
       인식할 수익: (4,200 - 3,000) × 7,000/15,000 = 560
③ 20×1년 제품 C 수익: (7,560 + 4,000) × 6,000/12,000 = 5,780

제13장 | 리스

기초 유형 확인

01 ③ 20×1년 당기손익에 미친 영향: 14,912
[리스현금흐름분석]

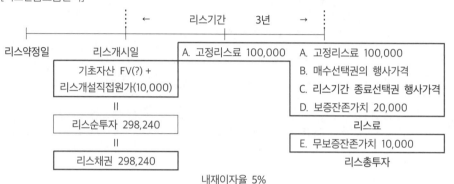

1) 리스개시일의 리스채권: 100,000 × 2.72325 + (20,000 + 10,000) × 0.86384 = 298,240
2) 20×1년 리스채권의 이자수익: 298,240 × 5% = 14,912
3) 회계처리

[20×1년 1월 1일 - 리스개시일]				
차) 리스채권	298,240	대)	선급리스자산	288,240
			현금	10,000
[20×1년 12월 31일]				
차) 현금	100,000	대)	이자수익	14,912
			리스채권	85,088

02 ④ 20×1년 당기손익에 미친 영향: 1) + 2) = 5,842
1) 20×1년 말 리스채권 손상차손: [Max(15,000, 20,000) - 30,000] × 0.90703 = (-)9,070
2) 20×1년 리스채권의 이자수익: 298,240 × 5% = 14,912
3) 회계처리

[20×1년 1월 1일 - 리스개시일]				
차) 리스채권	298,240	대)	선급리스자산	288,240
			현금	10,000
[20×1년 12월 31일]				
차) 현금	100,000	대)	이자수익	14,912
			리스채권	85,088
차) 손상차손	9,070	대)	리스채권	9,070

03 ⑤ 20×3년 당기손익에 미친 영향: 1) + 2) + 3) = (-)3,810

> (1) 리스채권 장부금액(보증 + 무보증 잔존가치)
> 20,000 + 10,000 = 30,000

리스제공자

1) 잔존가치보증손실: (1) - (3)
   = 30,000 - 15,000 = 15,000
2) 보증이익: (2) - (3)
   = 20,000 - 15,000 = 5,000

> (2) 기초자산 보증잔존가치
> 20,000

> (3) 기초자산 FV
> 15,000

1) 20×3년 리스채권의 이자수익: (100,000 + 30,000)/1.05 × 5% = 6,190
2) 20×3년 잔존가치 보증손실: 15,000 - 30,000 = (-)15,000
3) 20×3년 리스보증이익: 20,000 - 15,000 = 5,000
4) 회계처리

[20×3년 12월 31일]				
차) 현금	100,000	대) 이자수익		6,190
		리스채권		93,810
차) 기초자산	15,000	대) 리스채권		30,000
잔존가치 보증손실	15,000			
차) 현금	5,000	대) 리스보증이익		5,000

04 ① 고정리스료(A): A × 3.1699 + 500,000 × 0.6830 = 5,498,927, A = 1,627,000

05 ③ 1) 리스총투자: 1,627,000 × 4년 + 200,000 + 300,000 = 7,008,000
2) 미실현수익: 7,008,000 - 5,498,927 = 1,509,073

06 ① ㈜세무의 20×1년 당기순이익: 1) + 2) = (-)1,852,910
1) 리스부채의 이자비용: 5,294,027[1) × 10% = 529,403
   [1) 1,627,000 × 3.1699 + 200,000 × 0.6830 = 5,294,027
2) 사용권자산의 감가상각비: (5,494,027[2) - 200,000) ÷ Min[4년, 6년] = 1,323,507
   [2) 5,294,027 + 200,000 = 5,494,027

07 ① 20×1년 당기손익에 미치는 영향: (-)208,783
1) 리스부채: 200,000 × 2.72325 = 544,650
   * 리스개시일 현재 잔존가치 보증으로 인하여 리스기간 종료 시 지급할 것으로 예상되는 금액은 없다고 추정하였으므로 리스료에 포함되지 않는다.
2) 20×1년 당기손익에 미치는 영향: (1) + (2) = (-)208,783
   (1) 이자비용: (544,650) × 5% = (-)27,233
   (2) 감가상각비: (544,650 - 0) ÷ 3년 = (-)181,550
      * 보증잔존가치를 리스기간 종료 시 지급할 것으로 예상하지 않으므로 감가상각 시에도 보증잔존가치를 고려하지 않는다.

08 ③ 20×2년 당기손익에 미치는 영향: (-)225,088

1) 20×2년 초 리스부채의 변경 전 장부금액: 544,650 × 1.05 - 200,000 = 371,883
2) 20×2년 초 리스부채의 재측정 금액: 200,000 × 1.85941 + 50,000 × 0.90703 = 417,234
3) 20×2년 초의 회계처리

차) 사용권자산[1]	45,351	대) 리스부채	45,351

[1] 417,234 - 371,883 = 45,351

4) 20×2년 당기손익에 미치는 영향: (1) + (2) = (-)225,088
   (1) 감가상각비: (544,650 - 181,550 + 45,351 - 0) ÷ 2년 = (-)204,226
   (2) 이자비용: 417,234 × 5% = (-)20,862

09 ② [20×1년 초 회계처리]

차) 현금 ①	판매가	대) 기초자산 ②	BV
	2,000,000		1,000,000
사용권자산 ⑤	BV × 리스부채/FV	금융부채 ③	(판매가 - FV)
	699,556		200,000
		리스부채 ④	PV(리스료) - (판매가 - FV)
			1,259,200
		기초자산처분이익(N/I) ⑥	대차차액
			240,356

10 ③ [20×1년 초 회계처리]

차) 현금 ①	판매가	대) 기초자산 ②	BV
	1,700,000		1,000,000
사용권자산 ④	BV × (리스부채 + 선급리스료)/FV	리스부채 ③	PV(리스료)
	866,222		1,459,200
		기초자산처분이익(N/I) ⑤	대차차액
			107,022

01 ③ 방어권은 일반적으로 고객의 사용권 범위를 정하지만 방어권만으로는 고객이 자산의 사용을 지시할 권리를 가지는 것을 막지 못하므로 이 경우에는 고객이 식별되는 자산에 대한 사용통제권을 가진 것으로 보며, 이러한 거래는 리스거래로 분류할 수 있다.

02 ① 리스이용자가 선택권을 행사할 수 있는 시점의 공정가치보다 충분하게 낮을 것으로 예상되는 가격으로 기초자산을 매수할 수 있는 선택권을 가지고 있으며, 그 선택권을 행사할 것이 리스약정일 현재 거의 확실한 경우 금융리스로 분류하지 않는다.

03 ④ 제조자 또는 판매자인 리스제공자가 금융리스 체결과 관련하여 부담하는 원가는 리스개설직접원가의 정의에서 제외된다. 또한 리스제공자는 운용리스 체결과정에서 부담하는 리스개설직접원가를 기초자산의 장부금액에 더하고 리스료수익과 같은 기준으로 리스기간에 걸쳐 비용으로 인식한다.

04 ③ 2,000,000 = 고정리스료 × 2.4869 + 400,000 × 0.7513, 고정리스료 = 683,373

05 ② ㈜세무리스 20×2년 N/I 영향: 30,000 - 20,000 = 10,000

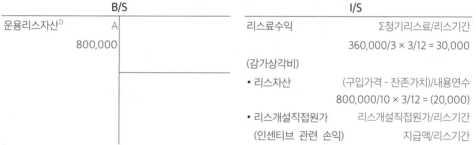

¹⁾ A: 리스자산 구입가격 + 리스개설직접원가

06 ④ 1) 리스개시일의 리스채권: 150,000 × 3.7908 + 50,540 × 0.6209 = 600,000
2) 20×1년 말 리스채권의 손상차손: PV(무보증잔존가치의 감소액) = (20,540)¹⁾ × 0.6830 = (14,029)
   ¹⁾ Max(15,000, 30,000) - 50,540 = (20,540)
3) 20×1년 이자수익: 600,000 × 10% = 60,000
4) 20×2년 이자수익: (600,000 × 1.1 - 150,000 - 14,029) × 10% = 49,597
5) 20×2년 말 리스채권의 장부금액: (600,000 × 1.1 - 150,000 - 14,029) × 1.1 - 150,000 = 395,568
6) 20×5년 이자수익: (150,000 + 30,000)/1.1 × 10% = 16,364

07 ① 1) 실제 잔존가치가 20,000인 경우 20×5년 당기손익에 미치는 영향: (1) + (2) + (3) = (2,309)
   (1) 이자수익: (150,000 + 50,540)/1.1 × 10% = 18,231
   (2) 잔존가치 보증손실: 20,000 - 50,540 = (30,540)
   (3) 보증이익: 30,000 - 20,000 = 10,000
2) 실제 잔존가치가 35,000인 경우 20×5년 당기손익에 미치는 영향: (1) + (2) = 2,691
   (1) 이자수익: (150,000 + 50,540)/1.1 × 10% = 18,231
   (2) 잔존가치 보증손실: 35,000 - 50,540 = (15,540)
   * 실제 잔존가치가 리스이용자가 보증한 30,000을 초과하므로 리스이용자가 보증할 금액은 없다.

08 ③　1) 20×1년 1월 1일 회계처리

	개시일	차) 리스채권	PV(리스료) 12,033,350	대) 매출(N/I)	PV(리스료) 12,033,350
		차) 매출원가(N/I)	BV - PV(무보증잔존가치) 8,706,000	대) 재고자산	BV 9,000,000
		리스채권	PV(무보증잔존가치) 294,000		
		차) 판매관리비	350,000	대) 현금	리스개설직접원가 350,000

2) 20×1년 1월 1일 동 거래가 ㈜태풍의 당기손익에 미치는 영향: (1) + (2) + (3) = 2,977,350
   (1) 매출액: Min[기초자산 FV, PV(리스료) by 시장 R]
       : Min[12,500,000, (3,500,000 × 3.3121 + 600,000 × 0.7350)] = 12,033,350
   (2) 매출원가: 기초자산 BV - PV(무보증잔존가치) by 시장 R
       : 9,000,000 - (1,000,000 - 600,000) × 0.7350 = (8,706,000)
   (3) 리스제공자의 리스개설직접원가: 판매관리비용처리
       : (350,000)

09 ③　20×1년 당기순이익에 미치는 영향: 125,789 - 100,000 - 1,000 + 15,095 = 39,884
1) 매출: Min[130,000, 125,789(= 50,000 × 2.4019 + 8,000 × 0.7118)] = 125,789
2) 매출원가: (-)100,000
3) 판매관리비: (-)1,000
4) 20×1년 리스채권의 이자수익: 125,789 × 12% = 15,095

10 ③　① 제조자 또는 판매자인 리스제공자의 운용리스 체결은 운용리스 리스기간 동안 수익을 인식한다.
② 금융리스로 분류되는 경우 리스제공자는 자신의 리스순투자금액에 일정한 기간수익률을 반영하는 방식
   으로 리스기간에 걸쳐 금융수익을 인식한다.
④ 기초자산의 소유에 따른 위험과 보상의 대부분을 이전하는 리스는 금융리스로 분류하고, 기초자산의 소
   유에 따른 위험과 보상의 대부분을 이전하지 않는 리스는 운용리스로 분류한다.
⑤ 제조자 또는 판매자인 리스제공자의 금융리스 체결은 금융리스 체결시점에 기초자산의 원가(원가와 장부
   금액이 다를 경우에는 장부금액)에서 무보증잔존가치의 현재가치를 뺀 금액을 매출원가로 인식한다.

11 ⑤　기초자산의 FV + 리스개설직접원가(제공자) = PV(리스료 + 무보증잔존가치)
1,000,000 + 0 = 고정리스료 × 3.3121 + 100,000 × 0.7350, 고정리스료 = 279,732

12 ②　1) 무보증잔존가치 변경 후 20×3년 초 장부금액
   : 2,000,000 × 2.4868 + (600,000 + 200,000) × 0.7513 = 5,574,640
2) 20×3년 이자수익: 5,574,640 × 10% = 557,464

13 ①　1) 20×1년 초 리스채권
   : 기초자산 공정가치 + 리스개설직접원가 300,000 = 3,000,000 × 2.4868 + 10,000,000 × 0.7513
   ● 기초자산의 공정가치: 14,673,400
2) 회수 시 손실금액: 20×3년 말 리스채권 10,000,000 - 보증잔존가치 7,000,000 = 3,000,000

14 ② ① 리스기간이 12개월 이내이고 기초자산이 소액이 아닌 모든 리스에 대하여 리스이용자는 자산과 부채를 인식하여야 한다.

③ 리스이용자의 규모, 특성, 상황이 서로 다르기 때문에, 기초자산이 소액인지는 절대적 기준에 따라 평가한다.

④ 단기리스에 대한 리스회계처리 선택은 기초자산의 유형별로 적용해야 한다.

⑤ 소액 기초자산 리스에 대한 리스회계처리 선택은 리스별로 적용해야 한다.

15 ③ 리스이용자의 보증잔존가치는 잔존가치 보증에 따라 리스이용자가 지급할 것으로 예상되는 금액을 말한다.

16 ② ① 리스이용자가 잔존가치 보증에 따라 지급할 것으로 예상되는 금액에 변동이 있는 경우에는 이를 반영하여 수정 리스료를 산정한 후 리스부채를 재측정한다. 이 경우 변경되지 않은 할인율을 사용하여 리스부채를 재측정한다.

③ 미래성과나 기초자산의 사용에 연동되어 리스료가 변동하는 경우에는 리스부채 측정치에 포함되지 않는다. 그러므로 이로 인한 변동리스료는 모두 당기손익으로 인식한다.

④ 리스기간 연장선택권이나 종료선택권의 행사로 인해 리스기간에 변경이 있는 경우 리스이용자는 변경된 리스기간에 기초하여 수정 리스료를 산정한 후 리스부채를 재측정한다. 이 경우 수정 할인율로 수정 리스료를 할인하여 리스부채를 다시 측정한다.

⑤ 기초자산을 매수하는 선택권 평가에 변동이 있는 경우 리스이용자는 매수선택권에 따라 지급할 금액의 변동을 반영하여 수정 리스료를 산정한 후 리스부채를 재측정한다. 이 경우 수정 할인율로 수정 리스료를 할인하여 리스부채를 다시 측정한다.

17 ② 1) 리스제공자의 리스개시일 리스채권: PV(정기리스료 + 보증잔존가치 + 무보증잔존가치) = 19,016,090

2) 리스이용자의 리스개시일 리스부채: PV(리스료) = 18,991,254

    * 리스이용자가 보증한 보증잔존가치 중 리스이용자가 지급할 것으로 예상되는 금액은 없으므로 리스료에서 제외한다.

3) 무보증잔존가치의 현재가치: 1) - 2) = (보증잔존가치 + 무보증잔존가치) × 0.6209 = 24,836

    ❍ 보증잔존가치 + 무보증잔존가치: 40,000

    ❍ 보증잔존가치: (보증잔존가치 + 무보증잔존가치) × 60% = 40,000 × 60% = 24,000

18 ④

차) 사용권자산	대차차액 907,748	대) 리스부채[1]	PV(지급되지 않은 리스료) 693,022
선수수익	받은 리스인센티브 80,000	선급리스료	개시일 전 미리 지급한 리스료 -
		현금	리스개설직접원가 20,000
		현금	개시일에 지급한 리스료 200,000
		복구충당부채[2]	PV(예상복구비용) 74,726

[1] 200,000 × 3.46511 = 693,022
[2] 100,000 × 0.74726 = 74,726

19 ③ 경우 1) 리스부채: 200,000 × 3.46511 + 100,000 × 0.74726 = 767,748
*행사가능성이 상당히 확실한 매수선택권 행사가격도 리스료에 포함한다.

경우 2) 리스부채: 200,000 × 2.67301 + 80,000 × 0.79209 = 597,969
*20×4년 12월 31일에 리스종료선택권을 행사할 것이 상당히 확실하기 때문에 리스기간을 4년으로 한다. 또한 종료선택권 행사 시 지급할 위약금 80,000도 리스료에 포함한다.

경우 3) 리스부채: 200,000 × 3.46511 = 693,022
*리스개시일 현재 잔존가치 보증으로 인하여 리스기간 종료 시 지급할 것으로 예상되는 금액은 없다고 추정하였으므로 리스료에 보증잔존가치를 포함시키지 않는다.

20 ④ 1) 리스개시일의 리스자산: 100,000 × 4.32948 + 50,000 × 0.78353 = 472,125
2) 20×5년 당기순이익에 미친 영향: (1) + (2) = (74,589)
  (1) 감가상각비: (472,125 - 0) ÷ 7년 = (67,446)
  (2) 이자비용: 150,000/1.05 × 5% = (7,143)

21 ① 20×1년 말 리스부채의 장부금액: 743,823/1.1 + (743,823 + 200,000)/1.1² = 1,456,222(단수차이)

22 ① 1) 20×1년 초 리스채권(순투자): 1,288,530(공정가치) + 30,000(리스개설직접원가) = 1,318,530
2) 20×1년 리스제공자 리스채권 이자수익: 1,318,530 × 10% = 131,853
3) 20×1년 초 리스부채: 500,000 × 2.4868 + 100,000 × 0.7513 = 1,318,530
4) 20×1년 초 사용권자산: 1,318,530 + 20,000 = 1,338,530
5) 20×1년 리스이용자 리스부채 이자비용: 1,318,530 × 10% = 131,853
6) 20×1년 리스이용자 사용권자산 감가상각비: 1,338,530 ÷ 4 = 334,633
7) 20×1년 리스이용자 당기순이익 감소: 131,853 + 334,633 = 466,486

23 ③ 1) 기초자산 A의 리스계약
  (1) 리스료를 산정할 때 사용한 지수나 요율(이율)의 변동이 아닌 다른 이유로 미래 리스료가 변동될 때는 당기손익으로 인식한다.
  (2) 기초자산 A의 리스료 변동에 따라 추가적으로 인식할 리스부채 증가금액은 없다.
2) 기초자산 B의 리스계약
  (1) 리스료를 산정할 때 사용한 지수나 요율(이율)의 변동으로 생기는 미래 리스료에 변동이 있는 경우에는 당초의 할인율로 할인하여 리스부채를 재측정한다.
  (2) 변경된 리스료: 30,000 × 132/120 = 33,000
  (3) 20×1년 말 리스부채의 증가금액: (33,000 + 33,000/1.08) - (30,000 + 30,000/1.08) = 5,778

24 ② 1) 리스료 현재가치: 500,000 + 500,000 × 1.7355 + 300,000 × 0.7513 = 1,593,140
2) 20×1년 리스부채 이자비용: (1,593,140 - 500,000) × 10% = 109,314
3) 사용권자산: 1,593,140 + 30,000 = 1,623,140
4) 사용권자산 감가상각비: 1,623,140 ÷ 5년 = 324,628
5) 이자비용과 감가상각비 합: 109,314 + 324,628 = 433,942

> ⊘**참고**
> 리스기간은 리스이용자가 기초자산 사용권을 갖는 해지불능기간과 다음 기간을 포함하는 기간을 말한다.
> 1. 리스이용자가 리스연장선택권을 행사할 것이 상당히 확실한 경우에 그 선택권의 대상 기간
> 2. 리스이용자가 리스종료선택권을 행사하지 않을 것이 상당히 확실한 경우에 그 선택권의 대상 기간

1) 20×1년 회계처리

20×1년 초	차) 사용권자산	2,401,830	대) 리스부채[1]	2,401,830
20×1년 말	차) 이자비용[2]	288,220	대) 현금	1,000,000
	리스부채	711,780		
	차) 감가상각비[3]	800,610	대) 감가상각누계액	800,610

[1] 리스개시일의 리스부채: 고정리스료 1,000,000 × 2.40183 = 2,401,830
[2] 20×1년 이자비용: 2,401,830 × 12% = 288,220
[3] 20×1년 감가상각비: (2,401,830 - 0)/3년 = 800,610

2) 20×3년 초의 재무상태표

  (1) 20×3년 초 리스부채(재평가 전): 1,000,000/1.12 = 892,857

  (2) 20×3년 초 리스부채(재평가 후): 1,000,000/1.1 + 800,000 × 0.82645 + 800,000 × 0.75131
                                  = 2,171,299

  (3) 20×3년 초 리스부채 조정액: 2,171,299 - 892,857 = 1,278,442

  (4) 재평가 전 20×3년 초 재무상태표

B/S

사용권자산	2,401,830	리스부채	892,857
(감가상각누계액)	(1,601,220)		
BV	800,610		

  (5) 재평가 후 20×3년 초 재무상태표

B/S

사용권자산	3,680,272	리스부채	2,171,299
(감가상각누계액)	(1,601,220)		
BV	2,079,052		

[20×3년 초 회계처리]

차) 사용권자산	1,278,442	대) 리스부채	1,278,442

* 20×3년 초에 연장선택권을 행사할 것이 상당히 확실하게 바뀌었기 때문에 연장된 기간과 수정 리스료를 고려하여 20×3년 초에 리스부채를 다시 측정하여야 한다. 이때 남은 기간의 내재이자율은 쉽게 산정할 수 없다고 하였으므로 20×3년 초 ㈜대한의 증분차입이자율 연 10%로 현재가치를 계산한다.

3) 20×3년 말 회계처리

차) 이자비용	217,130	대) 현금	1,000,000
리스부채	782,870		
차) 감가상각비	693,017	대) 감가상각누계액	693,017

  ❍ 20×3년 당기손익에 미친 영향: (910,147)

    (1) 이자비용: 2,171,299 × 10% = (217,130)

    (2) 감가상각비: (2,079,052[1] - 0) ÷ 3년 = (693,017)

      [1] 20×3년 초 리스부채 재평가 후 사용권자산 장부금액: 2,401,830 × 1/3 + 1,278,442 = 2,079,052

26 ② 1) 소비자물가지수를 반영한 20×3년 이후 리스료: 1,000,000 × 140/130 = 1,076,923

2) 20×3년 초 리스료 변동을 반영한 재평가한 리스부채: 1,076,923 × 2.48685 = 2,678,146

  *변동이자율의 변동에 따라 리스료가 변동된 것이 아니므로 변경되지 않은 당초의 할인율 10%를 이용하여 리스부채를 재평가한다.

3) 소비자물가지수 반영 전·후 리스부채 재평가 차액 = 2,678,146 - 2,486,859[1] = 191,287

  [1] 20×3년 초 재평가 전 리스부채: (3,790,793 × 1.1 - 1,000,000) × 1.1 - 1,000,000 = 2,486,859

4) 20×3년 초 회계처리

차) 사용권자산	191,286	대) 리스부채	191,286

5) 20×3년 초 사용권자산 조정 후 장부금액: 1,000,000 × 3.79079 × 3/5 + 191,287 = 2,465,761

6) 20×3년 감가상각비: 2,465,761 ÷ 3년 = 821,921

27 ⑤ 리스이용자는 하나 이상의 기초자산 사용권이 추가되어 리스의 범위가 넓어지고 개별 가격에 적절히 상응하여 리스대가가 증액된 경우에 리스변경을 별도 리스로 회계처리한다.

28 ③ 1) 20×1년 초 사용권자산의 장부금액: 3,000,000 × 2.5770 = 7,731,000

2) 20×2년 말 리스부채 장부금액(변경 전): 3,000,000 × 0.9259 = 2,777,700

3) 20×2년 말 리스부채 장부금액(변경 후): (3,000,000 + 500,000) × 0.9091 = 3,181,850

4) 20×2년 말 리스부채 변경액: 3,181,850 - 2,777,700 = 404,150

5) 20×2년 말 사용권자산의 장부금액(변경 후): 7,731,000 × 1/3 + 404,150 = 2,981,150

6) 20×3년 사용권자산의 감가상각비: 2,981,150 ÷ (4 - 2)년 = 1,490,575(단수차이)

29 ⑤ 1) 리스제공자의 당기손익에 미친 영향: 8,000,000 - 4,200,000 = 3,800,000

  (1) 리스료수익: (6,000,000 + 8,000,000 + 10,000,000)/3년 = 8,000,000

  (2) 감가상각비: 40,000,000/10년 + 600,000/3년 = (-)4,200,000

2) 리스이용자의 당기손익에 미친 영향: (-)1,628,144 - 6,883,933 = (-)8,512,077

  (1) 리스개시일의 리스부채: 6,000,000 × 0.9259 + 8,000,000 × 0.8573 + 10,000,000 × 0.7938 = 20,351,800

  (2) 리스개시일의 사용권자산: 20,351,800 + 300,000 = 20,651,800

  (3) 20×1년의 이자비용: 20,351,800 × 8% = (-)1,628,144

  (4) 20×1년의 사용권자산 상각비: 20,651,800/3년 = (-)6,883,933

30 ① 리스부채의 최초 측정 시 리스료의 현재가치는 리스이용자의 내재이자율을 사용하여 산정한다. 다만, 내재이자율을 쉽게 산정할 수 없는 경우에는 리스의 증분차입이자율로 리스료를 할인한다.

31 ② 1) 20×1년 초 사용권자산: 2,000,000 × 2.5770 + 246,000 = 5,400,000

2) 20×3년 초 변경 전 사용권자산: 5,400,000 × 1/3 = 1,800,000

3) 20×3년 초 변경 전 리스부채: 2,000,000 × 0.9259 = 1,851,800

4) 20×3년 초 변경 후 리스부채

  : 2,000,000 × 0.9091 + 2,200,000 × 0.8264 + 2,200,000 × 0.7513 = 5,289,140

5) 20×3년 초 리스부채 증가액: 4) - 3) = 3,437,340

6) 20×3년 말 사용권자산: (1,800,000 + 3,437,340) × 2/3 = 3,491,560

32 ④ 전대리스의 제공자는 기초자산이 아니라 상위리스에서 생기는 사용권자산에 따라 전대리스를 분류한다.

33 ① 판매후리스에서 자산의 이전이 판매에 해당하는 경우 판매자인 리스이용자는 구매자인 리스제공자에게 이전한 권리에 관련되는 차손익금액만을 당기손익으로 인식한다.

34 ② 별도 리스로 회계처리하지 않는 경우에 리스제공자 입장에서의 계약변경으로, 금융리스에서 운용리스로 변경될 수 있다. 이 경우 리스변경 유효일 직전의 리스순투자를 리스자산의 장부금액으로 대체한다.

35 ①

차) 현금	650,000	대) 기계장치	500,000
사용권자산[3]	457,421	금융부채[1]	50,000
		리스부채[2]	548,905
		처분이익	8,516

[1] 650,000 - 600,000 = 50,000
[2] 150,000 × 3.9927 - 50,000 = 548,905
[3] 500,000 × 548,905/600,000 = 457,421

36 ④ 1) 리스계약 변경시점의 회계처리
    (1) 범위 축소

차) 리스부채[1]	79,377	대) 사용권자산[2]	82,803
리스변경손실(N/I)	3,426		

[1] 257,707 - 100,000 × 1.7833 = 79,377
[2] 248,408 × 1/3 = 82,803(기간이 3년에서 2년으로 줄었으므로 1년을 축소한다)

    (2) 리스부채 재측정

차) 리스부채[1]	4,780	대) 사용권자산	4,780

[1] 178,330 - 100,000 × 1.7355 = 4,780

2) 기말 회계처리

차) 감가상각비[1]	80,413	대) 감가상각누계액	80,413
차) 이자비용[2]	17,355	대) 현금	100,000
리스부채	82,645		

[1] (248,408 - 82,803 - 4,780 - 0) ÷ 2년 = 80,413
[2] 173,550 × 10% = 17,355

  ◐ 20×2년 당기순이익에 미친 영향: (-)3,426 - 80,413 - 17,355 = (-)101,194

관련 유형 연습

01 ⑤ 계약에서 대가와 교환하여, 식별되는 자산의 사용통제권을 일정 기간 이전하게 한다면 그 계약은 리스이거나 리스를 포함한다.

02 ① ㈜한국리스의 당기순손익에 미치는 영향: 800,000 + (600,000) + (40,000) = 160,000
    1) 운용리스료수익: (600,000 + 800,000 + 1,000,000)/3 = 800,000
    2) 리스자산 감가상각비: 3,000,000/5 = (600,000)
    3) 리스개설직접원가: (90,000 + 30,000)/3 = (40,000)

03 ④ 20×1년 N/I에 미치는 영향: (51,253) + 160,000 = 108,747
    1) 리스채권 손상차손: [Max(50,000, 120,000) - 200,000]/1.16³ = (51,253)
    2) 이자수익: 1,000,000(리스채권 = 리스자산 FV) × 16% = 160,000

04 ③   매출액: Min[리스자산 FV, PV(리스료) by 시장 R]
         = Min[27,000,000, (10,000,000 × 2.5771 + 2,000,000 × 0.79383)] = 27,000,000

05 ①   리스개시일에 계상할 리스부채: PV(지급되지 않은 리스료) by 내재이자율 or 증분차입이자율
         = 1,000,000 × 1.69005 + 700,000 × 0.79719 = 2,248,083

06 ①   1) 리스개시일의 회계처리

차) 사용권자산[1]	2,757,720	대) 리스부채	2,401,830
		복구충당부채	355,890

[1] 사용권자산: 고정리스료 1,000,000 × 2.40183 + 복구비용추정치 500,000 × 0.71178 = 2,757,720

2) 20×1년 말 회계처리

차) 이자비용	288,220	대) 현금	1,000,000
리스부채	711,780		
차) 감가상각비	919,240	대) 감가상각누계액	919,240
차) 복구충당부채 전입액	42,707	대) 복구충당부채	42,707

3) 20×1년 F/S

B/S

사용권자산	2,757,720	리스부채[3]	1,690,050
(감가상각누계액)[1]	(919,240)	복구충당부채[4]	398,597
BV	1,838,480		

I/S

감가상각비[1]	919,240
이자비용[2]	288,220
전입액[5]	42,707

[1] 20×1년 감가상각비: (2,757,720 - 0) ÷ 3년 = (919,240)
[2] 20×1년 이자비용: (2,401,830) × 12% = (288,220)
[3] 20×1년 말 리스부채: 2,401,830 × 1.12 - 1,000,000 = 1,690,050
[4] 20×1년 말 복구충당부채: 355,890 × 1.12 = 398,597
[5] 20×1년 복구충당부채 전입액: (355,890) × 12% = (42,707)

  ◐ 20×1년 당기손익에 미치는 영향: (919,240) + (288,220) + (42,707) = (1,250,167)

07 ④ 1) 리스개시일의 리스부채: 100,000 × 4.45182 = 445,182

2) 리스개시일의 회계처리

차) 사용권자산	455,182	대) 리스부채	445,182
		현금	10,000

3) 20×1년 말 회계처리

차) 이자비용[1]	17,807	대) 현금	100,000
리스부채	82,193		
차) 감가상각비[2]	91,036	대) 감가상각누계액	91,036

[1] 445,182 × 4% = 17,807
[2] 455,182 ÷ 5년 = 91,036

4) 20×4년 초 리스부채의 변경 전 장부금액: $100,000/1.04 + 100,000/1.04^2 = 188,609$

5) 20×4년 초 리스부채 재측정 금액: 100,000 × 1.85941 + 90,000 × (3.54595 - 1.85941) = 337,730

6) 20×4년 초 회계처리

차) 사용권자산[1]	149,121	대) 리스부채	149,121

[1] 337,730 - 188,609 = 149,121

7) 20×4년 감가상각비: (455,182 × 2/5 + 149,121 - 0) ÷ 4년 = 82,799

08 ② 계약 자체가 리스인지, 계약이 리스를 포함하는지는 리스약정일에 판단한다. 계약에서 대가와 교환하여, 식별되는 자산의 사용 통제권을 일정 기간 이전하게 한다면 그 계약은 리스이거나 리스를 포함한다.

09 ① 1) 사용권자산
    (1) 추가금융: 판매금액 2,000,000 - 공정가치 1,800,000 = 200,000
    (2) 리스부채(사용권자산) 측정금액: 1,459,200 - 200,000(추가금융) = 1,259,200
    (3) 사용권자산 인식금액: 1,000,000 × 1,259,200/1,800,000 = 699,556

2) 이전할 권리의 차손익
    (1) 건물 처분이익: 1,800,000 - 1,000,000 = 800,000
    (2) 건물 공정가치 중 처분한 금액: 1,800,000 - 1,259,200(사용권자산 측정치) = 540,800
    (3) 이전한 권리의 차손익: 800,000 × 540,800/1,800,000 = 240,356

3) 회계처리

	차) 현금	2,000,000	대) 건물	1,000,000
20×1. 1. 1.	사용권자산	699,556	리스부채	1,259,200
			금융부채	200,000
			처분이익	240,356

01 ④   1) 리스채권의 장부금액: 1,261,000 × (1 + 10%) - 300,000 = 1,087,100
   2) 이자수익: 1,261,000 × 10% = 126,100

02 ⑤   1) 20×1년 초 리스제공자의 회계처리

| 차) 사용권자산 | 1,280,000 | 대) 리스부채[1) | 1,261,000 |
| | | 현금 | 19,000 |

   [1)] 300,000 × 3.79 + 500,000 × 40% × 0.62 = 1,261,000
   2) 20×1년 이자비용: 1,261,000 × 10% = 126,100
   3) 20×1년 감가상각비: (1,280,000 - 0)/8년 = 160,000
   4) 20×1년 말 사용권자산 장부금액: 1,280,000 - 160,000 = 1,120,000
   5) 20×1년 당기순이익에 미친 영향: 126,100 + 160,000 = (-)286,100

03 ①   20×1년 당기손익에 미치는 영향: (208,783)
   1) 리스부채: 200,000 × 2.72325 = 544,650
   * 리스개시일 현재 잔존가치 보증으로 인하여 리스기간 종료 시 지급할 것으로 예상되는 금액은 없다고 추정하였으므로 리스료에 포함 되지 않는다.
   2) 20×1년 당기손익에 미치는 영향: (1) + (2) = (208,783)
     (1) 이자비용: 544,650 × 5% = (27,233)
     (2) 감가상각비: (544,650 - 0) ÷ 3년 = (181,550)
       * 보증잔존가치를 리스기간 종료 시 지급할 것으로 예상하지 않으므로 감가상각 시에도 보증잔존가치를 고려하지 않는다.

04 ③   20×2년 당기손익에 미치는 영향: (225,088)
   1) 20×2년 초 리스부채의 변경 전 장부금액: 544,650 × 1.05 - 200,000 = 371,883
   2) 20×2년 초 리스부채의 재측정 금액: 200,000 × 1.85941 + 50,000 × 0.90703 = 417,234
   3) 20×2년 초의 회계처리

| 차) 사용권자산[1) | 45,351 | 대) 리스부채 | 45,351 |

   [1)] 417,234 - 371,883 = 45,351
   4) 20×2년 당기손익에 미치는 영향: (1) + (2) = (225,088)
     (1) 감가상각비: (544,650 - 181,550 + 45,351 - 0) ÷ 2년 = (204,226)
     (2) 이자비용: 417,234 × 5% = (20,862)

05 ④   1,000,000 = 고정리스료 × 3.1699 + 400,000 × 0.6830, 고정리스료 = 229,282

06 ⑤   1) 사용권자산 상각비: 50,000/5 = (-)10,000
   2) 리스부채 이자비용: 50,000 × 12% = (-)6,000
   3) 재평가손실: 35,000 - (50,000 - 10,000) = (-)5,000
   4) 당기순이익에 미치는 영향: 1) + 2) + 3) = (-)21,000

01

물음 1

구분	금액
사용권자산	① 2,100,000
유형자산처분이익	② 600,000

1) 리스료 현재가치: 853,617 × 4.1002 = 3,500,000
2) 사용권자산: 3,000,000(이전 자산 장부금액) × 3,500,000/5,000,000 = 2,100,000

[20×1년 초 회계처리]

차)	현금	5,000,000	대)	건물(장부금액)	3,000,000
	사용권자산	2,100,000		리스부채	3,500,000
				유형자산처분이익(대차차액)	600,000

물음 2

구분	금액
사용권자산 상각비	① 420,000
이자비용	② 245,000

1) 20×1년 사용권자산 상각비: 2,100,000 ÷ 5년 = 420,000
2) 20×1년 리스부채 이자비용: 3,500,000 × 7% = 245,000

물음 3

구분	금액
사용권자산	① 2,400,000
유형자산처분이익	② 400,000

1) 리스료 현재가치: 853,617 × 4.1002 = 3,500,000
2) 사용권자산: 3,000,000(이전 자산 장부금액) × (3,500,000 + 500,000[1])/5,000,000 = 2,400,000

  [1] 5,000,000 - 4,500,000 = 500,000

[20×1년 초 회계처리]

차)	현금	4,500,000	대)	건물(장부금액)	3,000,000
	사용권자산	2,400,000		리스부채	3,500,000
				유형자산처분이익(대차차액)	400,000

물음 4

20×1년 당기순이익에 미치는 영향: 1) + 2) = 228,617 증가
1) 운용리스자산 감가상각비: 5,000,000 ÷ 8년 = (-)625,000
2) 운용리스수익: 853,617

[20×1년 초 회계처리]

차)	건물	5,000,000	대)	현금	5,000,000

[20×1년 말 회계처리]

차)	감가상각비	625,000	대)	감가상각누계액	625,000
차)	현금	853,617	대)	리스료수익	853,617

물음 5

20×1년 당기순이익에 미치는 영향: 1) + 2) = 328,617 증가

1) 운용리스자산 감가상각비: 5,000,000 ÷ 8년 = (-)625,000

2) 운용리스수익: 853,617 + 500,000 ÷ 5년 = 953,617

[20×1년 초 회계처리]

| 차) | 건물 | 5,000,000 | 대) | 현금 | 4,500,000 |
| | | | | 선수리스료수익 | 500,000 |

[20×1년 말 회계처리]

차)	감가상각비	625,000	대)	감가상각누계액	625,000
차)	현금	853,617	대)	리스료수익	953,617
	선수리스료수익	100,000			

물음 6

구분	회계처리				
㈜민국	차) 현금	5,000,000	대) 금융부채	5,000,000	
㈜대한	차) 금융자산	5,000,000	대) 현금	5,000,000	

02

당기순이익에 미치는 영향	① (-)2,514,697
사용권자산	② 5,573,870
리스부채	③ 6,149,001

1) 20×1년 초 리스부채, 사용권자산: 2,000,000 × 4.6229 = 9,245,800

2) 20×3년 초 리스부채: (9,245,800 × 1.08 - 2,000,000) × 1.08 - 2,000,000 = 6,624,301

3) 20×3년 초 사용권자산: 9,245,800 × 4/6 = 6,163,867

4) 별도계약으로 간주하는 범위를 확장하는 리스계약변경으로 인해 추가되는 리스부채와 사용권자산:
   400,000 × 3.1699 = 1,267,960

5) 20×3년 당기순이익에 미치는 영향: (-)2,514,697
   (1) 기존계약의 이자비용: 6,624,301 × 8% = 529,944
   (2) 기존계약의 사용권자산 상각비: 9,245,800/6 = 1,540,967
   (3) 추가된 계약의 이자비용: 1,267,960 × 10% = 126,796
   (4) 추가된 계약의 사용권자산 상각비: 1,267,960/4 = 316,990

6) 20×3년 말 사용권자산: (6,163,867 + 1,267,960) - (1,540,967 + 316,990) = 5,573,870

7) 20×3년 말 리스부채: 6,624,301 × 1.08 - 2,000,000 + 1,267,960 × 1.1 - 400,000 = 6,149,001

구분	리스부채	리스변경손익
20×3년 1월 1일	① 380,388	② 16,216

구분	이자비용	감가상각비
20×3년 당기손익	③ 38,039	④ 91,043

1) 20×1년 초 리스부채: 200,000 × 5.0757(5%) = 1,015,140
2) 20×2년 말 사용권자산 장부금액: 1,015,140 × 4/6 = 676,760
3) 20×2년 말 리스부채 장부금액: (1,015,140 × 1.05 - 200,000) × 1.05 - 200,000 = 709,192
4) 20×3년 초 변경 후 리스부채: 120,000 × 3.1699(10%) = 380,388
5) 20×3년 초 회계처리

차) 리스부채	709,192 × 1/2	대) 사용권자산(순액)	676,760 × 1/2
		리스변경이익	16,216
차) 사용권자산[1]	25,792	대) 리스부채	25,792

[1] 120,000 × 3.1699(10%) - 709,192 × 1/2 = 25,792

6) 20×3년 이자비용: 380,388 × 10% = 38,039
7) 20×3년 감가상각비: (676,760 × 1/2 + 25,792 - 0) ÷ 4년 = 91,043

기초 유형 확인

01 ① 1) 20×4년 말 퇴직금 지급액: $10,000,000 \times 1.08^3 \times 2\% \times 4 = 1,007,770$
       2) 20×1년 당기근무원가: $1,007,770 \div 4 \div 1.12^3 = 179,327$

02 ② 1) 20×1년 말 확정급여채무: $1,007,770 \div 4 \div 1.12^3 = 179,327$
       2) 20×2년 말 확정급여채무: $179,327 \times 1.12 \times 2 = 401,692$
       3) 20×2년 퇴직급여: $401,692 - 179,327 = 222,365$

03 ②

확정급여채무

지급액	1,000,000	기초	4,500,000
		근무원가(당기 + 과거) A	800,000
		이자비용(기초 × 기초 R) B	360,000
기말 I	5,000,000	재측정요소 ①	340,000

사외적립자산

기초	4,200,000	지급액	1,000,000
기여금	200,000		
이자수익 C	336,000		
재측정요소 ②	64,000	기말 II	3,800,000

* 실제이자수익: C + ②

1) B/S 계정
  순확정급여부채
  ❍ I - II: 1,200,000
2) I/S 계정
  (1) 퇴직급여(N/I)
    ❍ A + B - C: 824,000

  (2) 재측정요소변동(OCI)
    ❍ ② - ①: (-)276,000

04 ③

확정급여채무

지급액	1,000,000	기초	4,500,000
		근무원가(당기 + 과거) A	800,000
		이자비용(기초 × 기초 R) B	384,000
기말 I	5,000,000	재측정요소 ①	316,000

사외적립자산

기초	4,200,000	지급액	1,000,000
기여금	200,000		
이자수익 C	336,000		
재측정요소 ②	64,000	기말 II	3,800,000

* 실제이자수익: C + ②

1) B/S 계정
  순확정급여부채
  ❍ I - II: 1,200,000
2) I/S 계정
  (1) 퇴직급여(N/I)
    ❍ A + B - C: 848,000

  (2) 재측정요소변동(OCI)
    ❍ ② - ①: (-)252,000

05 ④

<table>
<tr><td colspan="2" align="center">확정급여채무</td><td colspan="2"></td><td>1) B/S 계정</td></tr>
<tr><td>지급액</td><td align="right">30,000</td><td>기초</td><td align="right">500,000</td><td>순확정급여부채</td></tr>
<tr><td></td><td></td><td>근무원가(당기 + 과거) A</td><td align="right">25,000</td><td>● I - II: 35,400</td></tr>
<tr><td></td><td></td><td>이자비용(기초 × 기초 R) B</td><td align="right">29,100</td><td>2) I/S 계정</td></tr>
<tr><td>기말 I</td><td align="right">530,000</td><td>재측정요소 ①</td><td align="right">5,900</td><td>(1) 퇴직급여(N/I)</td></tr>
<tr><td></td><td></td><td></td><td></td><td>● A + B - C: 26,200</td></tr>
</table>

<table>
<tr><td colspan="2" align="center">사외적립자산</td><td colspan="2"></td><td></td></tr>
<tr><td>기초</td><td align="right">480,000</td><td>지급액</td><td align="right">30,000</td><td></td></tr>
<tr><td>기여금</td><td align="right">26,000</td><td></td><td></td><td>(2) 재측정요소변동(OCI)</td></tr>
<tr><td>이자수익 C</td><td align="right">27,900</td><td></td><td></td><td>● ② - ①: (-)15,200</td></tr>
<tr><td>재측정요소 ②</td><td align="right">(-)9,300</td><td>기말 II</td><td align="right">494,600</td><td></td></tr>
</table>

* 실제이자수익: C 27,900 + ② = 480,000 × 4% - 30,000 × 4% × 6/12, ② = (-)9,300
* 이자비용: 500,000 × 6% - 30,000 × 6% × 6/12 = 29,100
* 이자수익: 480,000 × 6% - 30,000 × 6% × 6/12 = 27,900

06 ② 05번 해설 참고

07 ④ 기초확정급여채무 A = 700,000
A + 근무원가 500,000 + 이자수익(A + 300,000) × 10% - 보험수리적이익 20,000 = 지급액 400,000 + 기말확정급여채무 880,000

08 ⑤ 기초사외적립자산: 800,000

<table>
<tr><td colspan="3" align="center">부분재무상태표</td></tr>
<tr><td>B사</td><td colspan="2" align="center">20×1년 1월 1일 현재</td></tr>
<tr><td>순확정급여자산</td><td></td><td></td></tr>
<tr><td>사외적립자산</td><td>①</td><td>800,000(역산)</td></tr>
<tr><td>확정급여채무</td><td>②</td><td>(-)700,000</td></tr>
<tr><td>자산인식상한효과</td><td>③</td><td>(-)40,000</td></tr>
<tr><td>자산인식상한</td><td>④</td><td>60,000</td></tr>
</table>

09 ④

<table>
<tr><td colspan="2" align="center">확정급여채무</td><td colspan="2"></td><td>1) B/S 계정</td></tr>
<tr><td>지급액</td><td align="right">400,000</td><td>기초</td><td align="right">700,000</td><td>순확정급여자산</td></tr>
<tr><td></td><td></td><td>근무원가(당기 + 과거) A</td><td align="right">500,000</td><td>● II - I - III = 80,000</td></tr>
<tr><td></td><td></td><td>이자비용(기초 × 기초 R) B</td><td align="right">100,000</td><td>2) I/S 계정</td></tr>
<tr><td>기말 I</td><td align="right">880,000</td><td>재측정요소 ①</td><td align="right">(-)20,000</td><td>(1) 퇴직급여(N/I)</td></tr>
<tr><td></td><td></td><td></td><td></td><td>● A + B - C + D: 524,000</td></tr>
</table>

<table>
<tr><td colspan="2" align="center">사외적립자산</td><td colspan="2"></td><td></td></tr>
<tr><td>기초</td><td align="right">800,000</td><td>지급액</td><td align="right">400,000</td><td></td></tr>
<tr><td>기여금</td><td align="right">500,000</td><td></td><td></td><td>(2) 재측정요소변동(OCI)</td></tr>
<tr><td>이자수익 C</td><td align="right">80,000</td><td></td><td></td><td>● ② - ① - ③: 44,000</td></tr>
<tr><td>재측정요소 ②</td><td align="right">10,000</td><td>기말 II</td><td align="right">990,000</td><td></td></tr>
</table>

자산인식상한효과		
	기초	40,000
	이자비용 D	4,000
기말 III 30,000	재측정요소 ③	(-)14,000

* 실제이자수익: C + ② = 90,000
* 이자비용: (700,000 + 300,000) × 10% = 100,000
* 이자수익: 800,000 × 10% = 80,000
* 기말자산인식상한효과: 990,000 - (880,000 + 80,000) = 30,000

10 ⑤ 09번 해설 참고

11 ④

구분	P	Q			누적(B/S)	당기(I/S)
	공정가치	인원	부여수량	적수	보상원가	당기원가
20×1년	① 150	× ② (500 - 75)	× ③ 100	× ④ 1/3	= A 2,125,000	A 2,125,000
20×2년	① 150	× ② - 1 (500 - 60)	× ③ 100	× ④ 2/3	= B 4,400,000	B - A 2,275,000

12 ② 1st: 주식선택권 1개 행사 시 회계처리

차) 현금	행사가격	대) 자본금	액면가
	600		500
주식선택권	FV	주식발행초과금	행사가 + FV - 액면가
	150		250

2nd: 가득수량 고려
- 행사시점의 자본 증가액: 주식선택권 1개 행사 시 행사가격 × 행사수량
  : @600 × 30,000개 = 18,000,000
- 행사시점의 주식발행초과금 증가액: 주식선택권 1개 행사 시 주식발행초과금 × 행사수량
  : @250 × 30,000개 = 7,500,000

13 ②

차) 현금	행사가격	대) 자기주식	BV
	600 × 30,000개 = 18,000,000		30,000,000
주식선택권	FV		
	150 × 30,000개 = 4,500,000		
자기주식처분손실	7,500,000		

14 ① 3,750,000 ÷ (600 + 150 - 500) ÷ 100개 = 150명

15 ③ 주식보상비용: 5,590,000
1) 재측정: 43,000개 × (880 - 750) = 5,590,000

차) 주식보상비용	5,590,000	대) 주식선택권	5,590,000

2) 행사

차) 현금	20,000개 × 600	대) 자본금	20,000개 × 500
주식선택권	20,000개 × (880 - 600)	주식발행초과금	7,600,000

16 ④ 1) 20×1년 ~ 20×2년 주식보상비용

구분	공정가치	인원	부여	적수	B/S	I/S
20×1년	300	100 - 5 - 15	100	1/3	800,000	800,000
20×2년	300	100 - 5 - 10 - 12	100	2/3	1,460,000	660,000

2) 증분공정가치에 따른 20×2년 주식보상비용 추가 인식액: 219,000

구분	증분공정가치	인원	부여	적수	B/S	I/S
20×2년	260 - 200	100 - 5 - 10 - 12	100	1/2	219,000	219,000

○ 20×2년 당기순이익에 미친 영향: (-)879,000

17 ② 20×3년 당기순이익에 미친 영향: (-)2,365,000

차) 주식보상비용[1]	1,090,000	대) 주식선택권	1,090,000
차) 주식선택권	2,550,000	대) 현금[2]	2,125,000
		주식선택권청산이익(자본)	425,000
차) 주식보상비용	1,275,000	대) 현금[3]	1,275,000

[1] @300 × 100개 × (100 - 5 - 10)명 - 1,460,000 = 1,090,000
[2] @250 × 100개 × (100 - 5 - 10)명 = 2,125,000
[3] (@400 - @250) × 100개 × (100 - 5 - 10)명 = 1,275,000

18 ③ 20×2년도에 인식할 주식보상비용: 32,400 + 49,920 = 82,320
주식보상비용

구분	P	Q			누적(B/S)	당기(I/S)
	공정가치	인원	부여수량	적수	보상원가	당기원가
20×1년	① 360	× ② (100 - 30)	× ③ 10	× ④ 1/3	= A 84,000	A 84,000
20×2년	① 360	× ② (100 - 10)	× ③ 1	× ④ 3/3	= 32,400	32,400
	① 360	× ② (100 - 38[1])	× ③ 9	× ④ 2/3	= B 133,920	B - A 49,920

[1] 10 + 15 + 13 = 38

19 ③ B사의 20×4년도 당기순이익에 미친 영향: (-)615,000 감소
1) 평가: (@250 - @160) × 85명 × 100개 = 765,000 주식보상비용
2) 행사: (@200[1] - @250) × 30명 × 100개 = (-)150,000 주식보상비용환입

[1] 20×4년 말 주가 700 - 행사가격 500 = 200

20 ④ 20×5년 말 주가차액보상권의 개당 공정가치: @280
1) 20×4년 말 미지급비용: @250 × (85 - 30)명 × 100개 = 1,375,000
2) 20×5년 말 미지급비용: 1,375,000 + 165,000 = 1,540,000
3) 20×5년 말 개당 공정가치(@A) = 280

* @A × (85 - 30)명 × 100개 = 1,540,000, @A = 280

01 ②

R = 10%	20×1년	20×2년	20×3년
당기근무원가	$11,449/1.1^2 = 9,462$	$11,449/1.1 = 10,408$	11,449
이자비용[1]	–	$9,462 \times 10\% = 946$	$10,408 \times 2 \times 10\% = 2,082$
퇴직급여	9,462	11,354	13,531

[1] 이자비용: 기초확정급여채무 × 할인율

① 20×3년 말 확정급여채무: $1,000,000 \times (1 + 7\%)^2 \times 1\% \times 3년 = 34,347$

② 매 기간 확정급여채무 배분액: $34,347/3년 = 11,449$

20×1년	차) 퇴직급여	9,462	대) 확정급여채무	9,462
20×2년	차) 퇴직급여	11,354	대) 확정급여채무	11,354
20×3년	차) 퇴직급여	13,531	대) 확정급여채무	13,531

02 ⑤

확정급여채무			
지급액	1,000,000	기초	4,500,000
		근무원가(당기 + 과거) A	800,000
		이자비용(기초 × 기초 R) B	360,000
기말 I	5,000,000	재측정요소 ①	340,000

사외적립자산			
기초	4,200,000	지급액	1,000,000
기여금	200,000		
이자수익 C	336,000		
재측정요소 ②	64,000	기말 II	3,800,000

* 실제이자수익: C + ②

1) B/S계정

순확정급여부채

❶ I - II: 1,200,000

2) I/S계정

(1) 퇴직급여(N/I)

❶ A + B - C: 824,000

(2) 재측정요소변동(OCI)

❶ ② - ①: (276,000)

03 ②

확정급여채무			
지급액	75,000	기초	x
		근무원가(당기 + 과거) A	50,000
		이자비용(기초 × 기초 R) B	$x \times 12\%$
기말 I	254,400	재측정요소 ①	5,000

❶ 기초 확정급여채무(x): $x + 50,000 + x \times 12\% + 5,000 = 75,000 + 254,400$, $x = 245,000$

04 ②

<table>
<tr><th colspan="2" style="text-align:center">순확정급여채무</th></tr>
<tr><td>기여금</td><td style="text-align:right">2,000</td><td>기초</td><td style="text-align:right">2,000</td></tr>
<tr><td></td><td></td><td>근무원가</td><td style="text-align:right">4,000</td></tr>
<tr><td></td><td></td><td>이자비용</td><td style="text-align:right">2,000 × R</td></tr>
<tr><td>기말</td><td style="text-align:right">5,180</td><td>재측정요소</td><td style="text-align:right">1,040</td></tr>
</table>

20×1년 초 현재가치측정에 적용한 할인율(R): 7%

$7,180 = 2,000 + 4,000 + 2,000 × R + 1,040$

* 퇴직금지급액의 회계처리는 차) 확정급여채무 3,000 대) 사외적립자산 3,000이므로 순확정급여채무에 영향을 미치지 않는다.

05 ④

<table>
<tr><th colspan="2" style="text-align:center">순확정급여채무</th></tr>
<tr><td>기여금</td><td style="text-align:right">500,000</td><td>기초</td><td style="text-align:right">200,000</td></tr>
<tr><td></td><td></td><td>근무원가</td><td style="text-align:right">300,000</td></tr>
<tr><td></td><td></td><td>이자비용</td><td style="text-align:right">200,000 × 5% = 10,000</td></tr>
<tr><td>기말</td><td style="text-align:right">100,000</td><td>재측정요소</td><td style="text-align:right">90,000(역산)</td></tr>
</table>

차)	퇴직급여(N/I)	310,000	대)	순확정급여채무	310,000
차)	재측정손실(OCI)	90,000	대)	순확정급여채무	90,000

06 ④

①⑤ 확정급여제도의 정산으로 인한 손익은 근무원가로서 당기손익으로 인식한다. 한편, 기타포괄손익으로 인식한 순확정급여부채(자산)의 재측정요소는 아래와 같다.

- 보험수리적손익
- 사외적립자산의 수익(순확정급여부채(자산)의 순이자에 포함된 금액 제외)
- 자산인식상한효과의 변동(순확정급여부채(자산)의 순이자에 포함된 금액 제외)

②③ 자산의 원가에 포함하는 경우를 제외하고는 확정급여원가의 구성요소를 다음과 같이 인식한다.

- 근무원가를 당기손익에 인식
- 순확정급여부채(자산)의 순이자를 당기손익에 인식
- 순확정급여부채(자산)의 재측정요소를 기타포괄손익에 인식

④ 보험수리적위험과 투자위험은 확정급여제도하에서 기업이 실질적으로 부담하며, 확정기여제도하에서 종업원이 실질적으로 부담한다.

07 ③

<table>
<tr><th colspan="2" style="text-align:center">확정급여채무</th></tr>
<tr><td>지급액</td><td style="text-align:right">90,000</td><td>기초</td><td style="text-align:right">150,000</td></tr>
<tr><td></td><td></td><td>근무원가(당기 + 과거) A</td><td style="text-align:right">62,000</td></tr>
<tr><td></td><td></td><td>이자비용(기초 × 기초 R) B</td><td style="text-align:right">9,000</td></tr>
<tr><td>기말 I</td><td style="text-align:right">140,000</td><td>재측정요소 ①</td><td style="text-align:right">9,000</td></tr>
</table>

<table>
<tr><th colspan="2" style="text-align:center">사외적립자산</th></tr>
<tr><td>기초</td><td style="text-align:right">120,000</td><td>지급액</td><td style="text-align:right">90,000</td></tr>
<tr><td>기여금</td><td style="text-align:right">100,000</td><td></td><td></td></tr>
<tr><td>이자수익 C</td><td style="text-align:right">7,200</td><td></td><td></td></tr>
<tr><td>재측정요소 ②</td><td style="text-align:right">7,800</td><td>기말 II</td><td style="text-align:right">Min[146,000, 140,000 + 5,000]</td></tr>
</table>

* 실제이자수익: C + ②

1) B/S계정

순확정급여자산

❍ I - II: (5,000)

한도: (5,000)

2) I/S계정

(1) 퇴직급여(N/I)

❍ A + B - C: 63,800

(2) 재측정요소변동(OCI)

❍ ② - ①: (1,200)

08 ⑤

확정급여채무			
지급액	100,000	기초	500,000
		근무원가(당기 + 과거) A	700,000
		이자비용(기초 × 기초 R) B	25,000
기말 Ⅰ	1,200,000	재측정요소 ①	75,000

사외적립자산			
기초	550,000	지급액	100,000
기여금	650,000		
이자수익 C	27,500		
재측정요소 ②	222,500	기말 Ⅱ	1,350,000

자산인식상한효과			
		기초	
		이자비용 D	-
기말 Ⅲ	50,000	재측정요소 ③	50,000

* 실제이자수익: C + ②
* 기말자산인식상한효과: Ⅱ - (Ⅰ + 자산인식상한) = 1,350,000 - (1,200,000 + 100,000) = 50,000

1) B/S계정
   순확정급여자산
   ➋ Ⅱ - Ⅰ - Ⅲ: 100,000

2) I/S계정
   (1) 퇴직급여(N/I)
   ➋ A + B - C + D: 697,500

   (2) 재측정요소변동(OCI)
   ➋ ② - ① - ③: 97,500

---

09 ②

1) 당기 순이자비용: (900,000 - 720,000) × 10% - 60,000 × 10% × 3/12 = 16,500
2) 기말 순확정급여부채: (900,000 - 720,000) + 120,000 + 16,500 - 60,000 = 256,500

---

10 ④

기타포괄손익에 인식되는 순확정급여부채(자산)의 재측정요소는 후속기간에 당기손익으로 재분류하지 아니하지만 기타포괄손익에 인식된 금액을 자본 내에서 대체할 수 있다.

---

11 ②

확정급여채무			
지급액	100,000	기초	1,000,000
		근무원가(당기 + 과거) A	900,000
		이자비용(기초 × 기초 R) B	80,000
기말 Ⅰ	2,100,000	재측정요소 ①	220,000

사외적립자산			
기초	1,100,000	지급액	100,000
기여금	1,000,000		
이자수익 C	88,000		
재측정요소 ②	212,000	기말 Ⅱ	2,300,000

자산인식상한효과			
		기초[1]	40,000
		이자비용 D	3,200
기말 Ⅲ[2]	50,000	재측정요소 ③	6,800

[1] 기초자산인식상한효과: 1,100,000 - 1,000,000 - 60,000 = 40,000
[2] 기말자산인식상한효과: 2,300,000 - 2,100,000 - 150,000 = 50,000

1) B/S계정
   순확정급여자산
   ➋ Ⅱ - Ⅰ - Ⅲ: 150,000

2) I/S계정
   (1) 퇴직급여(N/I)
   ➋ A + B - C + D: 895,200

   (2) 재측정요소변동(OCI)
   ➋ ② - ① - ③: (14,800)

12 ③ 1) t계정 분석

확정급여채무			
지급액	40,000	기초	500,000
		근무원가(당기 + 과거) A	650,000
		이자비용(기초 × 기초 R) B	30,000
기말 I	1,150,000	재측정요소 ①	10,000

사외적립자산			
기초	460,000	지급액	40,000
기여금	380,000		
이자수익 C	27,600		
재측정요소 ②	22,400	기말 II	850,000

1) B/S계정

순확정급여부채

❍ I - II: 300,000

2) I/S계정

(1) 퇴직급여(N/I)

❍ A + B - C: 652,400

(2) 재측정요소변동(OCI)

❍ ② - ①: 12,400

2) 총포괄손익에 미친 영향: (-)652,400 + 12,400 = (-)640,000[1]

[1] 별해: (850,000 - 460,000) - (1,150,000 - 500,000) - 380,000 = (-)640,000

13 ④ 1) 확정급여채무: 1,000,000 + 240,000 + 1,000,000 × 10% - 보험수리적손익 = 100,000 + 1,200,000

❍ 보험수리적이익: 40,000

2) 사외적립자산: 600,000 + 300,000 + 600,000 × 10% + 재측정손익 = 100,000 + 850,000

❍ 재측정손실: 10,000

3) 기타포괄손익에 미친 영향: 40,000 - 10,000 = 30,000

14 ③ 확정급여제도에서 확정급여채무와 사외적립자산에 대한 순확정급여부채(자산)의 순이자는 당기손익으로 인식한다. 또한 자산인식상한효과에 대한 순확정급여부채(자산)의 순이자도 당기손익으로 인식한다.

15 ①

확정급여채무			
지급액	240,000	기초	1,200,000
		근무원가(당기 + 과거) A	300,000
		이자비용(기초 × 기초 R) B[1]	104,000
기말 I	1,400,000	재측정요소 ①	36,000

사외적립자산			
기초	900,000	지급액	240,000
기여금	120,000		
이자수익 C[2]	78,000		
재측정요소 ②	62,000	기말 II	920,000

1) B/S계정

순확정급여부채

❍ I - II: 480,000

2) I/S계정

(1) 퇴직급여(N/I)

❍ A + B - C: 326,000

(2) 재측정요소변동(OCI)

❍ ② - ①: 26,000

[1] 1,200,000 × 10% - 240,000 × 10% × 8/12 = 104,000

[2] 900,000 × 10% + 120,000 × 10% × 4/12 - 240,000 × 10% × 8/12 = 78,000

❍ 총포괄이익: (-)326,000 + 26,000 = (-)300,000

16 ②

확정급여채무

지급액	150,000	기초	305,000
		근무원가(당기 + 과거) A	190,000
		이자비용(기초 × 기초 R) B	30,500
기말 I	373,000	재측정요소(보험수리적손익) ①	-2,500

(1) 퇴직급여(N/I)
  ● A + B - C: 172,500

사외적립자산

기초	300,000	지급액	150,000
기여금	180,000		
이자수익 C¹⁾	48,000		
재측정요소 ②	-4,000	기말 II Min[(373,000 + 1,000), 375,000]	

(2) 재측정요소변동(OCI)
  ● ② - ①: (-)1,500

¹⁾ (300,000 + 180,000) × 10% = 48,000

17 ⑤ 확정급여제도에서 순확정급여부채(자산)를 재측정하는 경우가 아닌 일반적인 순확정급여부채(자산)의 순이자는 기초의 순확정급여부채(자산)와 할인율을 사용하여 결정한다.

18 ③ 1) 가득조건 판단

구분	P		Q		
	공정가치		인원	부여수량	적수
용역제공조건	최초 부여일 FV(고정)		변동	고정	고정

2) TOOL 적용

구분	P	Q			누적(B/S)	당기(I/S)
	공정가치	인원	부여수량	적수	보상원가	당기원가
20×1년	① 360	× ② (100 - 10 - 20)	× ③ 1,000	× ④ 1/3	= A 8,400,000	A 8,400,000
20×2년	① - 1 360	× ② - 1 (100 - 10 - 15 - 13)	× ③ - 1 1,000	× ④ - 1 2/3	= B 14,880,000	B - A 6,480,000

19 ① 1) 가득조건 판단

구분	P		Q		
	공정가치		인원	부여수량	적수
비시장성과조건	행사가격 변동으로 변동가능		변동	변동가능	변동가능

2) TOOL 적용

구분	P	Q			누적(B/S)	당기(I/S)
	공정가치	인원	부여수량	적수	보상원가	당기원가
20×1년	① 600	× ② (20 - 5)	× ③ 1,000	× ④ 1/2	= A 4,500,000	A 4,500,000
20×2년	① - 1 500	× ② - 1 (20 - 4)	× ③ - 1 1,000	× ④ - 1 2/2	= B 8,000,000	B - A 3,500,000

* 비시장성과조건으로 매년 성과의 달성 여부에 따라 행사가격의 변동으로 가득기간 동안 주식선택권의 공정가치가 변동할 수 있다.

20 ①

구분	공정가치	× 인원	× 부여	× 적수	= B/S	I/S
20×1년	3,000	100 - 12	10	1/2	1,320,000	1,320,000
20×2년	3,000	100 - 18	10	2/3	1,640,000	320,000

21 ①

1) TOOL 적용

구분	P	Q			누적(B/S)	당기(I/S)
	공정가치	인원	부여수량	적수	보상원가	당기원가
20×2년	① 1,000	×② 10 × (1 - 16%)	×③ 10	×④ 2/3	= A 56,000	A - 20×1년 원가 28,000
20×3년	① 1,000	×② - 1 10 × (1 - 13%)	×③ - 1 10	×④ - 1 3/3	= B 87,000	B - A 31,000

2) 행사 시 회계처리

차) 현금	행사가격	대) 자기주식	BV
	15,000 × 50 = 750,000		700,000
주식선택권	FV	자기주식처분이익	대차차액
	1,000 × 50 = 50,000		100,000

  ● 행사시점의 자본 증가액: 행사가격 × 행사수량 = 15,000 × 50 = 750,000

22 ⑤

[1st: 주식선택권 1개 행사 시 회계처리]

차) 현금	행사가격	대) 자본금	액면가
	600		500
주식선택권	FV	주식발행초과금	행사가 + FV - 액면가
	300		400

[2nd: 가득수량 고려]

1) 행사시점의 자본 증가액: 행사가격 × 행사수량

  = 600 × (40 - 2 - 4 - 1)명 × 40개 × 50% = 396,000

2) 행사시점의 주식발행초과금 증가액: 1개 행사 시 주식발행초과금 × 행사수량

  = 400 × (40 - 2 - 4 - 1)명 × 40개 × 50% = 264,000

23 ③

1) 주식기준보상거래 A

차) 주식기준보상비용[1]	405,000	대) 미가득주식	405,000

[1] @300 × 90명 × 20주 × 9/12 = 405,000

2) 주식기준보상거래 B

차) 기계장치	64,000	대) 자본금	××
		주식발행초과금	××
		● 주식발행가액 64,000	

3) 주식기준보상거래 C

20×1. 11. 1.	차) 원재료	80,000	대) 미발행자본	80,000
20×1. 12. 1.	차) 원재료	50,000	대) 미발행자본	50,000
	차) 미발행자본	130,000	대) 자본금	××
			주식발행초과금	××
			● 주식발행가액 130,000	

● 당기순이익의 영향을 제외한 자본 증가금액: 405,000 + 64,000 + 130,000 = 599,000

24 ③ 현금결제형 주식기준보상거래의 경우에 제공받는 재화나 용역과 그 대가로 부담하는 부채를 부채의 공정가치로 측정하며, 부채가 결제될 때까지 매 보고기간 말과 결제일에 부채의 공정가치를 재측정한다.

25 ② 주식결제형 주식기준보상거래에서 부여한 지분상품의 공정가치에 기초하여 거래를 측정하는 때에는 시장가격을 구할 수 있다면, 지분상품의 부여조건을 고려한 공정가치와 가치평가기법을 사용하여 부여한 지분상품의 공정가치 중 지분상품의 부여조건을 고려한 공정가치를 선택하여 측정한다.

26 ⑤ 1) 가득조건 구분

구분	P	Q		
	공정가치	인원	부여수량	적수
비시장성과조건	고정	변동	변동	고정

2) TOOL 적용

구분	P	Q			누적(B/S) 보상원가	당기(I/S) 당기원가
	공정가치	인원	부여수량	적수		
20×2년	① 300	×② 100	×③ 150	×④ 2/3	= A 3,000,000	A 3,000,000
20×3년	① 300	×②-1 100	×③-1 0	×④-1 3/3	= B 0	B-A (-)3,000,000

   ❍ 20×3년 당기순이익에 미치는 영향: 3,000,000(주식보상비용환입)

27 ① 1) 가득조건 판단

구분	P	Q		
	공정가치	인원	부여수량	적수
용역제공조건	최초 부여일 FV(고정)	변동	고정	고정

2) TOOL 적용
  (1) 기존 부여일의 공정가치 기준 주식기준보상거래

구분	P	Q			누적(B/S) 보상원가	당기(I/S) 당기원가
	공정가치	인원	부여수량	적수		
20×1년	① 300	×② (100 - 2 - 8)	×③ 100	×④ 1/3	= A 900,000	A 900,000
20×2년	①-1 300	×②-1 (100 - 6 - 6)	×③-1 100	×④-1 2/3	= B 1,760,000	B-A 860,000

  (2) 증분공정가치 기준 주식기준보상거래

구분	P	Q			누적(B/S) 보상원가	당기(I/S) 당기원가
	공정가치	인원	부여수량	적수		
20×2년	증분 FV 50	×②-1 (100 - 6 - 6)	×③-1 100	×잔여기간 기준 1/2	= D 220,000	D 220,000

   * 증분공정가치: 조건변경 후에 측정한 변경된 지분상품의 FV - 조건변경 직전에 측정한 당초 지분상품의 FV = 120 - 70 = 50
  ❍ 20×2년 보상원가: (B - A) + D = (860,000) + (220,000) = (1,080,000)

28

② 1) 가득조건 판단

구분	P	Q		
	공정가치	인원	부여수량	적수
용역제공조건	최초 부여일 FV(고정)	변동	고정	고정

2) TOOL 적용

구분	P	Q			누적(B/S)	당기(I/S)
	공정가치	인원	부여수량	적수	보상원가	당기원가
20×1년	① 10	×② 6,000	×③ 100	×④ 1/3	= A 2,000,000	A 2,000,000
20×2년	①-1 10	×②-1 6,000	×③-1 100	×④-1 2/3	= B 4,000,000	B - A 2,000,000

[1st: 미인식잔여보상원가의 인식]

차) 주식보상비용(N/I) 미인식잔여분 2,000,000	대) 주식선택권	2,000,000

[2nd: 지분상품(주식선택권)의 청산손익 인식]

현금청산액 20(개당)	• 공정가치 초과지급액 ❍ 주식보상비용으로 인식 ❍ 현금청산액 - 지분상품 FV: (20 - 16) × 600,000
청산일의 지분상품 공정가치 16(개당)	
지분상품의 장부금액(부여일 공정가치) 10(개당)	• 부여한 지분상품 중도 청산손익 ❍ 자본항목으로 처리: (16 - 10) × 600,000

차) 주식선택권	BV	대) 현금	FV
	10 × 600,000 = 6,000,000		16 × 600,000 = 9,600,000
주식선택권청산손실	자본항목		
	3,600,000		
차) 주식보상비용(N/I)	N/I	대) 현금	지급액 - FV
	2,400,000		(20 - 16) × 600,000 = 2,400,000

❍ 중도청산 시 N/I에 미치는 영향: 잔여보상원가 즉시 인식 + (현금지급액 - FV)
= (2,000,000) + (2,400,000) = (4,400,000)
❍ 중도청산 시 자본총계에 미치는 영향: 현금지급액
= (20) × 600,000개 = (12,000,000)

29

④ 20×2년도에 인식할 주식보상비용: 32,400 + 49,920 = 82,320

구분	P	Q			누적(B/S)	당기(I/S)
	공정가치	인원	부여수량	적수	보상원가	당기원가
20×1년	① 360	×② (100 - 30)	×③ 10	×④ 1/3	= A 84,000	A 84,000
20×2년	①-1 360	×②-1 (100 - 10)	×③-1 1	×④-1 3/3	= 32,400	32,400
	①-2 360	×②-2 62[1]	×③-2 9	×④-2 2/3	= B 133,920	B - A 49,920

[1] 100 - 10 - 15 - 13 = 62

Self Study

> 조건변경으로 인해 부여한 지분상품의 수량이 감소하는 경우에는 중도청산의 경우와 동일한 방법으로 회계처리한다.

30 ③ 1) 기존 부여일의 공정가치 기준 주식기준보상거래

| 구분 | P | Q | | | 누적(B/S) | 당기(I/S) |
	공정가치	인원	부여수량	적수	보상원가	당기원가
20×1년	① 200	×② 300 × 80%	×③ 10	×④ 1/4	= A 120,000	A 120,000
20×2년	① 200	×② - 1 300 × 90%	×③ 10	×④ 2/4	= B 270,000	B - A 150,000

2) 증분공정가치 기준 주식기준보상거래

| 구분 | P | Q | | | 누적(B/S) | 당기(I/S) |
	공정가치	인원	부여수량	적수	보상원가	당기원가
20×2년	증분 FV 20	×② - 1 300 × 90%	×③ 10	× 잔여기간 기준 1/3	= D 18,000	D 18,000

○ 20×2년 주식보상비용: (B - A) + D = 150,000 + 18,000 = 168,000

31 ④ 1) 잔여보상원가의 인식(개당)

차) 주식보상비용[1]	200	대) 주식선택권	200

[1] 600 × 3/3 - 600 × 2/3 = 200

2) 청산(개당)

차) 주식선택권	BV 600	대) 현금	FV 660
자본	자본항목 60		
차) 주식보상비용	N/I 40	대) 현금	지급액 - FV 40

3) 20×3년도 당기순이익에 미치는 영향(주식보상비용): -(200 + 40) × 100명 × 100개 = (-)2,400,000

32 ② 1) 20×2년 말 주식선택권 장부금액: @(55 - 50) × (100 - 20)명 × 10개 × 2/3 = 2,667
2) 20×3년 말 주식선택권 장부금액: @(60 - 50) × 72명 × 10개 × 3/3 = 7,200
3) 20×3년 주식보상비용: 7,200 - 2,667 = 4,533
4) 20×4년 말 주식선택권 장부금액: (720 - 400)개 × @(70 - 50) = 6,400

33 ② 1) 20×4년 일부 행사 시 20×4년 주식보상비용

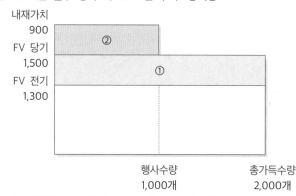

① 재측정: (FV 당기 - FV 전기) × 총가득수량
= (1,500 - 1,300) × 2,000 = 400,000
② 행사: (내재가치 - FV 당기) × 행사수량
= (900 - 1,500) × 1,000 = (600,000)
❍ 기말 일부 행사 시 주식보상비용환입: 400,000 - 600,000 = (200,000)
❍ 현금지급액: 내재가치[1] × 행사수량 = 900 × 1,000개 = 900,000
　[1] 20×4년 내재가치: 보통주 FV - 행사가격 = 1,900 - 1,000 = 900

2) 20×4년 말 회계처리

① 재측정	차)	주식보상비용	400,000	대)	장기미지급비용	400,000
② 행사	차)	장기미지급비용	1,500,000	대)	현금	900,000
					주식보상비용환입	600,000

34 ② 1) 평가에 따른 주식보상비용(환입)
: @1,400 × 73명 × 10개 - @1,260 × (100 - 10 - 12 - 8) × 10개 × 2/3 = 434,000
2) 행사에 따른 주식보상비용(환입): @(1,200 - 1,400) × 28명 × 10개 = (-)56,000
❍ 20×3년 당기비용: 434,000 - 56,000 = 378,000

35 ⑤ ① 현금결제형 주식기준보상거래의 경우 제공받는 재화나 용역과 그 대가로 부담하는 부채를 부채의 공정
가치로 측정하며, 부채가 결제될 때까지 매 보고기간 말과 결제일에 부채의 공정가치를 재측정한다.
② 주식결제형 주식기준보상거래로 가득된 지분상품이 추후 상실되거나 주식선택권이 행사되지 않은 경우
에는 종업원에게서 제공받은 근무용역에 대해 인식한 금액을 환입하여 자본으로 처리한다.
③ 부여한 지분상품의 공정가치를 신뢰성 있게 추정할 수 없어 내재가치로 측정한 경우에는 부여일부터
가득일까지 내재가치 변동을 재측정하여 당기손익으로 인식하고, 가득일 이후의 내재가치 변동을 수정
한다.
④ 시장조건이 있는 지분상품을 부여한 때에는 지분상품의 대가에 해당하는 용역을 거래상대방에게 이미
제공받은 것으로 본다. 따라서 기업이 제공받은 용역 전부를 부여일에 인식한다.

36 ② 현금결제형 주식기준보상거래의 경우에 제공받는 재화나 용역과 그 대가로 부담하는 부채를 부채의 공정가
치로 측정한다. 또 부채가 결제될 때까지 매 보고기간 말과 결제일에 부채의 공정가치를 재측정하고, 공정
가치의 변동액은 당기순이익으로 인식한다.

01 ④ 　20×1년의 당기손익에 미치는 영향: (12,000)

1) 92명: 유급휴가는 20×2년에 부여된 유급휴가를 사용하므로 20×1년에 부여된 유급휴가는 사용하지 않고 소멸한다.

2) 8명: (6.5일 - 5일) × 8명 × 1,000 = 12,000

　　* 기중에 사용된 유급휴가는 급여에 포함되기 때문에 추가로 인식해서는 안 된다.

차) 단기종업원급여	12,000	대) 미지급급여	12,000

02 ③

확정급여채무

지급액	40,000	기초	200,000
		근무원가(당기 + 과거) A	45,000
		이자비용(기초 × 기초 R) B	20,000
기말 I	230,000	재측정요소 ①	5,000

사외적립자산

기초	180,000	지급액	40,000
기여금	50,000		
이자수익 C	18,000		
재측정요소 ②	(3,000)	기말 II	205,000

* 실제이자수익: C + ②

1) B/S계정

순확정급여부채

　❍ I - II: 25,000

2) I/S계정

(1) 퇴직급여(N/I)

　❍ A + B - C: 47,000

(2) 재측정요소변동(OCI)

　❍ ② - ①: (8,000)

03 ⑤

확정급여채무

지급액	30,000	기초	500,000
		근무원가(당기 + 과거) A	20,000
		이자비용(기초 × 기초 R) B	25,000
기말 I	523,000	재측정요소 ①	8,000

사외적립자산

기초	400,000	지급액	30,000
기여금	25,000		
이자수익 C	20,000		
재측정요소 ②	5,000	기말 II	420,000

* 실제이자수익: C + ② = 25,000

1) B/S계정

순확정급여채무

　❍ I - II: 103,000

04 ②

정산 시 회계처리	차) 확정급여채무	17,000	대) 사외적립자산	15,000
	퇴직급여(N/I)	3,000	현금	5,000

05 ③　1) 가득조건 구분

구분	P	Q		
	공정가치	인원	부여수량	적수
시장성과조건	최초 부여일 FV(고정)	변동	고정	고정

2) TOOL 적용

구분	P	Q			누적(B/S)	당기(I/S)
	공정가치	인원	부여수량	적수	보상원가	당기원가
20×1년	① 120	×② (10 - 2)	×③ 1,000	×④ 1/2	= A 480,000	A 480,000
20×2년	① 120	×② - 1 (10 - 1 - 2)	×③ - 1 1,000	×④ - 1 2/2	= B 840,000	B - A 360,000

06 ⑤　1) 가득조건 구분

구분	P	Q		
	공정가치	인원	부여수량	적수
FV신뢰성 ×	내재가치 사용 매년 변동	변동	고정	고정

2) TOOL 적용

구분	P	Q			누적(B/S)	당기(I/S)
	공정가치	인원	부여수량	적수	보상원가	당기원가
20×2년	① 700 - 600	×② (100 - 3 - 3 - 4)	×③ 100	×④ 2/3	= A 600,000	A - 20×1년 원가 450,000
20×3년	① - 1 750 - 600	×② - 1 (100 - 3 - 3 - 2)	×③ - 1 100	×④ - 1 3/3	= B 1,380,000	B - A 780,000

07 ①　종업원 및 유사용역제공자와의 거래는 일반적으로 신뢰성 있게 그 대가를 추정할 수 없기 때문에 부여한 지분상품의 공정가치에 기초하여 측정한다. 부여한 지분상품의 공정가치는 부여일 기준으로 측정한다.

08 ④　1) 가득조건 구분

구분	P	Q		
	공정가치	인원	부여수량	적수
용역제공조건	최초 부여일 FV(고정)	변동	고정	고정

2) TOOL 적용

(1) 기존 부여일의 공정가치 기준 주식기준보상거래

구분	P	Q			누적(B/S)	당기(I/S)
	공정가치	인원	부여수량	적수	보상원가	당기원가
20×2년	① 150	×② (500 - 105)	×③ 10	×④ 2/3	= A 395,000	A - 20×1년 원가 200,000
20×3년	① - 1 150	×② - 1 397	×③ - 1 10	×④ - 1 3/3	= B 595,500	B - A 200,500

(2) 증분공정가치 기준 주식기준보상거래

| 구분 | P | Q | | | 누적(B/S) | 당기(I/S) |
	공정가치	인원	부여수량	적수	보상원가	당기원가
20×2년	증분 FV[1] 30	×②－2 (500－105)	×③－2 10	×잔여기간 기준 1/2	＝D 59,250	D 59,250
20×3년	증분 FV 30	×②－3 397	×③－3 10	×잔여기간 기준 2/2	＝E 119,100	E－D 59,850

[1] 증분공정가치: 조건변경 후에 측정한 변경된 지분상품의 FV － 조건변경 직전에 측정한 당초 지분상품의 FV
180 － 150 ＝ 30

○ 20×3년 보상원가: (B － A) + (E － D) = (200,500) + (59,850) = (260,350)

09 ④ 1) 가득조건 구분

| 구분 | P | Q | | |
	공정가치	인원	부여수량	적수
용역제공조건	최초 부여일 FV(고정)	변동	고정	고정

2) TOOL 적용

| 구분 | P | Q | | | 누적(B/S) | 당기(I/S) |
	공정가치	인원	부여수량	적수	보상원가	당기원가
20×1년	① 120	×② 1	×③ 1	×④ 1/3	＝A 40	A 40
20×2년	①－1 120	×②－1 1	×③－1 1	×④－1 2/3	＝B 80	B－A 40
20×3년	①－2 120	×②－2 1	×③－2 1	×④－2 3/3	＝C 120	C－B 40

[1st: 당기보상원가 + 미인식잔여보상원가의 인식]

| 차) | 주식보상비용(N/I) | 당기＋미인식잔여분 80 | 대) | 주식선택권 | 80 |

[2nd: 지분상품(주식선택권)의 청산손익 인식]

현금청산액 150(개당)	• 공정가치 초과지급액 ○ 주식보상비용으로 인식 ○ 현금청산액 － 지분상품 FV: (150 － 100) × 1
청산일의 지분상품 공정가치 100(개당)	
지분상품의 장부금액(부여일 공정가치) 120(개당)	• 부여한 지분상품 중도 청산손익 ○ 자본항목으로 처리: (100 － 120) × 1

차)	주식선택권	BV 120	대)	현금	FV 100
				주식선택권청산이익	자본항목 20
차)	주식보상비용(N/I)	N/I 50	대)	현금	지급액 － FV 50

○ 중도청산 시 N/I에 미치는 영향: 당기 ＋ 잔여보상원가 즉시 인식 ＋ (현금지급액 － FV)
= (80) + (50) = (130)
○ 중도청산 시 자본총계에 미치는 영향: 현금지급액 = 150

10 ④ 1) 20×4년 일부 행사 시 20×4년 주식보상비용

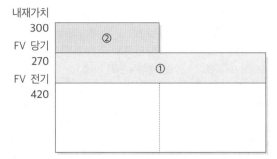

① 재측정: (FV 당기 – FV 전기) × 총가득수량
    = (270 – 420) × 42,000 = (6,300,000) (환입)

② 행사: (내재가치 – FV 당기) × 행사수량
    = (300 – 270) × 20,000 = 600,000

◐ 기말 일부 행사 시 주식보상비용환입: (6,300,000) + 600,000 = (5,700,000)

◐ 현금지급액: 내재가치 × 행사수량 = 300 × 20,000개 = 6,000,000

2) 20×4년 말 회계처리

① 재측정	차) 장기미지급비용	6,300,000	대) 주식보상비용환입	6,300,000
② 행사	차) 장기미지급비용	5,400,000	대) 현금	6,000,000
	주식보상비용	600,000		

실력 점검 퀴즈

01 ①

순확정급여채무			
지급액	0	기초	30,000
		근무원가(당기 + 과거) A	62,000
		이자비용: (기초 + 과거) × 기초 R	5,040
기말 I	117,040	재측정요소	20,000

◐ 할인율: (30,000 + 12,000) × R = 5,040, R = 12%

* 과거근무원가의 제도변경이 연초에 이루어지면 동 금액을 당기 이자비용에 고려한다.

02 ①

확정급여채무				1) B/S 계정
지급액	10,000	기초	100,000	(1) 순확정급여부채
		근무원가(당기 + 과거) A	25,000	○ I - II: 21,000
		이자비용(기초 × 기초 R) B	4,875	
기말 I	125,000	재측정요소 ①(보험수리적손익)	5,125	2) I/S 계정

2) I/S 계정
(1) 퇴직급여(N/I)
○ A + B - C: 25,583

사외적립자산				
기초	85,000	지급액	10,000	(2) 재측정요소변동(OCI)
기여금	20,000			○ ② - ①: (417)
이자수익 C	4,292			
재측정요소 ②	4,708	기말 II	104,000	

* 이자비용: 100,000 × 5% - 10,000 × 3/12 × 5% = 4,875
* 이자수익: 85,000 × 5% + 20,000 × 2/12 × 5% - 10,000 × 3/12 × 5% = 4,292

03 ⑤ 우량회사채의 시장수익률이 1순위이다.

04 ⑤
1) 순확정급여채무 T계정
   기초 20,000 + 근무원가 85,000 + 이자비용(20,000 × 6%) + 재측정손실(5,000 - 2,200)
   = 기여 60,000 + 기말
   ○ 기말 순확정급여부채: 49,000
2) 퇴직급여: 85,000 + 1,200 = 86,200

05 ④
1) ×1년 누적주식보상비용: 600 × 1명 × 100개 × 1/2 = 30,000
2) ×2년 누적주식보상비용: 600 × 1명 × 300개 × 2/2 = 180,000
3) ×2년 주식보상비용: 2) - 1) = 150,000

06 ⑤
① 종업원에게서 제공받는 용역의 가치는 부여일을 측정기준일로 한다.
② 주식선택권의 가치를 공정가치로 측정할 때 가득조건에 성과조건이 있다면 미래 가득기간에 걸쳐 보상
   비용을 인식하되, 성과조건이 시장조건이면 후속적으로 미래 기대가득기간을 수정할 수 없다.
③ 주식선택권의 가치를 공정가치로 측정할 때 가득된 지분상품이 추후 상실되거나 주식선택권이 행사되
   지 않은 경우 자본으로 처리한다.
④ 주식선택권의 가치를 공정가치로 측정할 때 부여한 지분상품의 조건이 종업원에게 유리하도록 변경되
   는 경우 조건이 변경된 것으로 본다.

07 ②
1) ×1년 누적주식보상비용: 150 × (100 - 5 - 15) × 10개 × 1/3 = 40,000
2) ×2년 누적주식보상비용: 150 × (100 - 5 - 8 - 17) × 10개 × 2/3 = 70,000
3) ×2년 주식보상비용: 2) - 1) = 30,000
* 종업원에게 불리한 조건의 변경은 없는 것으로 본다.

08 ④ 자본 증가액: 행사가격 6,000 × 35명 × 60% × 10개 = 1,260,000

2차 문제 Preview

01

| 물음 1 |

순확정급여부채(자산)	① (5,000)
기타포괄이익에 미치는 영향	② (-)1,250
당기순이익에 미치는 영향	③ (-)73,750

확정급여채무

지급액	1,000	기초	80,000
		근무원가(당기 + 과거) A	75,000
		이자비용(기초 × 기초 R)[1] B	7,950
기말 I	165,000	재측정요소(보험수리적손익) ①	3,050

사외적립자산

기초	79,000	지급액	1,000
기여금	81,000		
이자수익[2] C	9,200		
재측정요소 ②	3,500	기말 II	171,700

자산인식상한효과

		기초	
		이자비용 D	-
기말[3] III	1,700	재측정요소 ③	1,700

1) B/S 계정
  (1) 순확정급여자산
    ● II - I - III
    ● 5,000

2) I/S 계정
  (1) 퇴직급여(N/I)
    ● A + B - C + D
    ● 73,750
  (2) 재측정요소변동(OCI)
    ● ② - ① - ③
    ● (-)1,250

[1] $80,000 \times 10\% - 1,000 \times 10\% \times 6/12 = 7,950$
[2] $79,000 \times 10\% + 81,000 \times 10\% \times 2/12 - 1,000 \times 10\% \times 6/12 = 9,200$
[3] $171,700 - (165,000 + 5,000) = 1,700$

해커스 IFRS 정윤돈 객관식 재무회계 정답 및 해설

제14장 종업원급여와 주식기준보상거래

순확정급여부채(자산)	① (3,500)
기타포괄이익에 미치는 영향	② 8,000
당기순이익에 미치는 영향	③ (-)114,500

확정급여채무

지급액	2,000	기초	165,000
정산	80,000	근무원가(당기 + 과거) A	110,000
		이자비용(기초 × 기초 R)[1] B	16,500
기말 I	215,000	재측정요소(보험수리적손익) ①	5,500

1) B/S 계정
(1) 순확정급여자산
- II - I - III
- 3,500

2) I/S 계정
(1) 퇴직급여(N/I)
- A + B - C + D + 정산손익
- 114,500

사외적립자산

기초	171,700	지급액	2,000
기여금	80,000	정산	60,000
이자수익[2] C	17,170		
재측정요소 ②	13,130	기말 II	220,000

(2) 재측정요소변동(OCI)
- ② - ① - ③
- 8,000

자산인식상한효과

		기초	1,700
		이자비용 D	170
기말[3] III	1,500	재측정요소 ③	(370)

[1] 165,000 × 10% = 16,500
[2] 171,700 × 10% = 17,170
[3] 220,000 - (215,000 + 3,500) = 1,500

[정산의 회계처리]

차) 확정급여채무	80,000	대) 사외적립자산	60,000
퇴직급여	5,000	현금	25,000

02

물음 1

20×2년 주식보상비용	① 31,680
20×3년 주식보상비용	② 22,560

보상원가 측정

구분	공정가치	× 인원	× 부여개수	× 가득기간	= 주식선택권	주식보상비용
×1년	180	50 - 3	10	1/3	28,200	28,200
×2년	180	50 - 6	8	2/3	42,240	
	180	50 - 1	2	3/3	17,640	31,680
×3년	180	50 - 5	8	3/3	64,800	
	전기 청산 기인식분				17,640	22,560

> **⊘참고**
> 종업원에게 불리한 조건변경은 변경효과를 인식하지 않는다. 그러나 조건이 변경되어 부여한 지분상품의 수량이 줄어든다면, 부여한 지분상품의 일부가 취소된 것으로 보아 중도청산과 동일하게 회계처리한다. 단, 수량 취소분에 대한 회계처리대상은 기대가득인원이 아닌 조건변경시점 현재 실제인원이 기준이 된다.

20×2년 주식보상비용	① 29,000
20×3년 주식보상비용	② 32,800

1) 부여일의 보상원가 측정

구분	공정가치	× 인원	× 부여개수	× 가득기간	= 주식선택권	주식보상비용
×1년	180	50 - 3	10	1/3	28,200	28,200
×2년	180	50 - 6	10	2/3	52,800	24,600
×3년	180	50 - 5	10	3/3	81,000	28,200

2) 증분보상원가 측정

구분	공정가치	× 인원	× 부여개수	× 가득기간	= 주식선택권	주식보상비용
×2년	100	50 - 6	2	1/2	4,400	4,400
×3년	100	50 - 5	2	2/2	9,000	4,600

3) 20×2년 주식보상비용: 24,600 + 4,400 = 29,000
4) 20×3년 주식보상비용: 28,200 + 4,600 = 32,800

> **⊘참고 기업회계기준서 제1102호 적용지침 B43 (2)**
>
> 조건이 변경되어 부여한 지분상품의 수량이 증가하는 경우에는 부여한 지분상품의 대가로 제공받은 근무용역으로써 인식할 금액을 측정할 때 그 측정치에 추가로 부여한 지분상품의 조건변경일 현재 공정가치를 포함한다. 예를 들면, 가득기간에 조건이 변경되면, 부여일에 측정한 당초 지분상품의 공정가치는 당초 가득기간의 잔여기간에 걸쳐 인식하며, 이에 추가하여 조건변경일에 부여한 추가 지분상품의 공정가치를 조건변경일부터 추가 지분상품이 가득되는 날까지 제공받는 근무용역에 대해 인식할 금액의 측정치에 포함한다.

물음 3

20×2년 주식보상비용	① 42,200
20×3년 주식보상비용	② 46,600

1) 부여일의 보상원가 측정

구분	공정가치	× 인원	× 부여개수	× 가득기간	= 주식선택권	주식보상비용
×1년	180	50 - 3	10	1/3	28,200	28,200
×2년	180	50 - 6	10	2/3	52,800	24,600
×3년	180	50 - 5	10	3/3	81,000	28,200

2) 증분보상원가 측정

구분	증분공정가치	× 인원	× 부여개수	× 가득기간	= 주식선택권	주식보상비용
×2년	80[1]	50 - 6	10	1/2	17,600	17,600
×3년	80	50 - 5	10	2/2	36,000	18,400

[1] 증분공정가치: 180 - 100 = 80

3) 20×2년 주식보상비용: 24,600 + 17,600 = 42,200
4) 20×3년 주식보상비용: 28,200 + 18,400 = 46,600

물음 4

20×2년 주식보상비용	① 24,600
20×3년 주식보상비용	② 28,200

부여일의 보상원가 측정

구분	공정가치	× 인원	× 부여개수	× 가득기간	= 주식선택권	주식보상비용
×1년	180	50 - 3	10	1/3	28,200	28,200
×2년	180	50 - 6	10	2/3	52,800	24,600
×3년	180	50 - 5	10	3/3	81,000	28,200

03

물음 1

20×3년 주식보상비용	① 80,000

구분	공정가치	× 인원	× 부여개수	× 가득기간	= 주식선택권	주식보상비용
×2년	2,000	1	120	2/3	160,000	
×3년	2,000	1	120	3/3	240,000	80,000

> ⊘**참고**
>
> 시장성과조건의 경우, 주가목표가 달성되지 못할 가능성은 이미 부여일에 주식선택권의 공정가치를 측정할 때 고려되었으므로 주가목표 달성 여부는 중요하지 않다. 그러므로 시장성과조건의 달성 여부와 관계없이 다른 모든 가득조건을 충족하는 거래상대방에게 제공받는 용역을 인식하여야 한다.

물음 2

20×3년 주식보상비용	① (-)160,000

시장성과조건과 달리 용역제공조건의 경우 가득기간 이전에 거래상대방이 퇴사한다면, 이전에 이미 인식한 금액은 당해 연도에 환입된다.

기초 유형 확인

01 ① 이연법인세자산·부채 정리

   1) 이연법인세자산(기말): $(20,000 + 5,000) \times 20\% = (-)5,000$

   2) 이연법인세부채(기말): $(10,000 + 5,000) \times 20\% = 3,000$

   ➡ 이연법인세자산과 이연법인세부채는 인식조건 및 상계조건을 모두 충족하므로 기말이연법인세자산 2,000으로 표시

02 ① 법인세 회계처리

차) 이연법인세자산	2,000	대) 당기법인세자산	10,000
법인세비용	19,000	당기법인세부채	11,000
차) FVOCI금융자산평가이익[1]	1,000	대) 법인세비용	1,000

[1] $5,000 \times 20\% = 1,000$

03 ④ 20×1년 평균유효세율: 18,000(법인세비용) ÷ 120,000(법인세비용차감전순이익) = 15%

04 ⑤ 1) 이연법인세자산 · 부채 정리

   (1) 이연법인세자산(기말): $(20,000 + 5,000) \times 30\% = (-)7,500$

   (2) 이연법인세부채(기말): $(10,000 + 5,000) \times 30\% = 4,500$

   ➡ 이연법인세자산과 이연법인세부채는 인식조건 및 상계조건을 모두 충족하므로 기말이연법인세자산 3,000으로 표시

   2) 법인세 회계처리

차) 이연법인세자산	3,000	대) 당기법인세자산	10,000
법인세비용	18,000	당기법인세부채	11,000
차) FVOCI금융자산평가이익[1]	1,500	대) 법인세비용	1,500

[1] $5,000 \times 30\% = 1,500$

05 ③ 1) 이연법인세자산 · 부채 정리

   (1) 이연법인세자산(기말): $(20,000 + 5,000) \times 30\% = (-)7,500$

   (2) 이연법인세부채(기말): $10,000 \times 30\% = 3,000$

   ➡ 이연법인세자산과 이연법인세부채는 인식조건 및 상계조건을 모두 충족하므로 기말이연법인세자산 4,500으로 표시

   2) 법인세 회계처리

차) 이연법인세자산	4,500	대) 당기법인세자산	10,000
법인세비용	16,500	당기법인세부채	11,000
차) 자기주식처분이익[1]	1,000	대) 법인세비용	1,000

[1] $5,000 \times 20\% = 1,000$

06 ① 20×4년도 법인세비용: 523,700

　　1) 이연법인세자산·부채 정리

구분	당기(25%)	20×5년(28%)	20×6년(30%)
법인세비용차감전순이익	2,000,000		
접대비 한도초과액	100,000		
감가상각비 한도초과액	50,000	(-)30,000	(-)20,000
FVPL금융자산평가이익	(-)20,000	20,000	
합계	2,130,000	(-)10,000	(-)20,000
× 세율	× 25%	× 28%	× 30%
	① 532,500	② (-)2,800	② (-)6,000

　　2) 기간 간 배분 회계처리

차) 이연법인세자산(기말)　4th ② 8,800　　대) 당기법인세자산　　　　1st 0
　　법인세비용　　대차차액 523,700　　　　당기법인세부채　　2nd 532,500 ①
　　　　　　　　　　　　　　　　　　　　　　이연법인세자산(기초)　3rd 0

07 ④ (2,000,000 + 100,000) × 20% = 420,000

08 ② 1) 이연법인세자산·부채 정리

구분	당기(24%)	20×2년(20%)	20×3년(20%)
법인세비용차감전순손실	(-)4,000,000		
감가상각비	(-)4,000,000	2,000,000	2,000,000
이월결손금 공제	8,000,000	(-)5,000,000	(-)3,000,000
합계	0	(-)3,000,000	(-)1,000,000
× 세율	× 24%	× 20%	× 20%
	① 0	② (-)600,000	② (-)200,000

　　2) 기간 간 배분 회계처리

차) 이연법인세자산(기말)　4th ② 800,000　　대) 당기법인세자산　　　1st 0
　　　　　　　　　　　　　　　　　　　　　　　당기법인세부채　　　2nd 0 ①
　　　　　　　　　　　　　　　　　　　　　　　이연법인세자산(기초)　3rd 0
　　　　　　　　　　　　　　　　　　　　　　　법인세수익　　　　대차차액
　　　　　　　　　　　　　　　　　　　　　　　　　　　　　　　800,000

　　3) 당기순이익

부분포괄손익계산서

⋮	
법인세비용차감전순손실	(-)4,000,000
법인세수익	800,000
당기순손실	(-)3,200,000

01 ⑤ 매 보고기간 말에 이연법인세자산에 대하여는 당해 자산의 실현가능성을 재검토해야 한다. 만약 충분한 미래 과세소득이 발생할 가능성이 높아진 경우에는 이연법인세자산의 실현가능성이 높아진 범위까지 과거에 손상처리했던 이연법인세자산을 재인식하고, 당해 손상환입금액을 법인세비용에서 차감하여 당기이익으로 반영한다.

02 ⑤ 이연법인세자산과 부채는 현재가치로 할인하지 않는다.

03 ⑤ 당기에 취득하여 보유 중인 토지에 재평가모형을 적용하여 토지의 장부금액이 세무기준액보다 높은 경우에는 이연법인세부채를 인식하며, 이로 인한 이연법인세효과는 기타포괄손익으로 인식한다.

04 ③ 당기법인세자산과 부채는 기업이 인식된 금액에 대한 법적으로 집행가능한 상계권리를 가지고 있고 순액으로 결제하거나, 자산을 실현하고 부채를 결제할 의도가 있는 경우에 상계한다.

05 ② 1) 기간 간 배분

구분	당기(20%)	차기 이후(20%)
법인세비용차감전순이익	1,000,000	
정기예금 미수이자	(200,000)	200,000
접대비 한도초과액	150,000	
벌금과 과태료	70,000	
감가상각비 한도초과액	50,000	(50,000)
합계	1,070,000	150,000
	× 20%	× 20%
	① 214,000	② 30,000

2) 회계처리

차) 이연법인세자산(기말)	4th ② 0	대) 당기법인세자산	1st 0	①
법인세비용	대차차액 244,000	당기법인세부채	2nd 214,000	
		이연법인세부채(기말)	3rd 30,000	

06 ② 20×1년 말 이연법인세자산: 300(기말유보잔액) × 20%(소멸이 예상되는 기간의 평균세율) = 60
20×1년 초 이연법인세자산: 400(기초유보잔액) × 20%(소멸이 예상되는 기간의 평균세율) = 80

07 ④

차) 이연법인세자산(기말)	4th ② 60	대) 당기법인세자산	1st 400	①
법인세비용	대차차액 1,020	당기법인세부채	2nd 600	
		이연법인세자산(기초)	3rd 80	

⚡ Self Study

1. 법인세부담액은 회사가 납부해야 할 납부세액을 의미한다. 이 중 선납한 부분 ₩400은 당기법인세자산으로 계상 후, 기말기간 간 배분 회계처리 시 상계 후 잔여분 ₩600을 당기법인세부채로 인식한다.
2. 자본금과 적립금조정명세서(을)표는 회사의 유보 세무조정항목을 보이는 서식으로 기초·기말잔액을 통하여 기초와 기말의 이연법인세자산·부채 잔액을 계상할 수 있다. 여기서 주의할 점은 자본금과 적립금조정명세서(을)표상 잔액이 (+)이면 추후에 (-)효과를 가져오므로 이연법인세자산을 계상하고, 잔액이 (-)이면 추후에 (+)효과를 가져오므로 이연법인세부채를 계상하여야 한다는 것이다.
3. 이연법인세자산·부채를 계산하는 경우 소멸될 것으로 예상되는 기간의 평균세율을 사용하며 보고기간 말의 세율이나 한계세율을 적용하지 않는다.

08 ③

1) 이연법인세자산(부채): (200,000 + 200,000 - 50,000) × 20% = 70,000 이연법인세부채

구분	20×2년	20×3년	20×4년
향후 과세소득예상액	50,000	50,000	50,000
연구및인력개발준비금	200,000	200,000	200,000
감가상각비 한도초과	-	-	(300,000)
향후 가산 또는 차감될 금액	200,000	200,000	(50,000)[1]

[1] 20×4년의 경우 차감할 일시적 차이(300,000)가 과세소득과 가산할 일시적 차이의 합계(250,000)보다 작으므로 (50,000)만 자산성을 인정한다.

2) 이연법인세 회계처리(기간 간 배분)

차) 법인세비용	1,150,000	대) 당기법인세부채	5,400,000 × 20% = 1,080,000
		이연법인세부채	70,000

09 ⑤

1) 20×2년 말 이연법인세자산: 90,000 × 20% + 80,000 × 18% = 32,400
2) 20×2년 말 이연법인세부채: 100,000 × 18% = 18,000
3) 당기법인세부채: 1,410,000 × 25% = 352,500
4) 법인세비용: 378,100
5) 20×2년 말 회계처리

차) 이연법인세부채(기초)	25,000	대) 당기법인세부채	352,500
이연법인세자산(기말)	32,400	이연법인세자산(기초)	65,000
법인세비용	378,100	이연법인세부채(기말)	18,000

10 ④

1) 기초 이연법인세자산: 160,000 × 20% = 32,000
2) 기말 이연법인세자산: 170,000 × 20% = 34,000
3) 20×1년 말 회계처리

차) 이연법인세자산(기말)	34,000	대) 당기법인세자산	30,000
법인세비용	68,000	당기법인세부채	40,000
		이연법인세자산(기초)	32,000

11 ③ 1)

구분	20×2년	20×3년	20×4년 이후
법인세비용차감전순이익	1,200,000		
전기 감가상각비 한도초과	(50,000)		
FVPL평가손실	90,000	(90,000)	
퇴직급여 한도초과액	(20,000)	(20,000)	(40,000)
접대비 한도초과액	30,000		
합계	1,250,000	(110,000)	(40,000)
	× 24%	× 22%	× 20%
	300,000	(24,200)	(8,000)

2) 회계처리

차)	이연법인세자산(기말)	32,200	대)	당기법인세부채	300,000
	법인세비용	299,000		이연법인세자산(기초)	31,200

12 ⑤ 당기법인세자산과 부채는 기업이 인식된 금액에 대한 법적으로 집행가능한 상계권리를 가지고 있는 경우 그리고 순액으로 결제하거나, 자산을 실현하고 부채를 결제할 의도가 있는 경우에 상계한다.

❏ 모두 충족하는 경우에만 당기법인세자산과 당기법인세부채를 상계하여 재무상태표에 유동자산이나 유동부채로 표시한다.

13 ① ② 과세대상수익의 수준에 따라 적용되는 세율이 다른 경우에는 일시적 차이가 소멸될 것으로 예상되는 기간의 과세소득(세무상결손금)에 적용될 것으로 기대되는 평균세율을 사용하여 이연법인세자산과 부채를 측정한다.

③ 과세소득 간의 차이는 일시적 차이와 영구적 차이가 존재한다.

④ 재평가모형을 적용하고 있는 유형자산과 관련된 재평가잉여금은 법인세효과를 차감한 후의 금액으로 기타포괄손익에 표시하고 법인세효과는 이연법인세부채로 인식한다.

⑤ 이연법인세자산과 부채는 장기성 채권과 채무이기 때문에 각 일시적 차이의 소멸시점을 상세히 추정하여 신뢰성 있게 현재가치로 할인하지 않는다.

14 ② 1) 당기법인세부담액: (700,000 + 100,000 + 100,000 - 20,000) × 20% = 176,000
2) 이연법인세자산: (-100,000 + 20,000) × 18% = (-)14,400
3) 이연법인세 관련 회계처리

차)	이연법인세자산	14,400	대)	당기법인세부채	176,000
	법인세비용	161,600			

15 ④ 1) 20×1년

(1) 납부세액과 이연법인세자산, 부채

구분	20×1년	20×2년	20×3년	20×4년
법인세비용차감전순이익	815,000			
감가상각비 한도초과	6,000	(2,000)	(2,000)	(2,000)
FVPL평가이익	(2,000)	2,000		
합계	819,000	0	(2,000)	(2,000)
	× 30%	× 30%	× 25%	× 25%
	245,700	–	(500)	(500)

     ○ 20×1년 말 이연법인세자산: (500) + (500) = (1,000)

2) 20×2년

(1) 납부세액과 이연법인세자산, 부채

구분	20×2년	20×3년	20×4년	20×5년
법인세비용차감전순이익	600,000			
감가상각비 한도초과	(2,000)	(2,000)	(2,000)	
FVPL평가이익	2,000			
제품보증충당부채	3,000	(1,000)	(1,000)	(1,000)
미수이자	(4,000)	4,000		
합계	599,000	1,000	(3,000)	(1,000)
	× 30%	× 25%	× 25%	× 25%
	179,700	250	(750)	(250)

     ○ 20×2년 말 이연법인세자산: 250 - 750 - 250 = (750)

(2) 회계처리

차) 이연법인세자산(기말)	750	대) 당기법인세부채	179,700
법인세비용(역산)	179,950	이연법인세자산(기초)	1,000

16 ②

구분	당기(20%)	차기 이후(20%)
법인세비용차감전순이익	1,000,000	
전기 미수이자		100,000
당기 미수이자	(20,000)	20,000
접대비 한도초과	15,000	
자기주식처분이익	100,000	
합계	1,095,000	120,000
	× 20%	× 20%
	① 219,000	② 24,000

[1st 기간 간 배분 회계처리]

차) 이연법인세부채(기초)[1]	3rd ② 20,000	대) 당기법인세자산	1st 0	①
법인세비용	대차차액 223,000	당기법인세부채	2nd 219,000	
		이연법인세부채(기말)	4th 24,000	

[1] 이연법인세부채(기초): 100,000(20×1년 말 △유보잔액) × 20% = 20,000

[2nd 기간 내 배분 회계처리]

차) 자기주식처분이익	20,000	대) 법인세비용	20,000

17 ②

구분	당기(30%)	차기 이후(20%)
법인세비용차감전순이익	1,000,000	
접대비 한도초과	30,000	
재고자산평가손실	10,000	(10,000)
FVOCI금융자산평가손실	(250,000)	
FVOCI금융자산	250,000	(250,000)
합계	1,040,000	(260,000)
	× 30%	× 20%
	① 312,000	② (52,000)

[1st 기간 간 배분 회계처리]

차) 이연법인세자산(기말)	4th ② 52,000	대) 당기법인세자산	1st 0	
법인세비용	대차차액 260,000	당기법인세부채	2nd 312,000	①
		이연법인세자산(기초)	3rd 0	

[2nd 기간 내 배분 회계처리]

차) 법인세비용	50,000	대) 금융자산평가손실	50,000

18 ⑤

구분	당기(30%)	차기 이후(30%)
법인세비용차감전순이익	3,000,000	
접대비 한도초과액	300,000	
자기주식처분이익	25,000	
재평가잉여금	10,000	
토지	(10,000)	10,000
합계	3,325,000	10,000
	× 30%	× 30%
	① 997,500	② 3,000

[1st 기간 간 배분 회계처리]

차) 이연법인세자산(기말)	3rd 0	대) 당기법인세자산	1st 0	
법인세비용	대차차액 1,000,500	당기법인세부채	2nd 997,500	①
		이연법인세부채(기말)	4th 3,000	

[2nd 기간 내 배분 회계처리]

차) 자기주식처분이익	7,500	대) 법인세비용	7,500
차) 재평가잉여금	3,000	대) 법인세비용	3,000

19 ③

구분	당기(30%)	차기 이후(30%)
법인세비용차감전순이익	500,000	
접대비 한도초과액	20,000	
재고자산평가손실	5,000	(5,000)
자기주식처분이익	10,000	
FVOCI금융자산평가손실	(20,000)	
FVOCI금융자산	20,000	(20,000)
재평가잉여금	20,000	
토지	(20,000)	20,000
합계	535,000	(5,000)
	× 20%	× 20%
	① 107,000	② (1,000)

[1st 기간 간 배분 회계처리]

차)	이연법인세자산(기말)	4th ② 1,000	대)	당기법인세자산	1st 0	①
	법인세비용	대차차액 106,000		당기법인세부채	2nd 107,000	
				이연법인세자산(기초)	3rd 0	

[2nd 기간 내 배분 회계처리]

차)	자기주식처분이익	2,000	대)	법인세비용	2,000
차)	법인세비용	4,000	대)	금융자산평가손실	4,000
차)	재평가잉여금	4,000	대)	법인세비용	4,000

20 ③　법인세비용: (500,000 + 130,000) × 20% = 126,000

21 ③　법인세비용: (1,000,000 + 50,000) × 20% = 210,000

> ⊘ **참고 정식풀이**
>
> 1. 과세소득과 이연법인세자산, 부채
>
> | 구분 | 20×1년 | 20×2년 |
> |---|---|---|
> | 법인세비용차감전순이익 | 1,000,000 | |
> | 자기주식처분이익 | 20,000 | |
> | 재고자산평가손실 | 30,000 | (30,000) |
> | 접대비 한도초과 | 50,000 | |
> | 토지 | (100,000) | 100,000 |
> | 재평가잉여금 | 100,000 | |
> | 합계 | 1,100,000 | 70,000 |
> | | × 20% | × 20% |
> | | 220,000 | 14,000 |
>
> 2. 법인세 회계처리
>
> | 차) | 법인세비용 | 234,000 | 대) | 당기법인세부채 | 220,000 |
> |---|---|---|---|---|---|
> | | | | | 이연법인세부채 | 14,000 |
> | 차) | 자기주식처분이익 | 4,000 | 대) | 법인세비용 | 4,000 |
> | 차) | 재평가잉여금 | 20,000 | 대) | 법인세비용 | 20,000 |

01 ①

구분	당기(25%)	차기 이후(25%)
법인세비용차감전순이익	2,000,000	
확정급여채무 한도초과액	100,000	(100,000)
접대비 한도초과액	50,000	
미수이자수익	(40,000)	40,000
비과세이자소득	(30,000)	
합계	2,080,000	(60,000)
	× 25%	× 25%
	① 520,000	② (15,000)

차) 이연법인세자산(기말) 4th ② 15,000 대) 당기법인세자산 1st 0
　　법인세비용 대차차액 505,000 　　당기법인세부채 2nd 520,000 ①
　　　　　　　　　　　　　　　　　　　　이연법인세자산(기초) 3rd 0

○ 평균유효세율: 505,000/2,000,000 = 25.25%

02 ②

구분	당기(20%)	차기 이후(20%)
법인세비용차감전순이익	××	
「조세특례제한법」상 준비금전입액	(40,000)	40,000
감가상각비 한도초과액	30,000	(30,000)
FVPL금융자산평가이익	(10,000)	10,000
합계	××	20,000

○ 이연법인세자산: (30,000) × 20% = (6,000)
○ 이연법인세부채: 50,000 × 20% = 10,000

03 ①

구분	당기(20 ~ 30%)	차기 이후(25%)
법인세비용차감전순이익	××	
전기 이연법인세자산소멸액	(100,000)	(200,000)
당기 발생 유보	1,550,000	(1,550,000)
당기 발생 △유보	(900,000)	900,000
합계	2,000,000(과세소득)	(850,000)
	× 20 ~ 30%	× 25%
	① 500,000[1]	② (212,500)

[1] 1,000,000 × 20% + (2,000,000 - 1,000,000) × 30% = 500,000

차) 이연법인세자산(기말) 4th ② 212,500 대) 당기법인세자산 1st 0
　　법인세비용 대차차액 377,500 　　당기법인세부채 2nd 500,000 ①
　　　　　　　　　　　　　　　　　　　　이연법인세자산(기초) 3rd 90,000

해커스 IFRS 정윤돈 객관식 재무회계 정답 및 해설

제15장 법인세회계

04 ②

구분	당기(A%)	20×2년(30%)	20×3년(25%)
법인세비용차감전순손실	(150,000)		
FVPL금융자산평가손실	50,000	(50,000)	
미수이자	(60,000)	20,000	40,000
이월결손금공제		(100,000)	(60,000)
합계	(160,000)	(130,000)	(20,000)
	× A%	× 30%	× 25%
	① 0	② (39,000)	② (5,000)

차) 이연법인세자산(기말)　4th ② 44,000　　대) 당기법인세자산　　　　1st 0　　①
　　　　　　　　　　　　　　　　　　　　　　　당기법인세부채　　　　2nd 0
　　　　　　　　　　　　　　　　　　　　　　　이연법인세자산(기초)　3rd 0
　　　　　　　　　　　　　　　　　　　　　　　법인세수익　　대차차액 44,000

* 당기순손실: 법인세비용차감전순손실 (150,000) + 법인세수익 44,000 = (106,000)

05 ④

구분	당기(30%)	20×2년(28%)	20×3년(25%)
법인세비용차감전순이익	300,000		
20×0년 일시적 차이	(20,000)	(40,000)	
20×1년 일시적 차이	160,000	(80,000)	(80,000)
영구적 차이	××		
합계	560,000	(120,000)	(80,000)
예상 과세소득(한도)		100,000	100,000
실현가능 차감할 일시적 차이		(100,000)	(80,000)
	× 30%	× 28%	× 25%
	① 168,000	② (28,000)	② (20,000)

차) 이연법인세자산(기말)　4th ② 48,000　　대) 당기법인세자산　　　　1st 0　　①
　　법인세비용　　　대차차액 138,000　　　　　당기법인세부채　　2nd 168,000
　　　　　　　　　　　　　　　　　　　　　　　이연법인세자산(기초)　3rd 18,000

06

1. ○
2. × 일시적 차이는 재무상태표상 자산 또는 부채의 장부금액과 세무기준액의 차이로 미래 회계기간의 과세소득 결정 시에 가산하거나 차감하는 차이이다.
3. ○
4. ○
5. × 이연법인세자산은 차감할 일시적 차이가 사용될 수 있는 과세소득의 발생가능성이 높은 경우에만 인식한다.
6. ○
7. × 공정가치로 평가된 자산의 장부금액이 세무가액보다 크다면 그 차이가 가산할 일시적 차이이며 이에 대하여 이연법인세부채를 인식해야 한다.
8. × 차감할 일시적 차이를 활용할 수 있을 만큼 미래기간의 과세소득이 충분하지 못한 경우에는 차감할 일시적 차이의 법인세효과 중 실현가능성이 불확실한 부분은 이연법인세자산에서 직접 차감한다.
9. × 매기 말 과거에 실현가능성이 낮아서 인식하지 아니한 이연법인세자산의 인식가능성에 대하여 재검토하여야 한다. 과거에는 인식하지 않았지만 재검토시점에 활용가능한 미래 과세소득이 발생할 것이 거의 확실한 경우 그 범위 내에서 이연법인세자산을 인식하여야 한다.
10. ○
11. × 과세대상 수익의 수준에 따라 적용되는 세율이 다른 경우에는 일시적 차이가 소멸될 것으로 예상되는 기간의 과세소득에 적용될 것으로 기대되는 평균세율을 사용하여 이연법인세자산과 부채를 측정한다.
12. ○
13. × 이연법인세자산과 이연법인세부채는 모두 비유동항목으로 공시한다.
14. × 별개의 손익계산서에 당기순손익의 구성요소를 표시하는 경우에는 정상활동 손익과 관련된 법인세비용(수익)은 그 별개의 손익계산서에만 표시한다.
15. ○
16. × 중단영업손익에 대한 법인세효과는 당해 중단영업손익에서 직접 가감한다.
17. ○

07 ①

구분	20×2년(30%)	20×3년 이후(25%)
법인세비용차감전순이익	5,000,000	
준비금환입	1,000,000	2,000,000
자기주식처분이익	300,000	
접대비 한도초과	100,000	
합계	6,400,000	2,000,000
	× 30%	× 25%
	① 1,920,000	② 500,000

[1st 기간 간 배분 회계처리]

차) 이연법인세부채(기초)[1]	3rd ② 900,000	대) 당기법인세자산	1st 0	①
법인세비용	대차차액 1,520,000	당기법인세부채	2nd 1,920,000	
		이연법인세부채(기말)	4th ② 500,000	

[1] 이연법인세부채(기초): 3,000,000 × 30% = 900,000

[2nd 기간 내 배분 회계처리]

차) 자기주식처분이익[1]	90,000	대) 법인세비용	90,000

[1] 자기주식처분이익 기간 내 배분: 300,000 × 30% = 90,000

01 ④ 1) 20×2년 법인세부담액

(300,000 + 할부판매수익 20,000 + FVPL금융자산평가손실 80,000 + 접대비 한도초과 40,000) × 30% = 132,000

2) 20×1년 말 이연법인세

이연법인세부채: 장기할부매출채권 60,000 × 30% = 18,000

3) 20×2년 말 이연법인세

(1) 이연법인세부채: 장기할부매출채권 20,000 × 30% + 20,000 × 25% = 11,000

(2) 이연법인세자산: FVPL금융자산 80,000 × 30% = 24,000

∴ 이연법인세자산 13,000

4) 회계처리

차) 이연법인세부채	18,000	대) 당기법인세부채	132,000
이연법인세자산	13,000		
법인세비용	101,000		

∴ 20×2년 말 이연법인세자산: 13,000

20×2년의 법인세비용: 101,000

02 ② 1) 법인세부담액

(200,000 + 50,000 - 20,000 + 10,000 - 60,000 + 30,000) × 20% = 42,000

2) 이연법인세자산(부채)

(50,000 - 20,000 + 10,000 - 60,000) × 20% = (-)4,000 부채

03 ⑤ 이연법인세자산과 부채는 현재가치로 할인하지 아니한다. 왜냐하면 이연법인세자산 또는 부채와 관련하여 미래현금흐름에 영향을 주는 일시적차이의 소멸시기, 소멸되는 금액, 적정이자율을 정확히 예측하기 어렵기 때문이다.

04 ④ 1) 자기주식의 처분

차) 현금	700,000	대) 자기주식	500,000
		자기주식처분이익	200,000

2) 법인세비용의 인식

차) 법인세비용	216,000	대) 당기법인세부채[1]	216,000

[1] (1,000,000 + 200,000) × 18% = 216,000

3) 자기주식처분이익에 대한 법인세효과의 인식

차) 자기주식처분이익	36,000	대) 법인세비용	36,000

05 ② 1) 당기 초 전환권대가 발생액

50,000,000 - (50,000,000 × 0.7722 + 3,500,000 × 2.5313) = 2,530,450

2) 당기 전환권가치 상각액: 47,469,550 × 9% - 3,500,000 = 772,260

3) 당기 말 이연법인세부채에 대한 법인세비용 인식액: (2,530,450 - 772,260) × 40% = 703,276

4) 자본에 가감하는 법인세효과에 따른 법인세비용 감소액: 2,530,450 × 40% = 1,012,180

5) 당기순이익에 미치는 영향: 1,012,180 - 703,276 = 308,904 증가

06 ① 1) 20×1년 법인세 계산

구분	20×1년(20%)	20×2년(20%)	20×3년(25%)	20×4년(30%)
법인세비용차감전이익	500,000			
재고자산평가손실	20,000	(-)20,000		
제품보증충당부채	15,000	(-)5,000	(-)5,000	(-)5,000
미수이자	(-)20,000	20,000		
환급금이자	(-)5,000			
벌과금	10,000			
합계	520,000	(-)5,000	(-)5,000	(-)5,000

2) 20×1년 말 이연법인세자산: (20,000 + 5,000) × 20% + 5,000 × 25% + 5,000 × 30% = 7,750
3) 20×1년 말 이연법인세부채: 20,000 × 20% = 4,000

07 ⑤ 1) 20×2년 법인세 계산

구분	20×2년(20%)	20×3년(25%)	20×4년 이후(30%)
법인세비용차감전순이익	700,000		
FVPL금융자산평가이익	(-)12,000	12,000	
감가상각비	40,000	(-)10,000	(-)30,000
자기주식처분이익	8,000		
접대비	30,000		
재고자산평가손실	(-)20,000		
충당부채	(-)5,000	(-)5,000	(-)5,000
미수이자	20,000		
합계	761,000	(-)3,000	(-)35,000

2) 20×2년 말 이연법인세자산: (10,000 + 5,000) × 25% + (30,000 + 5,000) × 30% = 14,250
3) 20×2년 말 이연법인세부채: 12,000 × 25% = 3,000
4) 20×2년 말 법인세 회계처리

차)	이연법인세자산[1]	6,500	대)	당기법인세부채[2]	152,200
	이연법인세부채[3]	1,000			
	법인세비용(대차차액)	144,700			
차)	자기주식처분이익[4]	1,600	대)	법인세비용	1,600

[1] 14,250 − 7,750 = 6,500
[2] 761,000 × 20% = 152,200
[3] 3,000 − 4,000 = (-)1,000
[4] 8,000 × 20% = 1,600

01

[물음 1]

구분	금액
당기법인세부채	① 396,000
이연법인세자산	② 120,000
이연법인세부채	③ 44,000
법인세비용	④ 320,000

1) 법인세 계산

구분	20×1년(30%)	20×2년(25%)	20×3년(20%)	20×4년(20%)
법인세차감전순이익	950,000			
제품보증충당부채	200,000	(-)100,000	(-)100,000	
손실충당금	200,000	(-)200,000		
재고자산평가손실	100,000	(-)100,000		
접대비 한도초과	70,000			
조특법상 준비금	(-)120,000		60,000	60,000
미수수익	(-)80,000	80,000		
과세소득	1,320,000			
차감할 일시적차이 합계		(-)400,000	(-)100,000	
가산할 일시적차이 합계		80,000	60,000	60,000

2) 당기법인세부채: 1,320,000 × 30% = 396,000

3) 이연법인세자산(기말): 400,000 × 25% + 100,000 × 20% = 120,000

4) 이연법인세부채(기말): 80,000 × 25% + 60,000 × 20% + 60,000 × 20% = 44,000

5) 회계처리

차) 이연법인세자산	120,000	대) 당기법인세부채	396,000
법인세비용	320,000	이연법인세부채	44,000

물음 2

구분	금액
당기법인세부채	① 120,000
이연법인세자산	② 80,000
이연법인세부채	③ 54,000
재무상태표상 FVOCI금융자산평가이익	④ 120,000
법인세비용	⑤ 140,000

1) 법인세 계산

구분	20×2년(25%)	20×3년(20%)	20×4년(20%)
법인세차감전순이익	500,000		
제품보증충당부채	(-)100,000	(-)100,000	
손실충당금	(-)200,000		
재고자산평가손실	(-)100,000		
접대비 한도초과			
조특법상 준비금		60,000	60,000
미수수익	80,000		
FVOCI금융자산	(-)150,000		150,000
평가이익	150,000		
감가상각비 한도초과	300,000	(-)300,000	
과세소득	480,000		
차감할 일시적차이 합계		(-)400,000	
가산할 일시적차이 합계		60,000	210,000

2) 당기법인세부채: 480,000 × 25% = 120,000

3) 이연법인세자산(기말): 400,000 × 20% = 80,000

4) 이연법인세부채(기말): 60,000 × 20% + 210,000 × 20% = 54,000

5) 회계처리

차)	이연법인세부채(기초)	44,000	대)	당기법인세부채	120,000
	이연법인세자산(기말)	80,000		이연법인세자산(기초)	120,000
	법인세비용	170,000		이연법인세부채(기말)	54,000
차)	FVOCI금융자산평가이익[1]	30,000	대)	법인세비용	30,000

[1] 150,000 × 20% = 30,000

6) 법인세비용: 170,000 - 30,000 = 140,000

7) 재무상태표상 FVOCI금융자산평가이익: 150,000 - 30,000 = 120,000

제16장 | 회계변경과 오류수정

기초 유형 확인

01 ④   1) 20×1년 감가상각비: $30,000,000 × 2/8 = 7,500,000$

       2) 20×2년 감가상각비: $(30,000,000 - 7,500,000) × 2/8 = 5,625,000$

       3) 20×3년 감가상각비: 2,087,500

          * $(30,000,000 - 7,500,000 - 5,625,000 + 5,000,000 - 1,000,000)/(8 - 2 + 4) = 2,087,500$

02 ③   1) 수정분개

차) 매출원가[1]	11,000	대) 재고자산	17,000
이월이익잉여금[2]	6,000		

       [1] 매출원가: $74,000 - 63,000 = 11,000$
       [2] 이월이익잉여금: $(38,000 + 47,000) - (34,000 + 45,000) = 6,000$

       2) 20×3년 말 재고자산: $26,000 - 17,000 = 9,000$

03 ②   1) 수정분개

차) 매출원가	100,000	대) 재고자산	250,000
이익잉여금	150,000		

       2) 정산표

구분	20×6년	20×7년	20×8년
20×6년 재고 감소	(-)100,000	100,000	
20×7년 재고 감소		(-)150,000	150,000
20×8년 재고 감소			(-)250,000
계	(-)100,000	(-)50,000	(-)100,000

04 ④   20×8년 초 이익잉여금에 미친 영향: $(-)100,000 + (-)50,000 = (-)150,000$

05 ①

구분		20×1년	20×2년	20×3년
수정 전 당기순이익		16,000	9,200	6,300
(1)	재고자산 - 20×1 과대	(-)9,700	9,700	
	재고자산 - 20×2 과대		(-)7,500	7,500
	재고자산 - 20×3 과소			5,900
(2)	선급비용 누락 - 20×1	1,950	(-)1,950	
	선급비용 누락 - 20×2		2,100	(-)2,100
	선급비용 누락 - 20×3			2,300
(3)	미지급비용 누락 - 20×1	(-)2,400	2,400	
	미지급비용 누락 - 20×2		(-)2,200	2,200
	미지급비용 누락 - 20×3			(-)1,900
(4)	트럭 - 20×1	19,000		
	트럭 - 20×2		(-)4,000	
	트럭 - 20×3			(-)4,000
수정 후 당기순이익		24,850	7,750	16,200

06 ⑤　20×3년 말 이익잉여금: 60,000 + 24,850 + 7,750 + 16,200 = 108,800

기출 유형 정리

01 ①　전기오류의 수정은 당기 이월이익잉여금에 반영한다.

02 ⑤

문항	항목	회계변경의 유형 또는 오류수정	전기재무제표 재작성 여부
①	한국채택국제회계기준은 후입선출법을 인정하지 않으므로 오류에 해당한다.	오류수정	재작성함
②	충당부채로 인식하여야 하는 항목을 우발부채로 처리한 것은 오류에 해당한다.	오류수정	재작성함
③	회계정책의 변경과 회계추정치의 변경을 구분하는 것이 어려운 경우에는 이를 회계추정치의 변경으로 본다.	회계추정치의 변경	재작성 안 함
④	건설계약의 결과를 신뢰성 있게 추정할 수 없는 경우를 제외하고는 진행기준으로 인식하여야 하므로 오류에 해당한다.	오류수정	재작성함
⑤	감가상각방법의 변경은 회계추정치의 변경에 해당한다.	회계추정치의 변경	재작성 안 함

03 ①
1) 20×2년 감가상각비: (5,000,000 - 0) × 2/5 × 9/12 = 1,500,000
2) 20×3년 감가상각비: (5,000,000 - 1,500,000) × 2/5 × 12/12 = 1,400,000
3) 20×4년 초 장부가액: 5,000,000 - 1,500,000 - 1,400,000 = 2,100,000
❍ 20×4년 초 잔존가치가 장부가액보다 크므로 잔존가치가 장부금액보다 작아질 때까지는 감가상각을 하지 않는다.

04 ③ 1) 20×1년 말 감가상각누계액: $(1,000,000 - 100,000) \times 5/(5+4+3+2+1) = 300,000$

      2) 20×2년 초 장부가액: $1,000,000 - 300,000 + 200,000 = 900,000$

      3) 20×2년 감가상각비: $(900,000 - 0) \times 2/(5 - 1 + 2) = 300,000$

05 ④ 1) 20×3년 초 건물의 장부금액: $100,000 \times 8/10 + 30,000 = 110,000$

      2) 20×3년 감가상각비: $(110,000 - 0) \times 10/55 = 20,000$

06 ②

구분	20×1년 초	20×1년 말
20×1년 초 재고자산 차이 금액: A	A 5,000	(A) (5,000)
20×1년 말 재고자산 차이 금액: B		B 3,000

○ 평가방법 변경에 따른 20×1년 변경된 매출원가: $(400,000) + (5,000) + 3,000 = (402,000)$

07 ④

구분	20×3년 당기순이익 변동	20×4년 당기순이익 변동
20×3년 기말재고자산 감소	(22,000)	22,000
20×4년 기말재고자산 감소	–	(18,000)
합계	(22,000)	4,000

○ 20×4년 변경 후 당기순이익: $160,000 + 4,000 = 164,000$

○ 20×4년 변경 후 이익잉여금: $540,000 - 22,000 + 4,000 = 522,000$

08 ③ 1) 원가모형 적용 시 회사의 재무상태표

      (1) 투자부동산 취득원가: 5,000,000

      (2) 감가상각누계액: $(5,000,000 - 1,000,000)/10 = (-)400,000$

      2) 공정가치모형 적용 시 회사의 재무상태표

      (1) 투자부동산의 장부금액: 4,500,000

      3) 회계처리

[20×1년 초]			
차) 감가상각누계액	400,000	대) 투자부동산	500,000
이익잉여금	100,000		
[20×1년 말]			
차) 투자부동산[1]	300,000	대) 평가이익	300,000

      [1] $4,800,000 - 4,500,000 = 300,000$

      4) 20×2년 말 이익잉여금: $(300,000 - 100,000) + (700,000 + 300,000) = 1,200,000$

09 ④ 투자부동산을 원가모형에서 공정가치모형으로 변경하는 것은 회계정책의 변경에 해당하므로 소급법을 적용한다. 이로 인해 20×2년에 비교표시되는 20×1년의 재무제표에도 투자부동산은 공정가치로 평가한 장부금액과 평가손익이 기재되어야 한다.

      1) 비교표시되는 재무상태표

      (1) 20×1년 말 투자부동산 장부금액: 950,000

      (2) 20×2년 말 투자부동산 장부금액: 880,000

      2) 비교표시되는 포괄손익계산서

      (1) 20×1년 당기손익에 미친 영향: 투자부동산평가손실 $(50,000) = 950,000 - 1,000,000$

      (2) 20×2년 당기손익에 미친 영향: 투자부동산평가손실 $(70,000) = 880,000 - 950,000$

      3) 비교표시되는 20×1년 말 재무상태표상 이익잉여금: $300,000 + 50,000^{1)} = 350,000$

      [1] 취소되는 감가상각비 $100,000 (= 1,000,000 \div 10년) + 평가손실 (50,000) = 50,000$

10 ③ ㄱ, ㄹ은 회계정책의 변경으로 보지 않는다.

ㅁ은 오류수정에 해당한다.

11 ③

구분	20×1년	20×2년
(가) 20×1년 말 재고자산 과소	40,000	(40,000)
(가) 20×2년 말 재고자산 과대	-	(32,000)
(나) 20×1년 기계 구입	1,000,000	-
(나) 20×1년 감가상각비	(200,000)	(200,000)
(라) 20×2년 연말상여금	-	(25,000)
합계	840,000	(297,000)

○ 20×2년 말 미처분이익잉여금에 미치는 영향: 840,000 - 297,000 = 543,000

* (다)는 20×3년의 반영사항이다.

12 ①
1) 20×2년 이자비용 과소: 1,903,926 × 12% - 200,000 = 28,471
2) 20×3년 이자비용 과소: (1,903,926 × 1.12 - 200,000) × 12% - 200,000 = 31,888
3) 정부보조금과 상계할 감가상각비: 1,000,000 × 1,000,000/(10,000,000 - 0) = 100,000
4) 정산표

구분	20×1년	20×2년	20×3년
20×1년 12월 미지급급여	(1,000,000)	1,000,000	-
20×2년 12월 미지급급여	-	(1,000,000)	1,000,000
20×3년 12월 미지급급여	-	-	(1,000,000)
이자비용 과소	-	(28,471)	(31,888)
정부보조금	-	-	100,000
수정 후 N/I 영향	(1,000,000)	(28,471)	68,112

13 ②

구분	20×1년	20×2년
건물 감가상각비 과소	(100,000)[1]	(100,000)
20×1년 자본적 지출	190,000	-
자본적 지출 감가상각비	(10,000)[2]	(20,000)
20×1년 말 미수이자 과소	50,000	(50,000)
20×2년 말 미수이자 과소	-	50,000
합계	130,000	(120,000)

[1] 건물 감가상각비: (1,000,000 - 0)/(8 + 2)년 = (100,000)
[2] 자본적 지출로 인한 20×1년 감가상각비(내용연수 9.5년): 190,000 × 6/114개월 = 10,000

○ 전기이월이익잉여금 영향: 130,000 증가

○ 당기순이익 영향: 120,000 감소

14 ③
1) 20×2년 말 제품보증충당부채 잔액
  : (2,000,000 + 2,500,000) × 2% - (8,000 + 17,000) = 65,000
2) 20×2년 말 재무상태표상 이익잉여금에 미치는 영향: 20,000 - 50,000 = (30,000) 감소
  (1) 전기 부채 과대계상 수정: 2,000,000 × (3% - 2%) = 20,000 증가
  (2) 당기 제품보증비용: 2,500,000 × 2% = (50,000) 감소

15　②

구분	20×0년	20×1년	20×2년
(1) 선급임차료	-	(180,000)	180,000
(2) 20×0년 재고 누락	150,000	(150,000)	-
(2) 20×1년 재고 누락	-	200,000	(200,000)
(3) 기계장치	-	100,000	-
(3) 감가상각비[1]	-	(20,000)	(20,000)
해당 연도 N/I 영향	150,000	(50,000)	(40,000)

[1] 감가상각비: (100,000 - 0)/(3 + 2)년 = (20,000)

　◑ 20×2년 당기손익에 미치는 영향: (40,000) 감소
　◑ 20×2년 전기이월이익잉여금에 미치는 영향: 150,000 - 50,000 = 100,000

16　④　1) 오류수정분개

선적지인도조건으로 구입한 재고자산이 매입시점에 회계처리되지 않고 기말재고자산에도 포함되어 있지 않으므로 이에 관한 오류수정분개는 다음과 같다.

차) 재고자산	××	대) 매입채무	××

동 오류수정분개로 자산과 부채가 동일한 금액으로 변동하고 손익에는 영향을 미치지 않는다.

2) 지문분석

① 매출원가율은 '매출원가 ÷ 매출'로 동 오류수정분개에 영향을 받지 않는다.

② 총자산회전율은 '매출 ÷ 총자산'으로 동 오류를 수정하면 총자산이 증가하므로 오류가 발생하지 않았을 경우에 비하여 현재의 비율이 높다.

③ 당좌비율은 '당좌자산(= 유동자산 - 재고자산) ÷ 유동부채'로 동 오류를 수정하면 유동부채가 증가하고, 당좌자산이 감소하므로 오류가 발생하지 않았을 경우에 비하여 현재의 비율이 높다.

④ 부채비율은 '부채 ÷ 자기자본'으로 동 오류를 수정하면 부채가 증가하므로 오류가 발생하지 않았을 경우에 비하여 현재의 비율이 낮다.

⑤ 총자산이익률은 '당기순이익 ÷ 총자산'으로 동 오류를 수정하면 총자산이 증가하므로 오류가 발생하지 않았을 경우에 비하여 현재의 비율이 높다.

17　①　1) 올바른 20×2년 말 선급비용 장부금액: 1,200,000 × (36 - 15)/36개월 = 700,000

2) 올바른 20×2년 보험료: 1,200,000 × 12/36개월 = 400,000

3) 20×2년 말 수정분개

차) 선급비용	700,000	대) 이익잉여금(역산)	1,100,000
보험료	400,000		

4) 지문분석

구분	계산근거
① 전기이월이익잉여금의 증가	1,100,000 증가 → ○
② 당기비용 발생액	400,000 → ×
③ 기말이익잉여금의 증가	1,100,000 - 400,000 = 700,000 증가 → ×
④ 기말자산항목의 증가	700,000 → ×
⑤ 기말순자산의 증가	1,100,000 - 400,000 = 700,000 증가 → ×

18 ①   1) 20×2년 말 오류수정분개

차) 감가상각누계액	100,000	대) 건물	500,000
이익잉여금	450,000	감가상각비[1]	50,000

[1] (500,000 - 0) × 1/10 = 50,000

2) 20×2년 말 순자산 장부금액 변동액: 400,000 감소[1]

[1] 이익잉여금 감소 (-)450,000 + 감가상각비 취소 50,000 = 400,000 감소

19 ④   1) 정산표

구분	20×1년	20×2년	20×3년
20×1년 재고	20,000	(-)20,000	
20×2년 재고		(-)30,000	30,000
20×3년 재고			(-)35,000
20×2년 보험료		15,000	(-)15,000
기계장치	50,000		
감가상각비[1]	(-)10,000	(-)10,000	(-)10,000
당기순이익에 미친 영향	60,000	(-)45,000	(-)30,000

[1] 감가상각비: 50,000 ÷ (3 + 2)년 = 10,000

2) 전기이월이익잉여금에 미치는 영향: 60,000 - 45,000 = 15,000

3) 당기순이익에 미치는 영향: (-)30,000

20 ②   1) 20×1년 말 이익잉여금: 150,000 + 60,000 - 10,000(재고자산 과대계상) = 200,000

2) 20×2년 말 이익잉여금: 150,000 + 60,000 + 130,000 = 340,000

* 재고자산은 자동조정오류로 20×1년에 발생한 오류는 20×2년에 자동조정되어 20×2년 말 이익잉여금에는 영향이 없다.

21 ④   1) 회사의 회계처리에 따른 당기순이익에 미친 영향: (1) + (2) = (-)36,900

(1) 이자비용: (274,000) × 10% = (-)27,400

(2) 수수료비용: (-)9,500

2) 올바른 회계처리에 따른 당기순이익에 미친 영향: (-)31,740

이자비용: (274,000 - 9,500) × 12% = (-)31,740

3) 올바른 당기순이익: 100,000 + (36,900 - 31,740) = 105,160

22 ④   오류수정 정산표

구분	20×1년	20×2년
수정 전 당기순이익		500,000
20×1년 재고자산 과대평가	(-)10,000	10,000
20×2년 재고자산 과소평가		5,000
20×1년 미지급이자 과소계상	(-)7,000	7,000
20×2년 미지급이자 과소계상		(-)3,000
관계기업투자주식 현금배당		(-)6,000
지분법이익		400,000 × 30%
수정 후 당기순이익		633,000

구분	20×0년	20×1년	20×2년
재고자산 ×0년 과소계상	100,000	(-)100,000	
재고자산 ×1년 과소계상		150,000	(-)150,000
수선비		60,000	
감가상각비		(-)15,000[1]	(-)15,000
이자비용		(-)1,587[2]	(-)1,714[3]
당기순이익에 미친 영향	100,000	93,413	(-)166,714

[1] 60,000/4 = 15,000
[2] 94,842 × 8% - 100,000 × 6% = 1,587
[3] (94,842 × 1.08 - 6,000) × 8% - 100,000 × 6% = 1,714

○ 20×2년 전기이월이익잉여금에 미치는 영향: 100,000 + 93,413 = 193,413
○ 20×2년 당기순이익에 미친 영향: (-)166,714

관련 유형 연습

01 ⑤
1) 회계추정치의 변경으로 전진법을 사용하므로 기초이익잉여금에 영향을 미치지 않는다.
2) 20×3년 감가상각누계액: (10,200,000 - 1,000,000) × 3/5 = 5,520,000
3) 20×4년 감가상각비: (10,200,000 - 5,520,000 + 3,000,000 - 0) × 5[1]/15 = 2,560,000
   [1] 변경된 잔여내용연수: 8 - 3 = 5

02 ④
① 일관성에 따라, 유사한 거래에 대해서는 동일한 회계정책을 선택하여 적용해야 한다. 한편, 한국채택국 제회계기준에서 범주별로 서로 다른 회계정책을 적용하도록 규정하거나 허용하는 경우, 각 범주에 대하여 선택한 회계정책을 일관성 있게 적용한다.

②③ 아래의 경우에는 회계정책의 변경에 해당하지 않으며, 새로운 회계정책의 적용으로 본다. [(1) 과거에 발생한 거래와 실질이 다른 거래, 기타 사건 또는 상황에 대하여 다른 회계정책을 적용하는 경우, (2) 과거에 발생하지 않았거나 발생하였어도 중요하지 않던 거래, 기타 사건 또는 상황에 대하여 새로운 회계정책을 적용하는 경우] 따라서 품질보증비용을 새로 인식하는 것은 중요도에 따른 새로운 회계처리의 적용(2)이며, 택배회사의 직원 출퇴근용 버스의 감가상각방법의 선택은 과거에 발생한 거래와 실질이 다른 거래의 적용(1)이다.

④ 기업은 다음의 경우에 회계정책을 변경할 수 있다. (1) 한국채택국제회계기준에서 회계정책의 변경을 요구하는 경우 (2) 회계정책의 변경을 반영한 재무제표가 거래, 기타 사건 또는 상황이 재무상태, 재무성과 또는 현금흐름에 미치는 영향에 대하여 신뢰성 있고 더 목적적합한 정보를 제공하는 경우

⑤ 중요한 전기오류는 소급재작성에 의하여 수정한다. 그러나 비교표시되는 하나 이상의 과거기간의 비교 정보에 대해 특정 기간에 미치는 오류의 영향을 실무적으로 결정할 수 없는 경우, 실무적으로 소급재작성할 수 있는 가장 이른 회계기간의 자산, 부채 및 자본의 기초금액을 재작성한다. 또한 당기 기초시점에 과거기간 전체에 대한 오류의 누적효과를 실무적으로 결정할 수 없는 경우, 실무적으로 적용할 수 있는 가장 이른 날부터 전진적으로 오류를 수정하여 비교정보를 재작성한다.

03 ①

구분	20×2년 초	20×2년 말
20×2년 초 재고 변동	3,600,000 - A	(3,600,000 - A)
20×2년 말 재고 변동		4,300,000 - 4,000,000
20×2년 매출원가 변동		(8,200,000) - (8,000,000)

➋ (3,600,000 - A) + 300,000 = (200,000)
➋ 20×2년 초 선입선출법하의 재고(A) = 3,100,000

04 ④

구분	20×1년	20×2년	20×3년
20×1년 재고 증가	2,000	(2,000)	
20×2년 재고 증가		3,000	(3,000)
20×3년 재고 증가			4,000
합계	2,000	1,000	1,000

* 재고자산의 증감 ∝ 1/매출원가 ∝ 매출총이익 · 당기순이익 ∝ 이익잉여금
➋ 비교공시되는 20×3년 매출원가: 70,000 - 1,000 = 69,000
➋ 비교공시되는 20×3년 기말이익잉여금: 600,000 + 2,000 + 1,000 + 1,000 = 604,000

05 ③

구분	20×1년	20×2년
수정 전 법인세비용차감전순이익		400,000
20×1년 임차료 비용처리	45,000	(45,000)
20×1년 선수금 과소계상	(20,000)	20,000
20×2년 선수금 과소계상		(30,000)
20×2년 매출총이익 과대계상		(8,000)
수정 후 법인세비용차감전순이익		337,000

06 ④

구분	20×0년	20×1년
20×0년 이자비용 과소계상[1]	(142)	
20×1년 이자비용 과소계상[2]		(159)
20×0년 말 재고자산 변동	200	(200)
20×1년 말 재고자산 변동		–
해당 연도 N/I 영향	58	(359)

[1] 20×0년 사채 이자비용 과소: 9,520 × 12% - 1,000 = 142
[2] 20×1년 사채 이자비용 과소: (9,520 + 142) × 12% - 1,000 = 159
* 20×1년 말 재고자산은 가중평균법을 적용하였으므로 수정사항이 없고, 20×0년 말 재고자산은 선입선출법에 의한 금액이므로 가중평균법에 의한 재고자산으로 수정한다. 또한 20×0년 초 재고는 자동조정되어 수정할 사항이 없다.

➋ 20×0년 말 이익잉여금 증가: 58

07 ③ 06번 해설 참고
➋ 20×1년 당기순이익 감소: (359)

01 ④
1) 20×1년 당기순이익에 미치는 영향: (-)210,000
2) 20×2년 당기순이익에 미치는 영향: (-)200,000
3) 오류수정정산표

구분	20×1년	20×2년
×1년 감가상각비	- 100,000	
×2년 감가상각비		- 200,000
×1년 기말 선급보험료	- 30,000	+ 30,000
×2년 기말 선급보험료		- 20,000
×1년 기말 미지급임차료	- 10,000	+ 10,000
×2년 기말 미지급임차료		- 40,000
×1년 기말 재고자산	- 70,000	+ 70,000
×2년 기말 재고자산		- 50,000
당기순이익에 미친 영향	- 210,000	- 200,000

(1) ×1년 감가상각비(비자동조정오류): 비용 발생 ➡ 이익 감소
(2) ×2년 감가상각비(비자동조정오류): 비용 발생 ➡ 이익 감소
(3) ×1년 기말 선급보험료
  ① 당기: 자산 감소 ➡ 이익 감소
  ② 차기: 반대효과 발생(자동조정오류)
(4) ×2년 기말 선급보험료: 자산 감소 ➡ 이익 감소
(5) ×1년 기말 미지급임차료
  ① 당기: 부채 증가 ➡ 이익 감소
  ② 차기: 반대효과 발생(자동조정오류)
(6) ×2년 기말 미지급임차료: 부채 증가 ➡ 이익 감소
(7) ×1년 기말 재고자산
  ① 당기: 자산 감소 ➡ 이익 감소
  ② 차기: 반대효과 발생(자동조정오류)
(8) ×2년 기말 재고자산: 자산 감소 ➡ 이익 감소

02 ③
1) ×1년 당기순이익: 150,000 - 120,000 + 50,000 = 80,000
  (1) 당기 손상차손: 200,000 + 손상차손 = 70,000 + 250,000
    ∴ 손상차손 = 120,000
  (2) 투자부동산평가이익: 250,000 - 200,000 = 50,000
2) ×1년 말 이익잉여금: 30,000 + 80,000 = 110,000

03 ①

	20×1년	20×2년
총평균법하의 순이익	180,000	120,000
20×1년 기말재고 과소	50,000	(50,000)
20×2년 기말재고 과소	-	40,000
선입선출법하의 순이익	230,000	110,000

04 ① 1) 오류수정분개

차)	구축물[1]	248,368	대)	복구충당부채	300,525
	감가상각비[2]	49,674		감가상각누계액	99,348
	이자비용[3]	27,320			
	이익잉여금	74,511			

[1] 400,000 × 0.62092 = 248,368
[2] 248,368/5년 = 49,674
[3] 248,368 × 1.1 × 10% = 27,320

2) 회사의 B/S, I/S

	B/S	20×1년 말		I/S	20×1년
구축물	2,000,000		감가상각비		400,000
감가상각누계액	(800,000)				

3) 올바른 B/S, I/S

	B/S	20×1년 말			I/S	20×1년
구축물	2,248,368	복구충당부채	300,525	감가상각비		449,674
감가상각누계액	(899,348)			이자비용[4]		27,320

[4] 복구충당부채전입액: 273,205 × 10% = 27,320

2차 문제 Preview

01

구분	20×3년	
	기초이익잉여금	당기순이익
오류 1	① 120,000	② 41,500
오류 2	③ (-)5,000	④ 11,000
오류 3	⑤ 18,000	⑥ 6,000

1) 오류 1 - 오류수정분개

차)	건물	170,000	대)	감가상각누계액	8,500
	감가상각비[1]	8,500		일반관리비	50,000
				이익잉여금	120,000

[1] (120,000 + 50,000) ÷ 20년 = 8,500

2) 오류 2

(1) 오류수정정산표

구분	20×1년	20×2년	20×3년
20×1년 재고 과소계상	4,000	(-)4,000	
20×2년 재고 과대계상		(-)5,000	5,000
20×3년 재고 과소계상			6,000
당기순이익에 미친 영향	4,000	(-)9,000	11,000

(2) 오류수정분개

차) 재고자산	6,000	대) 매출원가	11,000
이익잉여금	5,000		

3) 오류 3

(1) 오류수정정산표

구분	20×2년	20×3년
20×2년 선급비용 과소계상	18,000	(-)18,000
20×3년 선급비용 과소계상		24,000
당기순이익에 미친 영향	18,000	6,000

(2) 오류수정분개

차) 선급비용	24,000	대) 보험료	6,000
		이익잉여금	18,000

02

구분	20×1년의 전기이월이익잉여금에 미치는 영향	20×1년의 당기순이익에 미치는 영향
<자료 1>	① 없음	② (-)105,183
<자료 2>	③ (-)2,230,299	④ (-)1,478,960
<자료 3>	⑤ 600,000	⑥ 없음
<자료 4>	⑦ (-)1,000,000	⑧ 없음
<자료 5>	⑨ (-)900,000	⑩ 100,000

<자료 1>

1) 회사의 20×1년 재무제표

(1) 재무상태표

신주인수권부사채의 장부금액: 2,000,000

(2) 손익계산서

이자비용: 80,000

2) GAAP에 따라 작성된 20×1년 재무제표

(1) 재무상태표

① 신주인수권대가의 장부금액: 2,000,000 - (80,000 × 2.48685 + 2,200,000 × 0.75131)

= 148,170

② 신주인수권부사채의 장부금액: 1,851,830 × 1.1 - 80,000 = 1,957,013

(2) 손익계산서

이자비용: 1,851,830 × 10% = 185,183

3) 오류수정 회계처리

차) 이자비용	105,183	대) 신주인수권대가	148,170
신주인수권부사채	42,987		

<자료 2>
1) 회사의 20×1년 재무제표
   (1) 재무상태표
      ① 건물의 취득원가: 30,000,000
      ② 감가상각누계액: 30,000,000 × 2/20년 = 3,000,000
      ③ 미지급금: 10,000,000
   (2) 손익계산서
      감가상각비: 1,500,000
2) GAAP에 따라 작성된 20×1년 재무제표
   (1) 재무상태표
      ① 건물의 취득원가: 10,000,000 × 2.48685 = 24,868,500
      ② 감가상각누계액: 24,868,500 × 2/20년 = 2,486,850
      ③ 미지급금: 10,000,000/1.1 = 9,090,909
   (2) 손익계산서
      ① 이자비용: (24,868,500 × 1.1 − 10,000,000) × 10% = 1,735,535
      ② 감가상각비: 1,243,425
3) 오류수정 회계처리

차) 감가상각누계액	513,150	대) 건물	5,131,500
미지급금	909,091	감가상각비	256,575
이자비용	1,735,535		
미처분이익잉여금	2,230,299		

<자료 3>
1) 회사의 20×1년 재무제표
   (1) 재무상태표
      토지: 4,000,000
2) GAAP에 따라 작성된 20×1년 재무제표
   (1) 재무상태표
      토지: 4,600,000
3) 오류수정 회계처리

차) 토지	600,000	대) 미처분이익잉여금	600,000

<자료 4>
1) 회사의 20×1년 재무제표
   (1) 재무상태표
      해당사항 없음
   (2) 손익계산서
      급여: 12,000,000
2) GAAP에 따라 작성된 20×1년 재무제표
   (1) 재무상태표
      미지급급여: 1,000,000
   (2) 손익계산서
      급여: 12,000,000
3) 오류수정 회계처리

차) 미처분이익잉여금	1,000,000	대) 미지급급여	1,000,000

<자료 5>
1) 회사의 20×1년 재무제표
   (1) 재무상태표
     ① 차량운반구: 10,000,000
     ② 감가상각누계액: 10,000,000 × 2/10 = 2,000,000
   (2) 손익계산서
     감가상각비: 1,000,000
2) GAAP에 따라 작성된 20×1년 재무제표
   (1) 재무상태표
     ① 차량운반구: 10,000,000
     ② 감가상각누계액: 10,000,000 × 2/10 = 2,000,000
     ③ 정부보조금: 1,000,000 × 8/10 = 800,000
   (2) 손익계산서
     감가상각비: (10,000,000 - 1,000,000)/10 = 900,000
3) 오류수정 회계처리

차) 미처분이익잉여금	900,000	대) 정부보조금	800,000
		감가상각비	100,000

03

물음 1

과목	20×2년	20×1년
유형자산	600,000	① 500,000
감가상각누계액	② 120,000	50,000

1) 유형자산은 기존 원가모형에서 최초로 재평가모형을 적용하는 경우, 회계정책의 변경을 적용하지 않고, 재평가모형의 최초 적용연도의 유형자산 장부금액을 공정가치로 수정한다(= 비교 표시되는 과거기간의 재무제표를 소급하여 재작성하지 않는다). 그러므로 20×1년의 취득원가는 수정되지 않는다.
2) 20×2년 말 감가상각누계액: (480,000 - 0) ÷ 8년 × 2년 = 120,000

물음 2

과목	20×2년	20×1년
유형자산(순액)	① 350,000	450,000
감가상각누계액	100,000	② 50,000

1) 20×1년 감가상각비: (500,000 - 0)/10년 = 50,000
2) 20×2년 감가상각비: (500,000 - 50,000 - 0) × 8/36 = 100,000
3) 20×2년 말 유형자산의 장부금액: 450,000 - 100,000 = 350,000

기초 유형 확인

01 ①

당기순이익			1,000,000
1) 누적적 상환우선주[1]			0
2) 비누적적 비상환우선주			
• 구주배당금	500 × 1,000주 × 10% =	50,000	
• 신주배당금	500 × 1,000주 × 10% =	50,000	(−)100,000
3) 누적적 비상환우선주[2]			
• 배당금	500 × 2,000주 × 8% =	80,000	
• 상환 시 초과지급액		10,000	(−)90,000
보통주당기순이익			810,000

[1] 부채로 분류되었으므로 우선주배당금이 비용으로 처리되어 당기순이익에 이미 차감되었다.
[2] 보통주당기순이익 산정 시 배당결의 여부와 관계없이 당해 회계기간과 관련된 누적적 우선주에 대한 세후 배당금만을 차감한다.

02 ③

당기순이익			1,000,000
1) 누적적 할증배당우선주			
• 우선주할인발행차금상각		18,000	(−)18,000
2) 누적적 전환우선주			
• 배당금	500 × 2,000주 × 4% =	40,000	
• 전환 시 추가 지급액	300 × 100주 =	30,000	(−)70,000
보통주당기순이익			912,000

03 ③ 가중평균유통보통주식수: 11,019주
1) 공정가치 미만 유상증자
  (1) 공정가치 유상증자주식수: 2,250주 × 1,000/2,250 = 1,000주
  (2) 무상증자주식수: 2,250주 − 1,000주 = 1,250주
  (3) 무상증자비율: 1,250주 ÷ (9,000 + 1,000)주 = 12.5%
2) 가중평균유통보통주식수: (9,000 × 1.125 × 12 + 1,000 × 1.125 × 9 + 200 × 3) ÷ 12 = 11,019주

04 ③ 보통주당기순이익: 2,875,000
1) 우선주배당금: (1,000[1] − 500)주 × @500 × 10% = 25,000
  [1] 우선주자본금 500,000 ÷ 우선주액면금액 @500 = 1,000
2) 우선주재매입손실: 350,000 − 500주 × @500 = 100,000
3) 보통주당기순이익: 3,000,000 − 25,000 − 100,000 = 2,875,000

05 ④ 1) 조정 행사가격: 800 + 90,250/1,000주 = 890
        2) 잠재적보통주의 가중평균유통보통주식수: (1) + (2) = 486주
            (1) 행사분: (500 - 500 × 890/2,000) × 9/12 = 208주
            (2) 미행사분: (500 - 500 × 890/2,000) × 12/12 = 278주

06 ① 1) 당기손익에 가산효과: 10,000주 × 60% × 500 × 7% = 210,000
        2) 잠재적보통주: (2,000 × 9 + 3,000 × 12)/12 = 4,500
        3) 희석효과: 1) ÷ 2) = 47

07 ⑤ 1) 당기손익에 가산효과: 300,000 × (1 - 25%) = 225,000
        2) 잠재적보통주: (600 × 3 + 400 × 9)/12 = 450
        3) 희석효과: 1) ÷ 2) = 500

08 ② 1) 당기손익에 가산효과: 100,000 × (1 - 25%) = 75,000
        2) 잠재적보통주: [(2,000 - 2,000 × 450/600) × 3 + (2,000 - 2,000 × 450/600) × 12]/12 = 625
        3) 희석효과: 1) ÷ 2) = 120

기출 유형 정리

01 ④ 1) 보통주순이익: 당기순이익 - 2,500,000[1]
        [1] 우선주배당금: 5,000주 × ₩10,000 × 5% = 2,500,000
        2) 가중평균유통보통주식수

            ● 가중평균유통보통주식수: (10,000 × 12 - 1,000 × 6)/12 = 9,500주
        3) 기본주당이익: (당기순이익 - 2,500,000)/9,500주 = 400
            ● 당기순이익: 6,300,000

02 ① 누적적 우선주는 배당결의 여부와 관계없이 당해 회계기간과 관련된 세후 배당금을 보통주에 귀속되는 당기순손익에서 차감한다.

03 ② 기업이 공개매수 방식으로 우선주를 재매입할 때 우선주의 장부금액이 우선주의 매입을 위하여 지급하는 대가의 공정가치를 초과하는 경우 그 차액을 지배기업의 보통주에 귀속되는 당기순손익을 계산할 때 가산한다.

04 ② 1) 주주우선배정 신주발행(공정가치 미만의 유상증자) TOOL
   1st FV기준 발행가능 유상증자주식수: 총현금유입액/유상증자 전일 공정가치
   = 12,000주 × ₩1,000/₩1,500 = 8,000주
   2nd 무상증자주식수: 총발행주식수 − FV기준 발행가능 유상증자주식수
   = 12,000주 − 8,000주 = 4,000주
   3rd 무상증자비율: 무상증자주식수/(유상증자 전 주식 수 + FV기준 발행 유상증자주식수)
   = 4,000주/(24,000주 + 8,000주) = 12.5%

   2) 가중평균유통보통주식수

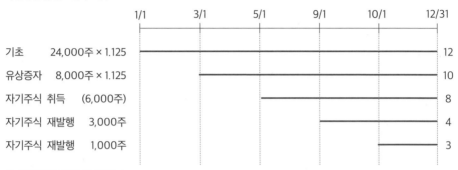

   ○ 가중평균유통보통주식수
   : (24,000 × 1.125 × 12 + 8,000 × 1.125 × 10 − 6,000 × 8 + 3,000 × 4 + 1,000 × 3)/12 = 31,750

05 ④ 1) 보통주당기순이익: 710,000,000 − 50,000,000[1] = 660,000,000
   [1] 우선주배당금: (150,000 − 100,000)주 × ₩10,000 × 10% = 50,000,000
   2) 가중평균유통보통주식수

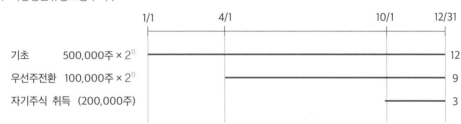

   ○ 가중평균유통보통주식수
   : (500,000 × 2 × 12 + 100,000 × 2 × 9 − 200,000 × 3)/12 = 1,100,000주
   [1] 주식분할
   3) 기본주당순이익: 660,000,000/1,100,000주 = 600

06 ④ 1) 우선주 배당액: (900 − 600)주 × @200 × 20% = 12,000
   2) 가중평균유통보통주식수:
   [(7,000 − 600) × 1.05 × 12 + 1,600 × 1.05 × 10 + 500,000/500 × 25% × 6 + 600/3 × 3]/12 = 8,295주
   (1) 3월 1일 공정가치로 발행될 유상증자주식수: 2,000 × 2,000/2,500 = 1,600주
   (2) 3월 1일 무상증자비율: (2,000 − 1,600) ÷ (7,000 − 600 + 1,600) = 5%
   3) 기본주당이익: (2,334,600 − 12,000) ÷ 8,295주 = 280

07 ⑤ 1) 가중평균유통보통주식수: (800 × 1.1 × 12 + 200 × 1.1 × 9 − 60 × 3)/12 − 1,030
   (1) 공정가치 유상증자주식수: 300 × 1,000/1,500 = 200
   (2) 무상증자비율: (300 − 200)/(800 + 200) = 10%
   2) 기본주당순이익: (575,300 − 50,000)/1,030 = 510

08 ① 1) 우선주 배당액: @5,000 × 5,000주 × 10% = 2,500,000
2) 가중평균유통보통주식수: (10,000 × 1.8 × 1.1 × 12 + 2,000 × 1.1 × 9 - 4,350 × 4)/12 = 20,000주
   (1) 4월 1일 공정가치 유상증자주식수: 4,000주 × 5,000/10,000 = 2,000주
   (2) 4월 1일 무상증자비율: (4,000 - 2,000)주 ÷ (10,000 × 1.8 + 2,000) = 10%
3) 기본주당이익: (10,000,000 - 2,500,000) ÷ 20,000주 = @375

09 ③ 1) 잠재적보통주식수

잠재적 → 보통주 800주

잠재적보통주
(800주 - 800주 × 6,000/10,000) × 9/12 = 240

유통보통주식수
800 × 3/12 = 200

잠재적 → 잠재적 100주

잠재적보통주
(200주 - 200주 × 6,000/10,000) × 12/12 = 80

◐ 가중평균잠재적보통주: 240 + 80 = 320

2) 가중평균유통보통주식수

기초 10,000주[1] ————————————————————— 12
신주인수권 행사 800주 ————— 3

◐ 가중평균유통보통주식수: (10,000 × 12 + 800 × 3)/12 = 10,200주

[1] 기초주식 수: 50,000,000(기초자본금)/5,000(액면금액) = 10,000주

3) 희석주당이익

$$희석주당이익\ 620 = \frac{보통주당기손익 + 보통주이익\ 증가액\ 0}{유통보통주식수\ 10,200주 + 잠재적보통주식수\ 320주}$$

◐ 당기순이익: 6,522,400

10 ④ 1) 잠재적보통주식수

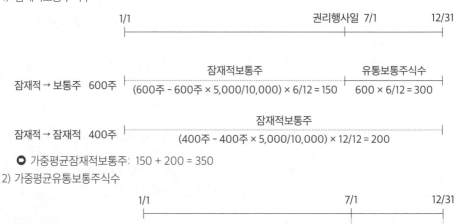

잠재적 → 보통주 600주

잠재적보통주
(600주 - 600주 × 5,000/10,000) × 6/12 = 150

유통보통주식수
600 × 6/12 = 300

잠재적 → 잠재적 400주

잠재적보통주
(400주 - 400주 × 5,000/10,000) × 12/12 = 200

◐ 가중평균잠재적보통주: 150 + 200 = 350

2) 가중평균유통보통주식수

기초 10,000주 ————————————————————— 12
신주인수권 행사 600주 ————— 6

◐ 가중평균유통보통주식수: (10,000 × 12 + 600 × 6)/12 = 10,300주

3) 희석주당계속영업이익

희석주당계속영업이익 $1,034 = \dfrac{\text{보통주계속영업이익 } 11,000,000 + \text{보통주이익 증가액 } 14,000}{\text{유통보통주식수 } 10,300\text{주} + \text{잠재적보통주식수 } 350\text{주}}$

(1) 보통주계속영업이익: 12,000,000 - 5,000 × 2,000주 × 10% = 11,000,000
(2) 보통주이익 증가액: 20,000 × (1 - 30%) = 14,000

11 ② 1) 희석주당이익

희석주당이익 $5,760 = \dfrac{\text{보통주당기손익 } 7,200,000 + \text{보통주이익 증가액 } 0}{\text{유통보통주식수 } 1,200\text{주} + \text{잠재적보통주식수 } 50\text{주(역산)}}$

(1) 유통보통주식수: (5,000,000/5,000 × 1.2 × 12)/12 = 1,200
(2) 상환할증조건이 없으므로 신주인수권부사채와 관련된 보통주이익 증가액은 없다.

2) 잠재적보통주식수

	1/1		12/31

잠재적 → 잠재적 100주 $\vdash$ 잠재적보통주

(100주 - 100주 × 2,000/평균시가) × 12/12 = 50

● 가중평균잠재적보통주: 50주, 평균시가(역산) = 4,000

12 ② 1) 가중평균유통보통주식수: (1,000 × 1.12[1] × 12 + 250[2] × 1.12[1] × 6) ÷ 12 = 1,260주
   [1] 무상증자비율: (400 - 250) ÷ (1,000 + 250) = 12%
   [2] FV유상증자주식수: 400주 × 500 ÷ 800 = 250
2) 잠재적보통주: (800 - 800 × 600 ÷ 750) × 12 ÷ 12 = 160
3) 희석주당순이익: 919,800 ÷ (1,260 + 160)주 = 648

13 ③ 1) 가중평균유통보통주식수: (1,000 × 12 - 200 × 9 + 100 × 6)/12 = 900
2) 잠재적보통주: (600 - 600 × 8,000/10,000) × 12/12 = 120
3) 보통주당기순이익(A): 840 = A ÷ (900 + 120), A = 856,800
4) 기본주당순이익: 856,800 ÷ 900 = @952

14 ④ 1) 가중평균유통보통주식수: (8,000 × 1.1 × 12 + 2,000 × 1.1 × 9 - 300 × 4) ÷ 12 = 10,350주
   (1) 4월 1일 공정가치로 유상증자한 주식수: 3,000주 × @400 ÷ @600 = 2,000주
   (2) 4월 1일 무상증자비율: (3,000 - 2,000)주 ÷ (8,000 + 2,000)주 = 10%
2) 잠재적보통주식수
   (1) 옵션: (600개 - 600개 × 300/500) × 3/12 = 60
   (2) 전환사채: 500,000 ÷ 10,000 × 12/12 = 50
● 가중평균한 유통보통주식수와 잠재적보통주식수의 합계: 10,350 + 60 + 50 = 10,460

15 ② 1) FV 미만 유상증자주식수: 3,000주 × 2,500/3,000 = 2,500주
2) 무상증자비율: (3,000 - 2,500) ÷ (10,000 + 2,500) = 4%
3) 가중평균유통보통주식수: (10,000 × 1.04 × 12 + 2,500 × 1.04 × 10 - 500 × 6 + 300 × 3)/12 = 12,392
4) 잠재적보통주: (2,000[1] - 2,000 × 500/800) × 12/12 = 750
   [1] 1,000,000/500 = 2,000
5) 희석주당이익: (4,000,000 + 0) ÷ (12,392 + 750) = 304

16 ③　1) 가중평균유통보통주식수: (200,000 × 12 + 20,000 × 3)/12 = 205,000
　　　　2) 잠재적보통주식수: (10,000 - 10,000 × 20,000/25,000) × 12/12 + (20,000 - 20,000 × 20,000/25,000)
　　　　　　× 9/12 = 5,000
　　　　3) 희석주당이익: 205,000,000 ÷ (205,000 + 5,000) = 976

17 ④　1) 보통주귀속당기순이익: 15,260,000 - 20,000 × @5,000 × 5% = 10,260,000
　　　　2) 가중평균유통보통주식수
　　　　　: (30,000 × 1.1[1] × 12 + 2,000 × 1.1[1] × 6 + 1,000,000/500 × 20% × 3) ÷ 12 = 34,200
　　　　　　[1] 무상증자비율: 3,200주 ÷ (30,000 + 2,000)주 = 10%
　　　　3) 잠재적보통주식수: (400 × 9 + 1,000,000/500 × 80% × 12) ÷ 12 = 1,900
　　　　4) 희석주당이익: [10,260,000 + 171,000 × (1 - 20%)] ÷ (34,200 + 1,900) = @288

18 ②　1) 우선주 배당금: (5,000 - 2,000)주 × @1,000 × 10% = 300,000
　　　　2) 가중평균유통보통주식수: 10,000 × 12/12 + 2,000/5 × 6/12 = 10,200
　　　　3) 기본주당이익: (993,600 - 300,000) ÷ 10,200주 = @68
　　　　4) 신주인수권 희석효과: 희석효과 있음
　　　　　(1) 당기순이익에 가산되는 금액: 0
　　　　　(2) 잠재적주식수: (10,000 - 10,000 × 3,000/5,000) × 9/12 = 3,000
　　　　5) 전환우선주 희석효과: 희석효과 없음(300,000/800 = 375 > 기본주당이익 68)
　　　　　(1) 당기순이익에 가산되는 금액: 300,000
　　　　　(2) 잠재적주식수: 2,000/5 × 6/12 + 3,000/5 × 12/12 = 800
　　　　6) 희석주당이익: (993,600 - 300,000) ÷ (10,200 + 3,000) = @53

19 ③　희석주당이익을 계산할 때 희석효과가 있는 옵션이나 주식매입권은 행사된 것으로 가정한다. 이 경우 권리행사에서 예상되는 현금유입액은 보통주를 회계기간의 평균시장가격으로 발행하여 유입된 것으로 가정한다.

20 ①　희석주당이익: 42,000,000 ÷ (100,000 + 5,000 + 5,000) = 382
　　　　* 회계기간에 조건부발행보통주에 대한 약정이 이루어졌다면 약정일부터 조건충족일 전일까지의 기간에 대하여 희석주식수를 산정한다.

관련 유형 연습

01 ③　1) 주주우선배정 신주발행(공정가치 미만의 유상증자) TOOL
　　　　　1st FV기준 발행가능 유상증자주식수: 총현금유입액/유상증자 전일 공정가치
　　　　　　　　　　　　　　　　　　　　　 = 300주 × ₩40,000/₩60,000 = 200주
　　　　　2nd 무상증자주식수: 총발행주식수 - FV기준 발행가능 유상증자주식수
　　　　　　　　　　　　　　 = 300주 - 200주 = 100주
　　　　　3rd 무상증자비율: 무상증자주식수/(유상증자 전 주식 수 + FV기준 발행 유상증자주식수)
　　　　　　　　　　　　　 = 100주/(1,800주 + 200주) = 5%

2) 가중평균유통보통주식수

	1/1	9/1	12/31
기초	1,800주 × 1.05		12
유상증자	200주 × 1.05		4

  ❷ 가중평균유통보통주식수: (1,800 × 1.05 × 12 + 200 × 1.05 × 4)/12 = 1,960주

3) 기본주당이익: 2,450,000/1,960주 = 1,250

02 ② 1) 주주우선배정 신주발행(공정가치 미만의 유상증자) TOOL
  1st FV기준 발행가능 유상증자주식수: 총현금유입액/유상증자 전일 공정가치
                           = 15,000주 × ₩5,000/₩15,000 = 5,000주
  2nd 무상증자주식수: 총발행주식수 − FV기준 발행가능 유상증자주식수
                        = 15,000 − 5,000주 = 10,000주
  3rd 무상증자비율: 무상증자주식수/(유상증자 전 주식 수 + FV기준 발행 유상증자주식수)
                        = 10,000주/(120,000주 + 5,000주) = 8%

2) 가중평균유통보통주식수

	1/1	7/1	10/1	12/31
기초	100,000주 × 1.2 × 1.08[1]			12
우선주전환	5,000주 × 1.08[1]			6
자기주식 취득	(1,500)주			3

  ❷ 가중평균유통보통주식수
    : (100,000 × 1.2 × 1.08 × 12 + 5,000 × 1.08 × 6 − 1,500 × 3)/12 = 131,925주
  [1] 무상증자와 FV 미만의 유상증자

3) 기본주당이익: 500,000,000/131,925주 = 3,790

03 ③ 1) 가중평균유통보통주식수: (15,000 × 12 − 1,800 × 6)/12 = 14,100
  2) 보통주순이익(A): A/14,100 = 328, A = 4,624,800
  3) 전환사채 이자비용: (40,000 × 2.4868 + 500,000 × 0.7513) × 10% = 47,512
  4) 잠재적보통주식수: 500,000/1,000 × 12/12 = 500주
  5) 희석효과 판단: 47,512 × (1 − 20%)/500 = 76
  6) 희석주당순이익: (4,624,800 + 47,512 × 80%)/(14,100 + 500) = 319

04 ④ 1) 가중평균유통보통주식수: (1,000 × 12 + 200 × 9 + 120 × 3)/12 = 1,180
  2) 잠재적보통주식수: (120 − 120 × 6,000/9,000) × 6/12 = 20
  3) 희석주당계속영업이익: (840,000 + 0)/(1,180 + 20) = 700

01 ③
1) 보통주당기순이익: 16,465,000 - 2,400주 × 1,000 × 10% = 16,225,000
2) 유통보통주식수: 5,000주(기초) × (1 + 20%) × 12/12 - 600주(자기주식) × 2/12 = 5,900주
∴ 기본주당순이익: 16,225,000 ÷ 5,900주 = 2,750

02 ②
1) 희석화 여부 판단
   (1) 전환사채: 320,000 × (1 - 0.3)/1,000주 = 224/주(희석효과 있음)
      * 기말에 전환되었으므로 1,000주(= 300주 ÷ 30%) 전체를 고려해야 한다.
   (2) 신주인수권부사채: 24,000 × (1 - 0.3)/1,000주 = 16.8/주(희석효과 있음)
      * 신주인수권이 행사되었다면 상환할증금 관련 이자는 계상하지 않을 것이므로 법인세효과를 고려한 상환할증금이자를 희석효과 계산 시 포함한다. 단, 신주인수권부사채는 신주인수권이 행사되어도 사채는 존재하므로 신주인수권조정상각액 중 상환할증금 관련 이자 이외의 이자는 고려하지 않는다.
   (3) 주식선택권: 500,000 × (1 - 0.3)/800주 = 437.5/주(희석효과 없음)
      * 주식선택권은 희석효과가 없으므로 희석주당순이익 계산 시 제외하여야 한다.
2) 희석주당순이익
   [6,000,000 + 320,000 × (1 - 0.3) + 24,000 × (1 - 0.3)]/(20,000주[1] + 1,000주 + 1,000주) = 283.7
   [1] 유통보통주식수: 6,000,000 ÷ 300 = 20,000주

03 ③
1) 전환사채 이자비용
   (1) 전환사채의 현재가치: 21,000,000 × 0.84 + 800,000 × 2.673 = 19,778,400
   (2) 전환사채 이자비용: 19,778,400 × 6% = 1,186,704
2) 희석주당순이익
   [6,000,000 + 1,186,704 × (1 - 0.3)]/(10,000주 + 2,000주) = 569

04 ①
1) 기본주당순이익
   (2,900,000 - 1,400,000)/[(200,000주 × 3/3 + 5,000주 × 1/3 + 40,000주 × 0/3)] = 7.44
2) 희석주당순이익
   (2,900,000 - 1,400,000)/(201,667주 + 5,000주 × 2/3 + 40,000주) = 6.12

05 ②
1) 보통주귀속당기순이익: 7,259,000 - 10,000,000 × 5% = 6,759,000
2) 가중평균유통보통주식수: (33,000 × 1.1 × 12 - 3,000 × 1.1 × 12 + 3,000 × 1.1 × 10 + 3,000 × 1.1 × 6 + 600 × 3) ÷ 12 = 37,550주
   (1) 공정가치 유상증자주식수: (30,000주 + 3,000주) × 20% × @1,100/@2,420 = 3,000주
   (2) 무상증자비율: (6,600 - 3,000)주 ÷ (30,000 + 3,000 + 3,000)주 = 10%
3) 기본주당순이익: 6,759,000 ÷ 37,550주 = @180
4) 희석주당순이익
   (1) 신주인수권부사채 희석효과 판단
      ① 당기순이익에 가산되는 금액: 0(상환할증금 지급조건이 아님)
      ② 잠재적보통주: (600 - 600 × 1,000/2,000) × 9/12 + (400 - 400 × 1,000/2,000) × 12/12 = 425주
   (2) 희석주당순이익: 6,759,000 ÷ (37,550 + 425)주 = @178

01

보통주 귀속당기순이익	① 451,000
가중평균유통보통주식수	② 5,490주

1) 우선주배당금: 700주(기말 미전환분) × 1,000 × 7% = 49,000
2) 보통주순이익: 500,000 - 49,000 = 451,000
3) 가중평균유통보통주식수: (5,000 × 1.1 × 12 + 300 × 1.2 × 8 - 500 × 6)/12 = 5,490주

물음 2

구분	당기순이익 조정금액	조정주식수
전환우선주	① 49,000	② 960주
주식선택권	③ 112,000	④ 1,400주

1) 전환우선주 순이익 조정금액(우선주배당금): 49,000
2) 전환우선주 잠재적보통주식수: (300 × 1.2 × 4 + 700 × 1.2 × 12)/12 = 960주
3) 주식선택권 순이익 조정금액: 140,000 × (1 - 20%) = 112,000
4) 주식선택권 잠재적보통주식수: [3,000 - 3,000 × (340 + 140)/900] × 12/12 = 1,400주

물음 3

희석주당이익	① 77.5

1) 기본주당이익: 451,000 ÷ 5,490주 = 82.1
2) 전환우선주 희석효과: 49,000 ÷ 960주 = 51
3) 주식선택권 희석효과: 112,000 ÷ 1,400주 = 80
4) 희석화 검토

구분	당기순이익	주식수	주당이익	희석효과
기본주당이익	451,000	5,490주	@82.1	
전환우선주	49,000	960주		
	500,000	6,450주	@77.5	O
주식선택권	112,000	1,400주		
	612,000	7,850주	@78.0	X

기초 유형 확인

01 ⑤

고객으로부터 수취한 현금(A + C)		55,150
1. 매출활동 관련 손익(A)		
(1) 매출액	58,250	
(2) 손상차손	(-)400	
(3) 매출채권 처분손익	–	
(4) 환율변동손익	–	
2. 매출활동 관련 자산·부채 증감(C)		
(1) 매출채권 증감	(-)2,900	
(2) 손실충당금 증감	200	
(3) 선수금 증감	–	

02 ④

공급자에게 지급한 현금유출액(A + C)		(-)41,000
1. 매입활동 관련 손익(A)		
(1) 매출원가(매입 + 평가손실·감모손실)	(-)36,000	
(2) 감모손실과 평가손실	–	
(3) 채무면제이익	–	
(4) 환율변동이익	–	
2. 매입활동 관련 자산·부채 증감(C)		
(1) 상품 증감	(-)3,000	
(2) 선급금 증감	–	
(3) 매입채무 증감	(-)2,000	

03 ③

1. 기타영업활동 관련 손익(A)		
- 이자비용	(-)1,300	
- 사채할인발행차금상각액	300	
2. 기타영업활동 관련 자산·부채 증감(C)		
- 선급이자		
- 미지급이자	800	
- 자본화한 차입원가	(-)100	
❏ 이자의 지급으로 인한 현금유출액		(-)300

04 ②

1. 기타영업활동 관련 손익(A)
   - 법인세비용   (-)2,000
   - 자기주식처분이익
2. 기타영업활동 관련 자산·부채 증감(C)
   - 이연법인세자산의 감소   400
   - 당기법인세부채의 증가   100
   ○ 법인세로 인한 현금유출액   (-)1,500

---

05 ②

20×1년도에 기계장치의 취득으로 유출된 현금: 248,000

유형자산 투자활동현금흐름(A + C)	① (173,000) - 12,000 = (-)185,000
1. 투자활동 관련 손익(A)	(-)30,000
- 감가상각비	(-)45,000
- 유형자산처분이익	15,000
- 유형자산손상차손 등	-
2. 투자활동 관련 자산·부채 증감(C)	(-)143,000
- 자산의 증감	(-)150,000
- 부채의 증감	7,000
- 재평가잉여금 증감	-

* 투자활동순현금흐름 계상 시 20×2년에 받기로 한 12,000은 제외한다.

① 순현금유출 (-)185,000	② 유형자산처분으로 인한 현금유입 63,000	○ 역산
	③ 유형자산취득으로 인한 현금유출 (-)248,000	

---

06 ①

20×1년도에 건물의 처분으로 수령한 현금: 80,000

유형자산 투자활동현금흐름(A + C)	① (-)220,000
1. 투자활동 관련 손익(A)	(-)20,000
- 감가상각비	(-)40,000
- 유형자산처분이익	20,000
- 유형자산손상차손 등	-
2. 투자활동 관련 자산·부채 증감(C)	(-)200,000
- 자산의 증감	(-)100,000
- 부채의 증감	(-)60,000
- 재평가잉여금	(50,000 - 10,000)

* 재평가잉여금 중 이익잉여금 대체액은 현금의 증감과 관련이 없다.

① 순현금유출 (-)220,000	② 유형자산처분으로 인한 현금유입 80,000	○ 역산
	③ 유형자산취득으로 인한 현금유출 (-)300,000	

07 ③ 20×1년도에 사채상환으로 지급한 현금: 95,000

장기차입금과 유동성장기부채 및 사채 재무활동현금흐름(A + C)			① 87,000
1. 재무활동 관련 손익(A)			(-)2,000
- 환율변동손익(차입금 관련)		-	
- 사채발행차금상각액		(-)4,000	
- 사채상환이익		2,000	
2. 재무활동 관련 자산 · 부채 증감(C)			89,000
- 사채의 증감		100,000	
- 사채할인발행차금의 증감		(-)11,000	

① 순현금유입 87,000	② 사채로 인한 현금유입 182,000	◐ 역산
	③ 사채로 인한 현금유출 (-)95,000	

08 ④ 이자의 지급으로 인한 현금유출액: 215,000

1. 기타영업활동 관련 손익(A)		(-)170,000
- 이자비용	(-)200,000	
- 사채할인발행차금상각액	30,000	
2. 기타영업활동 관련 자산 · 부채 증감(C)		(-)45,000
- 선급이자	(-)20,000	
- 미지급이자	5,000	
- 자본화한 차입원가	(-)30,000	
◐ 이자의 지급으로 인한 현금유출액		(-)215,000

09 ③ 약식분개법

차)	현금	45,695	대)	매출(역산)	46,000
	손상차손	20		손실충당금	15
	매출채권	300			

10 ① 약식분개법

차)	매출원가(역산)	39,250	대)	재고자산	100
				매입채무	150
				현금	39,000

11 ⑤ 1) 법인세비용차감전순이익: 3,370

법인세비용차감전순이익		3,370
비관련 손익 가감		1,250
감가상각비	800	
유형자산처분손실	250	
외환손실	200	
관련 자산·부채의 증감		65
매출채권 증가	(-)300	
손실충당금 증가	15	
재고자산 감소	100	
선급판매비용 감소	30	
매입채무 증가	150	
미지급판매비용 감소	(-)120	
확정급여채무 증가	190	
영업에서 창출된 현금		4,685
법인세납부		(-)790
영업활동순현금흐름		3,895

2) 법인세비용: (-)810

* 법인세납부 (-)790 = 법인세비용 + 미지급법인세 증가 20, 법인세비용: (-)810

차)	법인세비용	810	대)	현금	790
				미지급법인세	20

기출 유형 정리

01 ④ 취득 당시 상환기일이 3개월 이내에 도래하는 상환우선주는 현금성자산으로 분류한다.

02 ⑤ 단기매매목적으로 보유하는 유가증권의 취득과 판매에 따른 현금흐름은 영업활동으로 분류한다.

03 ③

공급자에게 지급한 현금유출액(A + C)		(610,000)
1. 매입활동 관련 손익(A)		-A + 280,000
(1) 매출원가(매입 + 평가손실·감모손실)	(A)	
(2) 채무면제이익	-	
(3) 환율변동손익	80,000 + 200,000 = 280,000	
2. 매입활동 관련 자산·부채 증감(C)		(40,000)
(1) 상품 증감	600,000 - 750,000 = (150,000)	
(2) 선급금 증감	-	
(3) 매입채무 증감	660,000 - 550,000 = 110,000	

○ 매출원가(A): (610,000) = -A + 280,000 - 40,000, A = 850,000

04 ② 1) 고객으로부터 유입된 현금흐름

고객으로부터 수취한 현금(A + C)		1,328,000
1. 매출활동 관련 손익(A)		1,360,000
(1) 매출액	160,000 + 1,200,000	
(2) 손상차손	–	
(3) 매출채권처분손익	–	
(4) 환율변동손익	–	
2. 매출활동 관련 자산 · 부채 증감(C)		(32,000)
(1) 매출채권 증감	180,000 - 212,000 = (32,000)	
(2) 손실충당금 증감	–	
(3) 선수금 증감	–	

2) 영업비용으로 유출된 현금흐름

영업비용으로 유출된 현금(A + C)		(280,000)
1. 기타 영업활동 관련 손익(A)		(240,000)
(1) 영업비용	(240,000)	
2. 매출활동 관련 자산 · 부채 증감(C)		(40,000)
(1) 선급비용 증감	(16,000)	
(2) 미지급비용 증감	(24,000)	

05 ② 1) 공급자에 대한 현금유출액

공급자에 대한 현금유출액(A + C)		(2,430,000)
1. 매입활동 관련 손익(A)		(3,130,000)
(1) 매출원가(매입 + 평가손실 · 감모손실)	(3,200,000) + (250,000) = (3,450,000)	
(2) 채무면제이익	–	
(3) 환율변동손익	320,000	
2. 매입활동 관련 자산 · 부채 증감(C)		700,000
(1) 상품 증감	390,000	
(2) 선급금 증감	(120,000)	
(3) 매입채무 증감	430,000	

2) 종업원에 대한 현금유출액

종업원에 대한 현금유출액(A + C)		(1,020,000)
1. 기타 영업활동 관련 손익(A)		(1,060,000)
(1) 급여, 퇴직급여	(1,200,000)	
(2) 주식결제형 주식보상비용	140,000	
급여에 포함 시 제외		
2. 기타 영업활동 관련 자산 · 부채 증감(C)		40,000
(1) 선급급여 증감	210,000	
(2) 미지급급여 증감	(170,000)	
(3) 확정급여채무 증감	–	

06 ① [약식분개법]

차) 매출채권 증가	10,000	대) 손실충당금 증가	1,000
재고자산 증가	20,000	매입채무 증가	20,000
매출원가	1,500,000	매출	1,800,000
손상차손	7,000		
현금 증가(대차차액)	284,000		

○ 20×1년 말 현금: 300,000 + 284,000 = 584,000

07 ③ [약식분개법]

차) 이자비용	48,191	대) 미지급이자	5,000
B사채 감소	3,358	A사채 증가	2,349
		현금지급액(대차차액)	44,200

08 ① 1) 고객으로부터 유입되는 현금흐름

차) 현금	730,000	대) 매출채권의 감소	35,000
손실충당금의 감소	10,000	외환차익	200,000
손상차손	20,000	매출(역산)	525,000

2) 공급자에게 유출되는 현금흐름

차) 재고자산의 증가	30,000	대) 현금	580,000
감모손실	15,000	매입채무의 증가	20,000
매출원가(역산)	855,000	외환차익	300,000

09 ④

차) 평가손실	3,000	대) 재고자산의 감소	130,000
매출원가(역산)	921,000	평가충당금의 증가	3,000
		매입채무의 증가	120,000
		외화환산이익	11,000
		현금유출액	660,000

10 ①	당기순이익(A + B)		250,000
	영업활동과 관련이 없는 손익 차감(-B)		
	- 감가상각비		40,000
	- 사채상환이익		(35,000)
	- FVOCI금융자산처분손실		20,000
	이자손익, 배당금, 법인세 관련 손익 차감(-B)		
	- 법인세비용		80,000
	영업활동 관련 자산·부채의 증감(+C)		
	- 매출채권(순액) 증가		(20,000)
	- 매입채무 감소		(10,000)
	- 미지급비용 증가		15,000
	영업에서 창출된 현금(A + C)		**340,000**
	이자수취·지급		–
	배당금수취		–
	법인세납부		(80,000)
	영업활동순현금흐름		**260,000**

11 ①	법인세비용차감전순이익(A + B)		177,000
	영업활동과 관련이 없는 손익 차감(-B)		
	- 감가상각비		40,000
	- 유형자산처분손실		20,000
	이자손익, 배당금, 법인세 관련 손익 차감(-B)		
	- 이자비용		25,000
	영업활동 관련 자산·부채의 증감(+C)		
	- 매출채권 증가		(15,000)
	- 손실충당금 증가		5,000
	- 재고자산 감소		4,000
	- 매입채무 감소		(6,000)
	영업에서 창출된 현금(A + C)		**250,000**
	이자수취·지급		(25,000)
	배당금수취		–
	법인세납부	(30,000) + 미지급법인세 (5,000) + 이연법인세부채 10,000 =	(25,000)
	영업활동순현금흐름		**200,000**

12 ③

법인세비용차감전순이익(A + B)	30,000
영업활동과 관련이 없는 손익 차감(-B)	
- 감가상각비[1]	20,000
- 유형자산처분이익	(12,000)
이자손익, 배당금, 법인세 관련 손익 차감(-B)	
- 이자비용	2,000
영업활동 관련 자산·부채의 증감(+C)	
- 매출채권 감소	30,000
- 손실충당금 증가	1,000
- 재고자산 감소	30,000
- 매입채무 증가	35,000
영업에서 창출된 현금(A + C)	**136,000**

[1] 유형자산 T계정 분석

	기초	+ 취득		+ (처분)	= 기말
기계장치(총액)	400,000	+ 0		+(100,000) 역산	= 300,000
- 감가상각누계액	(기초) (230,000)		+ (Dep) + (A 20,000) 역산	+처분 +60,000 역산	= (기말) = (190,000)
= 기계장치(순액)	기초 170,000	+취득 + 0	+ (Dep) + (A 20,000) 역산	+(처분) +(40,000)	= 기말 = 110,000

13 ②

당기순이익(A + B)	200,000
영업활동과 관련이 없는 손익 차감(-B)	
- 감가상각비	50,000
- 기계장치처분이익	(8,000)
이자손익, 배당금, 법인세 관련 손익 차감(-B)	
- 이자수익	(20,000)
- 이자비용	35,000
- 법인세비용	40,000
영업활동 관련 자산·부채의 증감(+C)	
- 재고자산 증가	(25,000)
- 매출채권 감소	15,000
- 매입채무 감소	(12,000)
- 미지급급여 증가	6,000
영업에서 창출된 현금(A + C)	**281,000**
이자지급	(26,000)
이자수취	18,000
배당금수취	-
법인세납부	(42,000)
영업활동순현금흐름	**231,000**

14 ①

당기순이익(A + B)	500,000
영업활동과 관련이 없는 손익 차감(-B)	
- 감가상각비	40,000
- AC금융자산처분손실	3,500
- 사채상환이익	(5,000)
- 유형자산처분손실	50,000
이자손익, 배당금, 법인세 관련 손익 차감(-B)	
- 법인세비용	60,000
영업활동 관련 자산 · 부채의 증감(+C)	
- 매출채권 감소	30,000
- 재고자산 증가	(17,000)
- 매입채무 증가	13,000
영업에서 창출된 현금(A + C)	**674,500**
이자수취 · 지급	–
배당금수취	–
법인세납부	(60,000) + (2,000) + 15,000 = (47,000)
영업활동순현금흐름	**627,500**

15 ④

1) 영업에서 창출된 현금흐름
   534,000 + 62,000 + 54,000 + 102,000 - 68,000 + 57,000 = 741,000
2) 영업활동순현금흐름
   741,000 + [- (54,000 - 10,000) - 12,000] + (-106,800 + 22,000) = 600,200

16 ①

1) 사채의 당기 상각액: 15,000 - 10,000 = 5,000
2) 건물의 현금흐름

차) 현금	30,000	대) 건물의 감소	50,000
감가상각누계액의 감소	10,000		
감가상각비 + 처분손익	10,000		

3) 영업활동현금흐름(간접법)

법인세차감전순이익(A + B)	1,000,000
영업활동과 관련이 없는 손익 차감(-B)	
- (감가상각비 + 처분손익)	10,000
이자수익, 배당금 관련 손익 차감(-B)	
- 이자비용	30,000
- 법인세비용[1]	–
영업활동 관련 자산 · 부채의 증감(+C)	
- 매출채권 증가	(10,000)
- 재고자산 증가	(35,000)
영업에서 창출된 현금(A + C)	**995,000**
이자지급[2]	(25,000)
법인세지급	(120,000)
영업활동순현금흐름	**850,000**

[1] 당기순이익이 아닌 법인세차감전순이익부터 시작하므로 법인세비용은 고려하지 않는다.
[2] 사채의 발행, 상환이 없으므로 사채의 현금유출액 중 전액 이자비용이다.

17 ④　1) 영업에서 창출된 현금흐름: 2,150,000 + 30,000 + 77,000 + 38,000 - 15,000 - 8,000 = 2,272,000

2) 이자비용지급액: 32,500

차) 이자비용	30,000	대) 현금지급액(역산)	32,500
미지급이자 감소	2,500		

3) 법인세지급액: 354,600[1)]

[1)] 영업에서 창출된 현금흐름 2,272,000 - 법인세지급액 - 이자비용지급액 32,500 = 영업활동순현금유입액 1,884,900

4) 법인세비용: 356,200

차) 이연법인세부채 감소	1,400	대) 당기법인세부채 증가	3,000
법인세비용(역산)	356,200	현금(법인세지급액)	354,600

5) 20×1년 당기순이익: 2,150,000 - 356,200 = 1,793,800

18 ②

당기순이익	115,000(역산)
- 영업활동과 관련 없는 손익 제거	25,000(감가상각비) + 10,000(사채상각액) - 30,000(토지처분이익)
± 영업활동과 관련 있는 자산·부채 조정	- 10,000(미지급이자 감소) - 15,000(매출채권 증가) + 5,000(법인세부채 증가)
= 영업활동순현금흐름	= 100,000

* 영업에서 창출된 현금흐름을 구분하고 있지 않으므로 이자와 법인세를 별도로 분리할 필요가 없다.

19 ①

유형자산 투자활동현금(A + C)		① (45,000)
1. 투자활동 관련 손익(A)		(30,000)
(1) 감가상각비	(35,000)	
(2) 유형자산처분손익	5,000	
(3) 유형자산손상차손 등	-	
2. 투자활동 관련 자산·부채 증감(C)		(15,000)
(1) 취득가액의 증감	(20,000)	
(2) 감가상각누계액의 증감	5,000	
(3) 재평가잉여금의 증감	-	

20 ②

유형자산 투자활동현금(A + C)		① (1,450,000)
1. 투자활동 관련 손익(A)		(280,000)
(1) 감가상각비	(850,000)	
(2) 유형자산처분손익	570,000	
(3) 유형자산손상차손 등	-	
2. 투자활동 관련 자산·부채 증감(C)		(1,170,000)
(1) 취득가액의 증감	30,000	
(2) 감가상각누계액의 증감	(1,200,000)	
(3) 재평가잉여금의 증감	-	

① 순현금유출 (1,450,000)	② 유형자산처분으로 인한 현금유입 2,550,000	○ 역산
	③ 유형자산취득으로 인한 현금유출 (4,000,000)	

> 1. 영업활동현금흐름과 달리 투자활동현금흐름은 개별적인 현금흐름을 총액으로 표시하므로 직접법을 통하여 투자활동현금흐름을 순액으로 계산 후, 유입액과 유출액을 구분한다.
> 2. 문제의 기초와 기말 기계장치 잔액의 변동은 기중에 발생한 모든 변동액을 포괄하는 변동액으로 ㈜겨울과의 교환거래는 그 중 일부이다. 그러므로 교환거래에 의한 금액의 변동을 추가적으로 반영한다면, 해당 증감액을 중복하여 고려하는 결과를 가져오게 된다.

21 ③

유형자산 투자활동현금(A + C) ① (6,500,000)

1. 투자활동 관련 손익(A) (2,200,000)

   (1) 감가상각비[1] (355,000)

   (2) 유형자산처분손익 (1,845,000)

   (3) 유형자산손상차손 등 —

2. 투자활동 관련 자산·부채 증감(C) (4,300,000)

   (1) 취득가액의 증감 토지 (5,400,000) + 기계장치 (0) = (5,400,000)

   (2) 감가상각누계액의 증감 —

   (3) 재평가잉여금의 증감 1,100,000

[1] 유형자산 T계정 분석

	기초	+취득		+ (처분)	= 기말
기계장치(총액)	0	+A		+ (A)	= 0
- 감가상각누계액	(기초) 0		+(Dep) + [(A − 400,000)/5 × 3/12]	+ 처분 + (A − 400,000)/5 × 3/12	= (기말) = (0)
= 기계장치(순액)	기초 0	+취득 +A	+(Dep) + [(A − 400,000)/5 × 3/12]	+(처분) + (A − [(A − 400,000)/ 5 × 3/12])	= 기말 = 0

- 기계장치 취득가액(A): 처분가액 − 처분 시 장부금액 = 처분손익

  5,300,000 − [A − [(A − 400,000)/5 × 3/12] = (1,845,000), A = 7,500,000

- 당기 감가상각비: (7,500,000 − 400,000)/5 × 3/12 = (355,000)

22 ③

1) 고객으로부터 유입된 현금흐름

고객으로부터 수취한 현금(A + C) 392,500

1. 매출활동 관련 손익(A) 434,500

   (1) 매출액 435,000

   (2) 손상차손 (1,500)

   (3) 매출채권처분손익 +, −

   (4) 환율변동손익(매출채권 관련) 1,000

2. 매출활동 관련 자산·부채 증감(C) (42,000)

   (1) 매출채권 증감 (43,100)

   (2) 손실충당금 증감 1,100

   (3) 선수금 증감 +, −

2) 공급자에게 지급한 현금유출액

공급자에게 지급한 현금유출액(A + C)		(332,000)
1. 매입활동 관련 손익(A)		(342,000)
(1) 매출원가(매입 + 평가손실 · 감모손실)	(337,000) + (5,000)	
(2) 채무면제이익	+	
(3) 환율변동손익(매입채무 관련)	+, -	
2. 매입활동 관련 자산 · 부채 증감(C)		10,000
(1) 상품 증감	35,000 + 5,000	
(2) 선급금 증감	+, -	
(3) 매입채무 증감	(30,000)	

❍ 영업으로부터 창출된 현금: 392,500 - 332,000 - 8,000(급여지급액) = 52,500

23 ①

유형자산 투자활동현금(A + C)		(12,000)
1. 투자활동 관련 손익(A)		(18,000)
(1) 감가상각비	(16,000)	
(2) 유형자산처분손익	(2,000)	
(3) 유형자산손상차손 등		
2. 투자활동 관련 자산 · 부채 증감(C)		6,000
(1) 자산의 증감	29,000	
(2) 부채의 증감	(23,000)	
(3) 재평가잉여금 증감		

24 ①

장기차입금과 유동성장기부채 및 사채 재무활동현금(A + C)		① 300,000
1. 재무활동 관련 손익(A)		15,000
(1) 환율변동손익(차입금 관련)	20,000	
(2) 사채발행차금상각액	(5,000)	
(3) 사채상환손실	–	
2. 재무활동 관련 자산 · 부채 증감(C)		285,000
(1) 차입금, 사채의 증가	680,000 - 400,000 = 280,000	
(2) 사채할인발행차금의 증가	15,000 - 10,000 = 5,000	

25 ③

유상증자와 배당 재무활동현금(A + C)		① 170,000
1. 재무활동 관련 손익(A)		–
(1) 당기순이익	–	
2. 재무활동 관련 자산 · 부채 증감(C)		170,000
(1) 자본금의 증감	200,000 + 100,000 = 300,000	
(2) 자본잉여금의 증감	+, -	
(3) 이익잉여금의 증감	(100,000) + (30,000) = (130,000)	

26 ① 1) 투자활동순현금흐름: 400,000 - 600,000 = (200,000) 유출

    (1) 유형자산의 처분(현금의 유입): (800,000 - 500,000) + 100,000 = 400,000

    (2) 유형자산의 구입(현금의 유출): (600,000)

  2) 재무활동순현금흐름: 550,000 - 200,000 = 350,000 유입

    (1) 유상증자 및 장기차입금(현금의 유입): 250,000 + 300,000 = 550,000

    (2) 배당금 지급(현금의 유출): (200,000)

    * 매출채권은 영업활동이고, 금융리스채권과 금융리스부채는 현금거래가 아니다.

관련 유형 연습

01 ① ① 리스이용자의 리스부채상환에 따른 현금유출은 재무활동으로 분류한다.

  ②③④⑤ 영업활동으로 분류한다.

02 ②

이자로 인한 현금유출액(A + C)		(17,300)
1. 기타 영업활동 관련 손익(A)		(18,000)
(1) 이자비용	(20,000)	
(2) 사채할인발행차금상각액	2,000	
(3) 사채할증발행차금상각액	-	
(4) 전환권조정, 신주인수권조정상각액	-	
2. 기타 영업활동 관련 자산 · 부채 증감(C)		700
(1) 선급이자	(300)	
(2) 미지급이자	1,000	

03 ① 1) 고객으로부터 유입된 현금흐름

고객으로부터 수취한 현금(A + C)		1,555,000
1. 매출활동 관련 손익(A)		1,493,000
(1) 매출액	1,500,000	
(2) 손상차손	(7,000)	
(3) 매출채권처분손익	-	
(4) 환율변동손익	-	
2. 매출활동 관련 자산 · 부채 증감(C)		62,000
(1) 매출채권 증감	200,000 - 140,000 = 60,000	
(2) 손실충당금 증감	14,000 - 10,000 = 4,000	
(3) 선수금 증감	8,000 - 10,000 = (2,000)	

2) 공급자에 대해 유출된 현금흐름

공급자에게 지급한 현금(A + C)		(970,000)
1. 매입활동 관련 손익(A)		(1,030,000)
(1) 매출원가(매입 + 평가손실 · 감모손실)	(1,000,000) + (50,000) = (1,050,000)	
(2) 채무면제이익	-	
(3) 환율변동손익	20,000	
2. 매입활동 관련 자산 · 부채 증감(C)		60,000
(1) 상품 증감	60,000 - 50,000 = 10,000	
(2) 선급금 증감	-	
(3) 매입채무 증감	100,000 - 50,000 = 50,000	

04 ②

공급자에게 지급한 현금유출액(A + C)		(228,000)
1. 매입활동 관련 손익(A)		(236,000)
(1) 매출원가(매입 + 평가손실 · 감모손실)	(240,000)	
(2) 채무면제이익	-	
(3) 환율변동손익	4,000	
2. 매입활동 관련 자산 · 부채 증감(C)		8,000
(1) 상품 증감	30,000 - 28,000 = 2,000	
(2) 선급금 증감	10,000 - 5,000 = 5,000	
(3) 매입채무 증감	20,000 - 19,000 = 1,000	

05 ②

당기순이익(A + B)	157,000
영업활동과 관련이 없는 손익 차감(-B)	
- 감가상각비	5,000
- 사채상환손실	15,000
이자수익, 배당금 관련 손익 차감(-B)	
- 이자비용	10,000
- 법인세비용	8,000
영업활동 관련 자산 · 부채의 증감(+C)	
- 매출채권 증가	(20,000)
- 재고자산 감소	10,000
- 매입채무 증가	15,000
영업에서 창출된 현금(A + C)	**200,000**
이자수취 · 지급	(10,000)
배당금수취	-
법인세납부	(8,000)
영업활동순현금흐름	**182,000**

법인세비용차감전순이익(A + B)	98,000
영업활동과 관련이 없는 손익 차감(-B)	
– 감가상각비	1,000
– 사채상환이익	(2,000)
– 유형자산처분손실	3,000
이자손익, 배당금 관련 손익 차감(-B)	
– 이자비용	2,000
영업활동 관련 자산·부채의 증감(+C)	
– 매입채무 증가	3,000
– 매출채권 증가	(2,000)
– 재고자산 증가	(3,000)
영업에서 창출된 현금(A + C)	**100,000**
이자수취·지급[1]	(1,000)
배당금수취	–
법인세납부[2]	(10,000)
영업활동순현금흐름	**89,000**

[1] 이자지급액: 이자비용 (2,000) + 미지급이자 증가 1,000 = (1,000)
[2] 법인세지급액: 법인세비용 (7,000) + 미지급법인세 감소 (3,000) = (10,000)

법인세비용차감전순이익(A + B)	500,000
영업활동과 관련이 없는 손익 차감(-B)	
– 감가상각비	40,000
이자손익, 배당금 관련 손익 차감(-B)	
– 이자비용	50,000
영업활동 관련 자산·부채의 증감(+C)	
– 매입채무 감소	(50,000)
– 매출채권 증가	(100,000)
– 재고자산 증가	(20,000)
– FVPL금융자산 감소	50,000
영업에서 창출된 현금(A + C)	**470,000**

08 ①

당기순이익(A + B)		500
영업활동과 관련이 없는 손익 차감(-B)		
- 감가상각비		300
이자손익, 배당금, 법인세 관련 손익 차감(-B)		
- 법인세비용		100
영업활동 관련 자산·부채의 증감(+C)		
- FVPL금융자산 증가		(120)
- 매입채무 감소		(330)
- 매출채권 증가		(650)
- 재고자산 감소		480
영업에서 창출된 현금(A + C)		**280**
이자수취·지급		-
배당금수취		-
법인세납부[1]		(90)
영업활동순현금흐름		**190**

[1] 법인세지급액: 법인세비용 (100) + 미지급법인세 감소 (20) + 이연법인세부채 증가 30 = (90)

09 ④

유형자산 투자활동현금(A + C)		① (90,000)
1. 투자활동 관련 손익(A)		(60,000)
(1) 감가상각비[1]	(70,000)	
(2) 유형자산처분손익[2]	10,000	
(3) 유형자산손상차손 등	-	
2. 투자활동 관련 자산·부채 증감(C)		(30,000)
(1) 취득가액의 증감	600,000 - 640,000 = (40,000)	
(2) 감가상각누계액의 증감	120,000 - 110,000 = 10,000	
(3) 재평가잉여금의 증감	-	

[1] 감가상각비: (70,000)
[2] 처분손익: 처분대가 150,000 - 처분 시 장부금액 200,000 × (1 - 30%) = 10,000

① 순현금유출 (90,000)	② 유형자산처분으로 인한 현금유입 150,000	○ 역산
	③ 유형자산취득으로 인한 현금유출 (240,000)	

- 감가상각누계액	(기초) (110,000)	+ (Dep) + (70,000) 역산	+ 처분 + 200,000 × 30%	= (기말) = (120,000)

10 ①

차) 기계장치 증가	10,000	대) 감가상각누계액 증가	10,000
감가상각비	40,000	유형자산처분이익	10,000
		현금(대차차액)	30,000

11 ④

장기차입금과 유동성장기부채 및 사채 재무활동현금(A + C)			① 170,000
1. 재무활동 관련 손익(A)			(10,000)
(1) 환율변동손익(차입금 관련)		(2,000)	
(2) 사채발행차금상각액		(3,000)	
(3) 사채상환손실		(5,000)	
2. 재무활동 관련 자산 · 부채 증감(C)			180,000
(1) 차입금, 사채의 증감	400,000 - 200,000 = 200,000		
(2) 사채할인발행차금의 증감	30,000 - 50,000 = (20,000)		

① 순현금유입 170,000	② 사채 등 차입으로 인한 현금유입 200,000	● 역산
	③ 사채 등 상환으로 인한 현금유출 (30,000)	

실력 점검 퀴즈

01 ⑤ [약식분개법]

차) 매출채권	800,000	대) 손실충당금	40,000
선수금	50,000	매출	6,200,000
대손상각비	100,000		
매출에누리 등	40,000		
현금	5,250,000		

* 매입채무는 공급자에게 지급 유출되는 현금과 관련이 있으므로 고려하지 않는다.

02 ①

1) 토지의 약식분개

차) 현금(처분에 따른 유입)	75,000	대) 토지	30,000
		토지처분이익[1]	25,000
		현금(역산, 취득으로 인한 유출)	20,000

[1] 토지처분이익: 75,000 - 50,000 = 25,000

2) 단기차입금의 약식분개

차) 현금(차입에 따른 유입)	100,000	대) 단기차입금	80,000
		현금(역산, 상환으로 인한 유출)	20,000

03 ③ [사채의 약식분개]

차) 사채	100,000	대) 사채할인발행차금	25,000
이자비용(사채상각액)	20,000	현금(상환으로 인한 유출)	200,000
사채상환손실[1]	20,000		
현금(역산, 발행으로 인한 유입)	85,000		

[1] 사채상환손실: -200,000(상환대가) + 180,000(상환하는 사채의 장부금액) = (20,000)

04 ② [이익잉여금의 약식분개]

차) 집합손익(당기순이익)	28,000	대) 이익잉여금	19,000
		현금(역산, 배당으로 인한 유출)	9,000

05 ④ [이자수익의 약식분개]

차) 미수이자	50,000	대) 이자수익	200,000
AC금융자산(상각액)	20,000		
현금(역산, 이자로 인한 유입)	130,000		

2차 문제 Preview

01

고객으로부터 유입된 현금	① 96,700
공급자에게 지급한 현금	② 42,800
법인세로 납부한 현금	③ 6,300
이자로 지급한 현금	④ 6,000

① 고객으로부터 유입된 현금

차) 매출채권의 증가	500	대) 손실충당금의 증가	100
손상차손[1]	900	매출	98,000
현금	96,700		

[1] 기초손실충당금 950 + 손상차손 = 손상확정 800 + 기말손실충당금 1,050, 손상차손 = 900

② 공급자에게 지급한 현금

차) 재고자산의 증가	2,000	대) 매입채무의 증가	8,000
평가충당금의 감소	400	외환차익 + 외화환산이익	600
매출원가	49,000	현금	42,800

③ 법인세로 납부한 현금

차) 법인세비용	8,750	대) 미지급법인세의 증가	2,100
		이연법인세부채의 증가	70
		현금	6,580

○ 법인세로 납부한 현금(영업활동현금흐름에 포함): 6,580 - 280 = 6,300

④ 이자로 지급한 현금

차) 미지급이자비용의 감소	820	대) 현금	6,000
선급이자비용의 증가	380		
이자비용	4,800		

02

유형자산 관련 순현금유출액	① 18,000
사채 관련 순현금유입액	② 67,000
배당으로 지급된 현금	③ 8,000
자본 관련 현금유출액	④ 33,500

① 유형자산 관련 순현금유출액

차) 유형자산의 증가	25,000	대) 감가상각누계액의 증가	11,000
감가상각비	32,000	유형자산처분이익	13,000
		미지급금(유형자산 관련)의 증가	15,000
		현금	18,000

* 복구충당부채는 관련 유형자산의 취득도 누락하였으므로 현금흐름에 영향을 미치는 부분은 없다.

② 사채 관련 순현금유입액

차) 사채할인발행차금상각액	4,000	대) 사채의 증가	70,000
현금	67,000	사채상환이익	1,000

③ 배당으로 지급된 현금
기초이익잉여금 90,000 + 당기순이익 38,000 - 상환우선주의 상환 30,000[1] - 주식배당 15,000 - 현금배당 = 기말이익잉여금 75,000, 현금배당 = 8,000

[1] 상환우선주의 상환은 이익잉여금의 처분으로 처리한다.

④ 자본 관련 현금유출액: 3,500 + 30,000 = 33,500
    ㉠ 자기주식의 처분으로 인한 현금유입액: 17,000
        처분한 자기주식의 장부금액 5,000 + 자기주식처분이익 12,000(= 52,000 - 40,000) = 17,000
    ㉡ 자기주식의 취득으로 인한 현금유출액: (-)3,500
        기초자기주식 10,000 + 자기주식 취득 - 자기주식 처분 5,000 = 기말자기주식 8,500, 자기주식 취득 = 3,500
    ㉢ 상환우선주의 상환으로 인한 현금유출액: (-)30,000

03

물음 1

영업활동현금흐름	
법인세비용차감전순이익	147,000
가감	
감가상각비	① 40,000
매출채권의 증가(순액)	② 36,000 - 50,000 = (-)14,000
재고자산의 증가	110,000 - 162,000 = (-)52,000
금융자산(FVPL)의 감소	116,000 - 25,000 = 91,000
매입채무의 증가	70,000 - 44,000 = 26,000
유형자산처분이익	(-)4,000
이자비용	③ 8,000
영업으로부터 창출된 현금	④ 242,000
이자지급	(-)4,000
법인세의 납부	(-)26,000
배당금지급	(-)40,000
영업활동순현금흐름	⑤ 172,000

1) 차량운반구의 증감분석

취득원가	기초 430,000	+ 취득(현금유출) 410,000(역산)		+ (처분) (-)100,000	= 기말 740,000
감가상각누계액	(기초) (-)100,000		+ (Dep) (-)40,000(역산)	+ 처분 80,000	= (기말) (-)60,000

||

처분대가 - 처분 BV = 처분손익
24,000 - 20,000 = 4,000

2) 이자지급

차) 이자비용	8,000	대) 미지급이자	2,000
		사채할인발행차금	2,000
		현금(역산)	4,000

3) 법인세납부

차) 법인세비용	24,000	대) 현금(역산)	26,000
미지급법인세	2,000		

4) 배당금지급

이익잉여금	기초 56,000	+ 당기순이익 123,000	- 주식배당 등 -	- 현금배당 (-)40,000(역산)	= 기말 139,000

물음 2

① 고객으로부터의 유입된 현금: 404,000

차) 매출채권	14,000	대) 매출	420,000
손상차손	2,000		
현금(역산)	404,000		

② 금융자산(FVPL)으로부터의 유입된 현금: 94,000

차) 금융자산(FVPL)처분손실	2,000	대) 금융자산(FVPL)	91,000
현금(역산)	94,000	금융자산(FVPL)평가이익	5,000

③ 공급자와 종업원에 대한 현금유출: (-)256,000

차) 매출원가	180,000	대) 매입채무	26,000
재고자산	52,000	현금(역산)	256,000
종업원급여[1]	50,000		

[1] 92,000(판매비와 관리비) - 2,000(손상차손) - 40,000(감가상각비) = 50,000

④ 이자지급: (-)4,000

⑤ 법인세의 납부: (-)26,000

⑥ 배당금지급: (-)40,000

해커스 IFRS 정윤돈 객관식 재무회계

PART 2

고급회계
정답 및 해설

제19장 | 사업결합

기출 유형 정리

01 ⑤ 사업결합에서 인식한 우발부채는 이후 소멸하는 시점까지 기업회계기준서 제1037호 '충당부채, 우발부채, 우발자산'에 따라 인식하여야 할 금액과 처음 인식금액에서, 적절하다면 기업회계기준서 제1115호 '고객과의 계약에서 생기는 수익'의 원칙에 따라 누적 수익금액을 차감한 금액 중 큰 금액으로 측정한다.

02 ② A사업부의 영업권: 22,000 - 19,000 = 3,000

구분	장부금액	손상차손배분액	회수가능액	2차배분	배분 후 장부금액
토지	5,000	(500)	4,500	500[1]	5,000
건물	8,000	(800)	7,200	-	7,200
기계장치	2,000	(200)	1,800	(500)	1,300
영업권	3,000	(3,000)	-		-
합계	18,000	(4,500)	13,500		13,500

[1] 손상을 인식한 이후의 장부금액은 개별 자산의 회수가능액을 초과할 수 없다. 그런데 토지의 경우 개별 자산의 회수가능액이 손상 전 장부금액을 초과하므로 손상 전 장부금액을 한도로 한다.

03 ④ 합병일의 회계처리

차) 유동자산	800,000	대) 부채	600,000
유형자산[1]	2,000,000	현금	800,000
무형자산	700,000	자본금[3]	900,000
매각예정비유동자산[2]	250,000	주식발행초과금[4]	2,100,000
영업권(대차차액)	650,000		

[1] 2,300,000 - 300,000 = 2,000,000
[2] 취득일에 매각예정자산으로 분류된 취득 비유동자산(또는 처분자산집단)은 순공정가치로 측정한다.
[3] (900,000 ÷ 1,000)주 ÷ 3주 × 1주 × @3,000 = 900,000
[4] (900,000 ÷ 1,000)주 ÷ 3주 × 1주 × @(10,000 - 3,000) = 2,100,000

04 ② 합병일의 회계처리

차) FVOCI금융자산[1]	30,000	대) FVOCI금융자산평가이익(OCI)	30,000
차) 유동자산	200,000	대) 부채	600,000
유형자산	1,280,000	현금	200,000
상표권	30,000	자본금	500,000
영업권(대차차액)	270,000	주식발행초과금	300,000
		FVOCI금융자산	180,000
차) 주식발행초과금	10,000	대) 현금	10,000
차) 회계법인수수료	30,000	대) 현금	30,000
차) 급여	20,000	대) 현금	20,000

[1] 150주 × @1,200 - 150,000 = 30,000

> **⊘참고 단계적 취득**
>
> 단계적으로 이루어지는 사업결합에서 취득자는 이전에 보유하고 있던 피취득자에 대한 지분을 취득일의 공정가치로 재측정하고 그 결과 차손익이 있다면 당기손익 금융자산 또는 기타포괄손익으로 인식한다.

05 ⑤ 1) 합병일의 회계처리

차)	FVOCI금융자산[1]	30,000	대)	FVOCI금융자산평가이익(OCI)	30,000
차)	유동자산	200,000	대)	부채	600,000
	유형자산	1,280,000		현금	200,000
	상표권	30,000		자본금	500,000
	영업권(대차차액)	270,000		주식발행초과금	300,000
				FVOCI금융자산	180,000
차)	주식발행초과금	10,000	대)	현금	10,000
차)	회계법인수수료	30,000	대)	현금	30,000
차)	급여	20,000	대)	현금	20,000
차)	합병비용(비계약적 기존 관계 정산)[2]	20,000	대)	현금	20,000

[1] 150주 × @1,200 - 150,000 = 30,000
[2] 취득자가 매도자에게 지급한 이전대가 중 별도 거래의 정산으로 인한 20,000원을 제외한 금액이 사업결합의 이전대가로 인식된다.

2) 20×2년 당기순이익에 미치는 영향: (-)30,000 - 20,000 - 20,000 = (-)70,000

> **⊘참고 사업결합 거래의 일부에 해당하는지 판단 및 기존 관계를 사실상 정산하는 거래**
>
> 1. 취득자는 취득법을 적용하면서 피취득자에 대한 이전대가와 피취득자에 대한 교환으로 취득한 자산과 인수한 부채만 인식한다. 따라서 취득자는 취득자산과 인수부채가 피취득자와의 사업결합으로 교환한 항목의 일부인지 아니면, 별도 거래의 결과인지를 먼저 결정하여야 한다. 취득법을 적용하지 않는 별도 거래의 대표적인 예가 취득자와 피취득자 사이의 기존 관계를 사실상 정산하는 거래이다.
> 2. 사업결합을 고려하기 전에 취득자와 피취득자 사이에 어떤 관계가 존재하였을 수 있다. 여기에서는 이를 기존 관계라 한다. 취득자와 피취득자 사이의 기존 관계는 계약적(예 판매자와 고객, 라이선스 제공자와 라이선스 이용자) 또는 비계약적(예 원고와 피고)일 수 있다.
> 3. 사업결합으로 기존 관계를 사실상 정산하는 경우에 취득자는 다음과 같이 측정한 차손익을 인식한다. 이때 취득자가 사업결합 이전에 관련 자산이나 부채를 인식하였다면 동 금액을 차감한 후의 금액이 정산 차손익이 된다.
>   ① 계약관계의 정산차손익
>   ● Min[시장거래조건보다 유리·불리한 금액, 계약상의 정산금액 - 취득자가 사업결합 이전에 인식할 자산이나 부채]
>   ② 비계약관계의 정산차손익
>   ● 공정가치 - 취득자가 사업결합 이전에 인식한 자산이나 부채

06 ③

차)	현금	50,000	대)	매입채무	80,000
	재고자산	200,000		차입금	450,000
	유형자산	800,000		자본금[1]	160,000
	무형자산	290,000		주식발행초과금[2]	960,000
	무형자산(개발프로젝트)	90,000		조건부대가	60,000
	영업권(대차차액)	280,000			

[1] 160,000 ÷ @100 ÷ 2 × @200 = 160,000
[2] 800주 × (@1,400 - @200) = 960,000

07 ⑤   1) 영업권: 280,000 - 잠정금액 조정(900,000 - 800,000) = 180,000
          2) 유형자산(순액)

취득일 현재 유형자산의 공정가치	800,000
잠정금액의 조정	900,000 - 800,000 = 100,000
20×1년도 감가상각비	(900,000 - 0) ÷ 5년 × 6/12 = (90,000)
20×2년도 감가상각비	(900,000 - 0) ÷ 5년 = (180,000)
	630,000

08 ③

차)	현금	100,000	대)	유동부채	90,000
	재고자산	200,000		리스부채	110,000
	사용권자산[1]	120,000		기타비유동부채	200,000
	건물	60,000		우발부채	10,000
	토지	160,000		현금	350,000
	무형자산[2]	60,000			
	영업권(대차차액)	60,000			

[1] 110,000 + 10,000(유리한 조건) = 120,000
[2] 50,000 + (40,000 - 30,000) = 60,000

> ⊘**참고**
> 1. 사용권자산과 리스부채는 잔여리스료의 현재가치로 측정하며, 리스조건이 시장조건보다 유리한 경우에는 유리한 금액을 사용권자산에 가산한다.
> 2. 잠재적 계약의 가치는 무형자산으로 인식하지 않는다.
> 3. 다시 취득한 리스는 잔여계약기간에 기초하여 산정한 공정가치로 측정한다.
> 4. 자원의 유출가능성이 높지 않아 주석 기재한 우발부채는 취득일에 부채로 인식한다.

09 ④   1) 건물(순액)

취득일 현재 ㈜대한의 건물 장부금액	200,000
취득일 현재 ㈜민국의 건물(잠정금액 조정 후 금액)	70,000
20×2년 6월 30일까지의 감가상각비	(200,000 + 70,000) ÷ 4년 = (-)67,500
	202,500

* 잠정금액을 조정하는 경우에는 소급 수정하므로 취득일부터 조정된 금액을 기준으로 장부금액을 계산하면 쉽게 계산할 수 있다.

          2) 영업권을 제외한 무형자산(순액)

취득일 현재 ㈜대한의 무형자산 장부금액	90,000
취득일 현재 ㈜민국의 무형자산	60,000
20×2년 6월 30일까지의 무형자산 상각비	(90,000 + 60,000 - 40,000) ÷ 5년 = (-)22,000
다시 취득한 권리의 무형자산 상각비	40,000 ÷ 2년 = (-)20,000
	108,000

10 ① 사업의 세 가지 요소를 모두 갖춰야 하는 것은 아니다.

11 ① 1) 사업결합에 해당하는 경우: A부문 유형자산의 취득원가는 모두 취득일의 공정가치이다.

취득일의 염가매수차익   (220,000 + 200,000 + 80,000) - 450,000 = 50,000
건물 감가상각비   (200,000 - 0) ÷ 10년 × 6/12 = (-)10,000
기계장치 감가상각비   (80,000 - 0) ÷ 5년 × 6/12 = (-)8,000
     32,000 증가

2) 사업결합에 해당하지 않는 경우: A부문 유형자산의 취득원가는 일괄구입가격 450,000을 공정가치 비율로 배분한다.

   (1) 건물의 취득원가: 450,000 × 200,000/500,000 = 180,000
   (2) 기계장치의 취득원가: 450,000 × 80,000/500,000 = 72,000
   (3) 당기순이익에 미친 영향: (-)16,200 감소
       ① 건물의 감가상각비: (180,000 - 0) ÷ 10년 × 6/12 = (-)9,000
       ② 기계장치의 감가상각비: (72,000 - 0) ÷ 5년 × 6/12 = (-)7,200

12 ③ 1) 이전대가: 450,000 + 80,000(변경된 이후의 조건부대가) = 530,000
2) 순자산 공정가치: 600,000 - 100,000 = 500,000
3) 영업권: 1) - 2) = 30,000
4) 조건부대가의 상환손실: 80,000 - 100,000 = (-)20,000

> **⊘참고**
>
> 취득일 현재 존재하는 사실과 상황에 대해 추가로 입수한 정보에 기초한 조건부대가의 공정가치 변동은 잠정금액의 수정으로 보아 영업권의 증감으로 처리한다. 따라서 영업권은 처음부터 변경된 이후 조건부대가의 공정가치를 이전대가로 보아 계산하면 된다. 취득일 이후 발생한 조건부대가의 공정가치 변동분은 조건부대가가 자본항목인 경우 수정하지 않으며, 자산이나 부채인 경우에는 공정가치로 재측정하고 당기손익으로 인식한다.

13 ⑤ 과거사건에서 생긴 현재의무이고 그 공정가치를 신뢰성 있게 측정할 수 있으나, 해당 의무를 이행하기 위하여 경제적 효익이 있는 자원이 유출될 가능성이 높지 않다면 취득자는 취득일에 사업결합으로 인수한 우발부채를 인식할 수 있다.

01 ⑤ ① 사업결합은 사업에 대한 지배력을 획득하는 거래이므로 취득하는 자산이나 부채가 사업을 구성하지 않으면 사업결합으로 회계처리할 수 없다.

② 취득일은 자산을 취득하고 부채를 인수한 날인 종료일보다 이른 날 또는 늦은 날이 될 수 있다.

③ 미래에 생길 것으로 예상하지만 의무가 아닌 원가는 취득일의 부채로 인식할 수 없다.

④ 사업결합의 결과로 교환한 항목의 일부에 해당하는 경우에만 취득법에 따른 인식요건을 적용한다.

02 ④

차) 자산(건물 및 영업권 제외)[1]	850,000	대) 부채	600,000
사용권자산(유리한 조건)	30,000	현금	1,000,000
건물(대차차액)	540,000		
영업권	180,000		

[1] 1,300,000 - 350,000 - 100,000 = 850,000

1) 피취득자가 이전의 사업결합에서 장부에 인식한 영업권은 피취득자의 식별할 수 있는 순자산이 아니므로 승계할 수 없다.

2) 리스이용자는 시장조건보다 유리한 리스조건을 사용권자산에 가산하여야 하며, 운용리스의 리스제공자는 시장조건보다 불리한 조건이 이미 운용리스자산의 공정가치에 반영되어 있으므로 추가로 고려할 금액은 없다.

03 ① 영업권의 측정

1) 이전대가: 1,200주 ÷ 1.5 × 300 = 240,000

2) 순자산 공정가치: 268,000 - 46,000 = (222,000)

3) 영업권 _____18,000

04 ① 1) 순자산: [46,000 + 50,000 × (1 + 20%) + 78,000 × (1 + 40%)] - 92,000 = 123,200

2) 영업권: 200,000 - 123,200 = 76,800

* 합병 관련 자문수수료는 이전대가가 아니므로 당기비용으로 인식한다.

05 ④ 1) 취득시점의 영업권: 180,000 - 100,000((주)민국 보유분) = 80,000

2) (주)민국의 순자산 공정가치: 1,000,000 - 80,000 = 920,000

3) (주)민국의 자산 공정가치: 920,000 + 600,000 = 1,520,000

4) (주)민국이 보유한 건물의 공정가치와 장부가치의 차이: 1,520,000 - (1,300,000 + 30,000) = 190,000

5) (주)대한이 보유한 건물의 공정가치: 350,000 + 190,000 = 540,000

06 ③ 1) (주)대한의 순자산 공정가치: 1,170,000[1]

[1] 100,000 + 100,000 + 240,000 + 250,000 + 300,000 + 400,000 - 50,000 - 170,000 = 1,170,000

2) 영업권: 1,200,000 - 1,170,000 = 30,000

07 ① 1) (주)대한의 순자산 공정가치: (3,200,000 - 2,800,000) + 50,000 = 450,000

2) 영업권: 700,000 - 450,000 = 250,000

08 ③
장부상 순자산 공정가치		10,000
1) 고객정보		1,500
2) 연구·개발프로젝트		1,000
3) 우발부채		(450)
4) 대리변제자산		300
식별가능한 순자산 공정가치		12,350

기출 유형 정리

01 ④   1) 지배력 획득일의 차이: [150,000 + (60,000 + 160,000) - (50,000 + 120,000)] × 40% = 80,000
          2) 종속회사의 조정 후 당기순이익: 30,000 - (60,000 - 50,000) - (160,000 - 120,000)/8 = 15,000
          3) 20×1년 말 비지배지분: 80,000 + 15,000 × 40% = 86,000

02 ①

구분	㈜대한	㈜민국
조정 전 당기순이익	100,000	50,000
투자평가차액 상각		
- 기계장치		(-)5,000
내부거래제거		
- 재고자산	5,000	
조정 후 당기순이익	105,000	45,000

     ○ 지배기업소유주귀속당기순이익: 105,000 + 45,000 × 60% = 132,000

03 ③   1) 처분일 현재 지배기업 지분: 240,000 + (20,000 + 30,000) × 80% = 280,000
          2) 처분이익(N/I): (200,000 + 120,000) - 280,000 = 40,000
             * 종속기업투자주식의 처분으로 지배력을 상실하는 경우에는 처분대가와 남은 지분의 공정가치의 합계금액으로 지배기업 지분을 전액
               처분한 것으로 간주한다.

04 ①   1) 20×1년 ㈜민국의 조정 후 당기순이익: 17,500 - (11,000 - 8,000)/3 = 16,500
          2) 20×2년 ㈜민국의 조정 후 당기순이익: 24,000 - (22,000 - 17,000) - (11,000 - 8,000)/3 = 18,000
          3) 비지배주주귀속당기순이익: 18,000 × 40% = 7,200
          4) 20×2년 말 비지배지분: (40,000 + 5,000 + 3,000 + 16,500 + 18,000) × 40% = 33,000

05 ②   지배기업과 종속기업의 보고기간 종료일이 다른 경우 실무적으로 적용할 수 없다면, 지배기업은 종속기업의 재무제표일과 연결재무제표일 사이에 발생한 유의적인 거래나 사건의 영향을 조정한 종속기업의 가장 최근 재무제표를 사용하여 종속기업의 재무정보를 연결한다. 어떠한 경우라도 종속기업의 재무제표일과 연결재무제표일의 차이는 3개월을 초과해서는 안 된다.

06 ① 1) 영업권: 300,000 - (250,000 + 210,000 - 60,000) × 60% = 60,000

2) 연결재무상태표의 자산총계

단순 자산합계	1,700,000 + 950,000 = 2,650,000
종속기업투자주식	(-)300,000
지배력 획득일의 영업권	60,000
20×1년 말 재고자산 미실현이익	(100,000 - 80,000) × 40% = (-)8,000
	2,402,000

07 ③

구분	㈜대한	㈜민국
조정 전 당기순이익	120,000	70,000
내부거래제거		
- 재고자산(전기 미실현이익)	20,000 × 40%	
- 토지		(-)15,000
조정 후 당기순이익	128,000	55,000

○ 연결당기순이익: 128,000 + 55,000 = 183,000

08 ②

구분	㈜지배	㈜종속
조정 전 당기순이익	300,000	80,000
투자평가차액 상각		
- 토지		(-)50,000
내부거래제거		
- 재고자산(당기 미실현이익)	(-)12,000 × 20%	
조정 후 당기순이익	297,600	30,000

○ 지배기업소유주귀속당기순이익: 297,600 + 30,000 × 80% = 321,600
○ 비지배지분귀속당기순이익: 30,000 × 20% = 6,000

09 ④

구분	㈜지배	㈜종속
조정 전 당기순이익	400,000	100,000
내부거래제거		
- 재고자산(전기 미실현이익)	(+)12,000 × 20%	
- 기계(당기 미실현이익)		(-)18,750[1]
조정 후 당기순이익	402,400	81,250

[1] (40,000 - 20,000) - (40,000 - 20,000)/4 × 3/12 = 18,750

○ 비지배지분귀속당기순이익: 81,250 × 20% = 16,250

10 ⑤ 1) 유상증자 후 비지배지분율: (200주 + 100주) ÷ (1,000주 + 200주) = 25%

2) 비지배지분: (250,000 + 100,000 + 150,000 + 200주 × @1,000) × 25% = 175,000

11 ③　1) ㈜민국의 조정 후 당기순이익: 40,000 - (20,000 - 10,000) - (60,000 - 40,000)/5 = 26,000

　　2) 20×1년 말 비지배지분: 70,000 + 26,000 × 30% = 77,800

12 ③　1) ㈜민국의 조정 전 당기순이익: 80,000 - (50,000 - 40,000) × 15,000/50,000 = 77,000

　　2) 비지배지분: (1,500,000 + 77,000) × 20% = 315,400

13 ④

구분	㈜대한	㈜민국
조정 전 당기순이익	200,000	100,000
내부거래제거		
-재고자산(전기 미실현이익)	16,000 × 40,000/80,000	10,000 × 15,000/50,000
-재고자산(당기 미실현이익)	(-)30,000 × 40,000/100,000	(-)20,000 × 20,000/80,000
조정 후 당기순이익	196,000	98,000

　❶ 지배기업소유주귀속당기순이익: 196,000 + 98,000 × 80% = 274,400

　❷ 비지배지분귀속당기순이익: 98,000 × 20% = 19,600

14 ④　1)

구분	㈜대한	㈜민국	㈜만세
조정 전 당기순이익	100,000	80,000	50,000
내부거래제거			
- 기계장치	(-)18,000		
- 재고자산		(-)12,000	
조정 후 당기순이익	82,000	68,000	50,000

　　2) ㈜민국의 당기순이익: 68,000 + 50,000 × 60% = 98,000

　　3) 비지배지분귀속당기순이익: 98,000 × 20% + 50,000 × 40% = 39,600

15 ③　1) 영업권: (¥80,000 - ¥90,000 × 80%) × @10.2 = 81,600

　　2) 비지배지분: (¥90,000 + ¥10,000) × @10.2 × 20% = 204,000

　　　* 지배력의 획득으로 인식되는 영업권은 종속기업의 자산에 해당하므로 보고기간 말의 환율로 환산하여야 한다. 비지배지분은 종속기업의 20×1년 말 순자산 공정가치에 기말 환율을 곱한 금액에 비지배지분율을 곱한 금액으로 계산할 수 있다.

16 ⑤　비지배지분: (200,000 + 100,000 + 20,000 + 40,000) × 20% = 72,000

　　* 비지배지분은 기중의 지분율 변동에 관계없이 종속기업의 순자산 가액에 대해 기말 현재 지분율을 곱한 금액이 된다.

17 ④   1) 영업권: (30,000 - 10,000) - 50,000 × 30% = 5,000

2) 현물출자에 따른 내부거래 미실현손익: (30,000 - 20,000) × (30,000 - 10,000)/30,000 = 6,667

3) 지분법이익: (10,000 - 6,667) × 30% = 1,000

4) 20×1년도 당기순이익에 미치는 영향: 10,000 + 1,000 = 11,000

5) 회계처리

20×1. 1. 1.	차) 관계기업투자주식	30,000	대) 토지		20,000
			유형자산처분이익		10,000
	차) 현금	10,000	대) 관계기업투자주식		10,000
20×1. 12. 31.	차) 관계기업투자주식	2,800	대) 지분법이익		2,800

> **⊘참고 현물출자에 따른 내부거래 미실현손익**
>
> 1. 상업적 실질이 결여된 경우
>
> | 구분 | 관계기업투자주식의 취득원가 | 현물출자자산의 처분이익 |
> |---|---|---|
> | 상업적 실질 결여 | 현물출자한 자산의 장부금액 | 인식하지 않음 |
>
> 2. 상업적 실질이 있는 경우
>
> 관계기업 지분과의 교환으로 관계기업에 비화폐성 자산을 출자할 때 출자에 상업적 실질이 있는 경우 현물출자된 자산의 처분손익 중 투자자의 지분에 상당하는 금액만큼 제거한다. 미실현손익은 지분법을 이용하여 회계처리하는 투자주식과 상쇄되어 제거되며, 재무상태표에 별도의 이연손익으로 표시하지 않는다. 제거한 미실현이익이 차기 이후에 실현되는 경우 실현되는 보고기간의 관계기업투자주식과 지분법손익에 다시 가산하여 인식한다. 즉, 출자에 상업적 실질이 있는 경우에는 해당 손익은 인식하되 내부미실현손익으로 보아 지분법이익을 인식할 때 반영한다.
>
> | 구분 | 관계기업투자주식의 취득원가 | 현물출자자산의 처분이익 |
> |---|---|---|
> | 상업적 실질 있음 | 현물출자한 자산의 공정가치 | 인식하고 내부거래 미실현이익으로 제거함 |
>
> | 구분 | 제거대상 미실현이익 |
> |---|---|
> | 지분만 수령한 경우 | 전체 미실현이익 × 지분율 |
> | 지분과 현금 등을 수령한 경우 | [미실현이익 × (총공정가치 - 수령한 자산의 가치)/현물출자자산의 가치] × 지분율 |

18 ⑤   조정 후 당기순이익

구분	㈜대한	㈜민국
조정 전 N/I	20,000	10,000
내부거래 미실현손익 실현[1]	4,000	
조정 후 N/I	24,000	10,000

[1] [40,000 - (50,000 - 30,000)] ÷ 5년 = 4,000

● 20×3년 지배기업소유주귀속당기순이익: 24,000 + 10,000 × 60% = 30,000

19 ③ 1) 지배력 획득일의 순자산의 공정가치 평가에 대한 이연법인세부채: 30,000 × 20% = 6,000

2) 지배력 획득일의 종속기업 순자산 공정가치: 150,000 + 30,000 - 6,000 = 174,000

3) 지배력 획득일의 영업권: 150,000 - 174,000 × 75% = 19,500

4) 지배력 획득일의 연결제거분개

차) 자본금	100,000	대) 이연법인세부채	6,000
이익잉여금	50,000	종속기업투자주식	150,000
토지	30,000	비지배지분	43,500
영업권	19,500		

> ⊘**참고 연결회계 - 이연법인세(지배력 획득일의 차이)**
>
> 지배기업이 종속기업에 대한 지배력을 획득하면 종속기업의 식별할 수 있는 순자산은 연결재무제표에 지배력 획득일의 공정가치로 측정되어 표시된다. 그러나 종속기업의 식별할 수 있는 순자산의 세무기준액은 종속기업 개별재무제표의 장부금액이므로 일시적 차이가 발생한다. 지배력 획득일 현재 식별할 수 있는 순자산의 공정가치와 장부금액의 차이에 대한 법인세효과는 연결재무제표에 이연법인세부채로 인식한다. 단, 영업권에서 발생하는 가산할 일시적 차이에 대한 법인세효과는 이연법인세부채로 인식하지 않는다.

20 ② 1) 20×1년 재고자산 상향판매 미실현이익: 10,000 × 50% × (1 - 20%) = 4,000

2) 20×1년 말 비지배지분귀속당기순이익: (30,000 - 4,000) × 25% = 6,500

> ⊘**참고 연결회계-이연법인세(내부미실현손익)**
>
> 지배기업과 종속기업 간의 거래로 취득한 재고자산이나 유형자산에 포함된 내부거래 미실현손익은 연결재무제표 작성 시에 제거된다. 이때 연결재무제표상 해당 자산의 장부금액은 내부거래 전의 금액인데 반해 세무기준액은 거래금액으로 그대로 유지되기 때문에 장부금액과 세무기준액 간의 차이가 발생한다. 이러한 차이는 일시적 차이에 해당하므로 법인세효과를 계산하여 이연법인세자산(부채)으로 인식하여야 한다.
>
> 예 A사가 20×1년 중 종속기업인 B사에 재고자산을 판매하였으며, 기말 현재 재고자산에 포함되어 있는 미실현이익이 ₩1,000이고 법인세율이 30%인 경우

내부거래 미실현이익 제거	차) 매출원가	1,000	대) 재고자산	1,000
법인세효과 인식	차) 이연법인세자산	300	대) 법인세비용	300

21 ⑤ ① 투자자가 피투자자에 대한 힘이 있거나 피투자자에 관여함에 따라 변동이익에 노출되거나 변동이익에 대한 권리가 있고 피투자자에 대한 자신의 힘을 사용하는 능력이 있을 때 피투자자를 지배한다.

② 지배기업과 종속기업의 재무제표는 보고기간 종료일이 같아야 하는 것이 원칙이며, 어떠한 경우라도 종속기업의 재무제표일과 연결재무제표일의 차이는 3개월을 초과해서는 안 된다.

③ 보고기업은 총포괄손익을 지배기업의 소유주와 비지배지분에 귀속시킨다. 다만, 비지배지분이 부(-)의 잔액이 되더라도 총포괄손익은 지배기업의 소유주와 비지배지분에 비례적으로 귀속된다.

④ 연결재무제표를 작성할 때 당기순손익을 지배기업지분과 비지배지분에 배분하는 비율은 현재의 소유지분뿐만 아니라 잠재적 의결권을 반영하여 결정한다(행사가능성이나 전환가능성은 반영하지 아니한다).

01 ② 연결재무제표는 실체이론에 따라 작성하므로 비지배지분이 부(-)의 잔액이 되는 경우에는 부(-)의 금액으로 보고한다.

02 ⑤ 지배기업이 종속기업에 대한 지배력을 상실하는 경우 지배기업이 종속기업과 관련하여 기타포괄손익으로 인식한 금액이 있다면, 이를 당기순손익으로 재분류하거나 직접 이익잉여금으로 대체한다.

03 ④ 투자자는 피투자자에 대한 힘이 있고 투자자의 이익금액에 영향을 미치기 위하여 피투자자에 대한 자신의 힘을 사용하는 능력이 있을 때 피투자자를 지배한다.

04 ② 1) ㈜민국의 순자산 공정가치: (30,000 + 50,000 + 150,000 + 60,000) - 110,000 = 180,000
2) 영업권: 120,000 - 180,000 × 60% = 12,000

05 ③

구분	㈜대한	㈜민국
조정 전 당기순이익	50,000	30,000
투자평가차액 상각		
- 재고자산		(-)10,000
- 건물		(-)30,000/5년
내부거래제거		
- 토지	(+)5,000	
조정 후 당기순이익	55,000	14,000

○ 지배기업소유주귀속당기순이익: 55,000 + 14,000 × 60% = 63,400
○ 비지배지분귀속당기순이익: 14,000 × 40% = 5,600

06 ⑤ 20×1년 말 비지배지분: (460,000 + 80,000 + 112,000[1]) × 30% = 195,600
[1] B사의 조정 후 N/I: 120,000 - (150,000 - 70,000)/10 = 112,000

07 ② 1) ㈜대한의 조정 후 N/I: 7,000,000 - 500,000/5 = 6,900,000
2) 비지배지분: 25,000,000 × 30% + 500,000 × 30% + 6,900,000 × 30% = 9,720,000
If. 하향판매 시 비지배지분
1) ㈜대한의 조정 후 N/I: 7,000,000 - 500,000/5 - (1,200,000 - 1,000,000) = 6,700,000
2) 비지배지분: 25,000,000 × 30% + 500,000 × 30% + 6,700,000 × 30% = 9,660,000

08 ②

구분	지배기업	비지배기업
조정 전 N/I	50,000	30,000
투자평가차액 상각		
- 재고자산		(10,000)
- 유형자산		60,000/5 = (12,000)
종속기업으로부터의 배당수익	-	
조정 후 N/I	① 50,000	② 8,000

○ 지배기업소유주 당기순이익: 지배기업 별도 F/S의 N/I(①) + ② × 지분율 = 50,000 + 8,000 × 70% = 55,600

09 ①

	지배기업 지분(80%)	비지배지분(20%)
종속기업순자산 BV 1,800,000	1,440,000	360,000
종속기업순자산 FV - BV 400,000	320,000	80,000
영업권	240,000	공정가치측정 시 영업권 계상가능
이전대가 2,000,000		
종속회사 조정 후 N/I(②) 150,000	지배기업소유주분 순이익(A) 120,000	비지배기업소유주 귀속순이익(B) 30,000

- 지배기업소유주귀속순이익: 지배기업 별도 F/S의 N/I(①) + A = 500,000 + 120,000 = 620,000
- 연결당기순이익: 지배기업소유주귀속순이익 + B = 620,000 + 30,000 = 650,000
- 비지배지분: 360,000 + 80,000 + 30,000 = 470,000

구분	지배기업	비지배기업
조정 전 N/I	500,000	300,000
투자평가차액 상각		
- 재고자산		(100,000)
- 건물		(30,000)
내부거래제거		
- 하향거래 미실현손익	(-)	
- 상향거래 미실현손익		(20,000)
종속기업으로부터의 배당수익	(-)	
조정 후 N/I	① 500,000	② 150,000

10 ②

1) 영업권: 900,000 - [1,000,000 + (600,000 - 500,000)] × 80% = 20,000
2) 손익조정

구분	㈜세무	㈜한국
조정 전 당기순이익	250,000	120,000
평가차액 상각액		(10,000)[1]
내부거래 미실현손익		(10,000)[2]
조정 후 당기순이익	250,000	100,000

[1] (600,000 - 500,000)/10년 = 10,000
[2] 50,000 × 0.25/1.25 = 10,000

- 지배기업소유주귀속당기순이익: 250,000 + 100,000 × 80% = 330,000

제21장 | 관계기업 투자 및 공동약정

기출 유형 정리

01 ① 지분법이익: $[28,000 - (25,000 - 20,000) \times 10,000/25,000] \times 20\% = 5,200$

02 ② 관계기업 투자가 공동기업 투자로 되거나 공동기업 투자가 관계기업 투자로 되는 경우, 기업은 보유 지분을 투자 성격 변경시점의 공정가치로 재측정하지 않는다.

03 ① 1) ㈜민국의 조정 후 당기순이익: $210,000^{1)}$
   $^{1)}\ 300,000 - (400,000 - 350,000) - (230,000 - 180,000) \times (180,000 - 36,000)/180,000 = 210,000$

   2) 20×1년 말 지분법적용투자주식의 장부금액: $622,000^{1)}$
   $^{1)}\ 600,000 + 210,000 \times 20\% - 100,000 \times 20\% = 622,000$

04 ⑤ ① 관계기업의 결손이 누적되면 관계기업에 대한 투자지분이 부(-)의 금액이 되는 경우 지분법을 중지하므로 부(-)의 금액이 될 수 없다.
   ② 피투자자의 순자산변동 중 투자자의 몫을 전액 투자자의 당기순손익으로 인식하지 않고 기타포괄손익이나 다른 자본의 변동으로 인한 부분은 투자자의 기타포괄손익이나 다른 자본의 변동으로 표시한다.
   ③ 관계기업의 정의를 충족하지 못하게 되어 지분법 사용을 중단하는 경우로서 종전 관계기업에 대한 잔여 보유 지분이 금융자산이면 기업은 잔여 보유 지분을 공정가치로 측정하고, '잔여 보유 지분의 공정가치와 관계기업에 대한 지분의 일부 처분으로 발생한 대가의 공정가치'와 '지분법을 중단한 시점의 투자자산의 장부금액'의 차이를 당기손익으로 인식한다.
   ④ 하향거래에서는 그러한 손실을 모두 인식한다.

05 ① 1) 염가매수차익: $(1,300,000 + 50,000 + 100,000) \times 30\% - 400,000 = 35,000$
   2) 지분법이익: $[150,000 - (150,000 - 100,000) - (300,000 - 200,000)/5] \times 30\% + 35,000 = 59,000$

06 ② 원가법이나 공정가치법의 경우에는 배당을 받을 권리가 확정되는 시점에 배당수익으로 인식하므로 당기손익에 반영된다.

07 ① 1) 염가매수차익: $1,200,000 \times 30\% - 350,000 = 10,000$
2) ㈜민국의 조정 전 당기순이익: $100,000 - (25,000 - 20,000) \times 17,500/25,000 = 96,500$
3) 지분법적용투자주식 장부금액: $350,000 + 96,500 \times 30\% + 10,000 + 50,000 \times 30\% = 403,950$

08 ② 1) ㈜민국의 조정 전 당기순이익: $(-)100,000 + (25,000 - 20,000) \times 17,500/25,000 = (-)96,500$
2) 지분법손실: $(-)96,500 \times 30\% = (-)28,950$

09 ③ 지배력을 상실하지 않는 종속기업에 대한 소유지분의 변동(예 지배기업이 종속기업의 지분상품을 후속적으로 매입하거나 처분하는 경우)은 종속기업이 그 투자기업에 의해 보유되어 공정가치로 측정하여 당기손익에 반영되도록 요구되지 않는 한, 자본거래로 회계처리한다. 그러나 관계기업투자주식의 일부를 처분한 후에도 계속 유의적인 영향력을 유지하는 경우에는 투자자가 관계기업투자주식의 일부를 처분한 것(처분손익을 당기손익으로 인식)으로 본다.

10 ① 20×1년 말 관계기업투자주식의 장부금액: $50,000 + [20,000 - (140,000 - 100,000)/20년] \times 25\% - 10,000 \times 25\% - 8,000 \times 25\% = 50,000$

11 ③ 약정의 모든 당사자들이 약정의 공동지배력을 보유하지 않아도 그 약정은 공동약정이 될 수 있다.

관련 유형 연습

01 ③ 1) 지분법이익: $27,900 \times 40\% = 11,160$

구분	20×1년
조정 전 ㈜민국의 N/I	30,000
매출원가 조정	(2,000)
감가상각비 조정	(100)
내부거래 미실현이익	-
내부거래 이익 실현	-
조정 후 ㈜민국의 N/I	27,900

2) 관계기업투자주식: $5,000 + 11,160 + 10,000 \times 40\% - 5,000 \times 40\% = 18,160$

02 ② 관계기업투자주식: $50,000 + (10,000 + 5,000 - 3,000) \times 20\% = 52,400$

03 ③ 지분법이익: $(900,000 - 100,000) \times 25\% = 200,000$

04 ② 1) 지분법이익

    (1) 20×1년 지분법이익: 410,000 × 20% = 82,000

    (2) 20×2년 지분법이익: 260,000 × 20% = 52,000

구분	20×1년	20×2년
조정 전 ㈜미래의 N/I	500,000	300,000
매출원가 조정	(50,000)	
감가상각비 조정	(40,000)	(40,000)
조정 후 ㈜미래의 N/I	410,000	260,000

2) 관계기업투자주식

    (1) 20×1년 말 관계기업투자주식: 300,000 + 82,000 - 100,000 × 20% = 362,000

    (2) 20×2년 말 관계기업투자주식: 300,000 + 82,000 + 52,000 - 180,000 × 20% = 398,000

⊘**참고 20×1년**

구분	관계기업
관계기업 조정 전 N/I	500,000
투자평가차액 상각	
- 재고자산	(50,000)
- 건물 감가상각비	(40,000)
내부거래제거	
- 당기 미실현손익	-
- 전기 실현손익	-
관계기업 조정 후 N/I	① 410,000

* 관계기업투자주식은 내부거래 시 상향·하향거래 구분 없이 미실현손익·실현손익을 관계기업 N/I에 반영한다.

	◄---- 투자자의 지분율(20%) ----►	◄--------- 기타 지분율 --------►
관계기업순자산 BV 1,000,000	200,000	
관계기업순자산 FV - BV 450,000	90,000	
영업권	10,000	
취득금액 300,000	+	
관계기업 조정 후 N/I(①) 410,000 + 260,000	지분법이익(A) 20×1년 82,000, 20×2년 52,000	
	+	
(±)관계기업 자본조정, 이익잉여금 직접변동	-	
	+	
(±)관계기업 OCI변동	-	
	+	
(-)관계기업 현금배당 지급 -100,000 - 80,000	(20,000) (16,000)	
	=	
관계기업투자주식 장부금액 398,000		

구분	관계기업
관계기업 조정 전 N/I	300,000
투자평가차액 상각	
- 재고자산	-
- 건물 감가상각비	(40,000)
내부거래제거	
- 당기 미실현손익	-
- 전기 실현손익	-
관계기업 조정 후 N/I	① 260,000

* 관계기업투자주식은 내부거래 시 상향 · 하향거래 구분 없이 미실현손익 · 실현손익을 관계기업 N/I에 반영한다.

제22장 | 환율변동효과

기출 유형 정리

01 ③ 1) 20×1년 말 재무상태표 환산

계정과목	원화	계정과목	원화
자산	3,000 × 1,200 = 3,600,000	부채	1,500 × 1,200 = 1,800,000
		자본금	1,000 × 1,000 = 1,000,000
		×1년 순이익	500 × 1,100 = 550,000
		환산이익	대차차액 250,000
	3,600,000		3,600,000

● 20×1년 총포괄이익: 550,000 + 250,000 = 800,000

2) 20×2년 말 재무상태표 환산

계정과목	원화	계정과목	원화
자산	4,000 × 1,100 = 4,400,000	부채	2,300 × 1,100 = 2,530,000
		자본금	1,000 × 1,000 = 1,000,000
		×1년 순이익	500 × 1,100 = 550,000
		×2년 순이익	200 × 1,150 = 230,000
		환산이익	대차차액 90,000
	4,400,000		4,400,000

● 20×2년 총포괄이익: 230,000 + (90,000 - 250,000) = 70,000

02 ② 1) 원가모형의 유형자산처분손익: €1,700 × @1,550 - €1,500 × @1,600 = 235,000
      2) 재평가모형의 유형자산처분손익: €1,700 × @1,550 - €1,900 × @1,500 = (-)215,000

03 ③ 1) 재고자산평가손실: ¥450 × @10.4 - ¥500 × @10.3 = (-)470
      2) 투자부동산평가이익: ¥2,200 × @10.4 - ¥2,000 × @10.0 = 2,880
      3) 당기순이익에 미친 영향: 20,400 - 470 + 2,880 = 22,810

04 ② 외화는 기능통화가 아닌 통화를 말한다.

05 ⑤

계정과목	원화	계정과목	원화
자산	3,000 × 1,000 = 3,000,000	부채	1,500 × 1,000 = 1,500,000
		자본금	1,000 × 800 = 800,000
		기초이익잉여금	330,000(역산)
		당기순이익	300 × 900 = 270,000
		해외사업장환산이익	100,000
	3,000,000		3,000,000

06 ③　1) FVPL금융자산 환율변동이익: $30 × @1,000 - 28,500 = 1,500
　　　2) 매출채권 환율변동이익: $200 × @1,000 - 197,000 = 3,000
　　　3) 재고자산 환율변동손실: Min[$310 × @1,000, 312,500] - 312,500 = (-)2,500
　　　4) 선수금: 비화폐성항목으로 환산하지 않는다.
　　　❍ 당기순이익에 미치는 영향: 1,500 + 3,000 - 2,500 = 2,000

07 ①　해외사업장을 처분하는 경우 기타포괄손익과 별도의 자본항목으로 인식한 해외사업장 관련 외환차이의 누
　　　계액은 당기손익으로 재분류한다.

08 ③　보고기업의 해외사업장에 대한 순투자의 일부인 화폐성항목에서 생기는 외환차이는 보고기업의 별도재무
　　　제표나 해외사업장의 개별재무제표에서 당기손익으로 적절하게 인식한다. 그러나 보고기업과 해외사업장
　　　을 포함하는 재무제표(예 해외사업장이 종속기업인 경우의 연결재무제표)에서는 이러한 외환차이를 처음부
　　　터 기타포괄손익으로 인식하고 관련 순투자의 처분시점에 자본에서 당기손익으로 재분류한다.

관련 유형 연습

01 ③　공정가치로 측정하는 비화폐성 항목에서 발생하는 외환차이는 공정가치 변동분을 당기손익으로 처리하는
　　　경우에는 당기손익, 기타포괄손익으로 처리하는 경우에는 기타포괄손익으로 인식한다.

02 ④

계정과목	원화	계정과목	원화
자산	2,400 × 1,000 = 2,400,000	부채	950 × 1,000 = 950,000
		자본금	1,000 × 900 = 900,000
		×1년 순이익	150 × 940 = 141,000
		×2년 순이익	300 × 980 = 294,000
		환산이익	대차차액 115,000
	2,400,000		2,400,000

03 ②　순실현가능가치: $96 × ₩1,050/$ = ₩100,800
　　　재고자산의 장부금액 ₩100,000보다 순실현가능가치가 ₩100,800으로 더 크므로 평가손실을 인식하지
　　　않는다.

04 ①　기말재고자산 장부금액
　　　: Min[$1,000 × ₩1,000 = ₩1,000,000, $980 × ₩1,040 = ₩1,019,200] = 1,000,000

05 ③　1) 처분대가: $5,000 × ₩1,020 = ₩5,100,000
　　　2) 장부금액: $12,000 × 1/4 × ₩1,000 = ₩3,000,000
　　　3) 유형자산처분이익: ₩5,100,000 - ₩3,000,000 = ₩2,100,000

06 ④　1) 처분대가: $5,000 × ₩1,020 = ₩5,100,000
　　　2) 장부금액: $13,000 × 1/4 × ₩1,040 = ₩3,380,000
　　　3) 유형자산처분이익: ₩5,100,000 - ₩3,380,000 = ₩1,720,000

| 차) 현금[1] | 7,140,000 | 대) FVPL금융자산[2] | 6,240,000 |
| | | 금융자산처분이익 | 900,000 |

[1] $7,000 × ₩1,020 = ₩7,140,000
[2] $6,000 × ₩1,040 = ₩6,240,000

제23장 | 파생상품 및 위험회피회계

기출 유형 정리

01 ⑤ 위험회피수단을 제공하는 거래상대방이 계약을 미이행할 가능성이 높더라도(즉, 신용위험이 지배적이더라도) 위험회피대상항목과 위험회피수단 사이에 경제적 관계가 있는 경우에는 위험회피회계를 적용할 수 없다.

02 ⑤ 1) 장기차입금평가손익: (1) - (2) = 9,430(손실)
   (1) 공정가치: $500,000 \times 5\% \div 1.04 + (500,000 + 500,000 \times 5\%) \div 1.04^2 = 509,430$
   (2) 장부금액: 500,000
2) 이자율스왑계약평가손익
   (1) 각 회계연도 말의 이자수익
      ① 받을 고정이자: $500,000 \times 3\% = 15,000$
      ② 줄 변동이자: $500,000 \times 2\% = 10,000$
      ③ 순이자: ① - ② = 5,000
   (2) 이자율스왑계약평가손익: $5,000 \div 1.04 + 5,000 \div 1.04^2 = 9,430(이익)$

03 ④ 1) 20×2년 3월 1일 옥수수의 공정가치변동에 따른 평가손실: $470,000 - 510,000 = (-)40,000$
2) 20×2년 3월 1일 옥수수선도거래이익: $(520,000 - 470,000) - (520,000 - 480,000) = 10,000$
3) 당기순이익에 미친 효과: $(-)40,000 + 10,000 = (-)30,000$

04 ③ ① 현금흐름위험회피에서 위험회피수단의 손익은 위험회피에 효과적인 경우에만 기타포괄손익으로 인식한다.
② 기업은 위험회피관계의 지정을 철회함으로써 자발적으로 위험회피회계를 중단할 수 있는 자유로운 선택권을 이유에 상관없이 가지는 것은 아니다.
④ 해외사업장순투자의 위험회피는 현금흐름위험회피와 유사하게 회계처리한다.
⑤ 고정금리부 대여금에 시장이자율의 변동에 따라 공정가치가 변동하므로 공정가치위험회피 유형에 해당한다.

05 ① 1) 20×1년

    (1) 20×1년 12월 31일의 금선도계약의 공정가치: ① - ② = 100,000

        ① 받을 금: 10온스 × @210,000 = 2,100,000

        ② 줄 금액: 2,000,000

    (2) 예상현금흐름의 공정가치 변동누계액: ① - ② = (-)50,000

        ① 계약체결일의 금 기대현물가격: 10온스 × @190,000 = 1,900,000

        ② 12월 31일의 금 기대현물가격: 10온스 × @195,000 = 1,950,000

    (3) 기타포괄손익으로 처리할 금액(효과적인 부분): Min[100,000, 50,000] = 50,000

    (4) 당기손익으로 처리할 원재료선도평가손익: 100,000 - 50,000(효과적인 금액) = 50,000 이익

2) 20×2년

    (1) 20×2년 3월 31일의 원유선도계약의 공정가치: ① - ② = 200,000

        ① 받을 금: 10온스 × @220,000 = 2,200,000

        ② 줄 금액: 2,000,000

    (2) 예상현금흐름의 공정가치 변동누계액: ① - ② = (-)300,000

        ① 계약체결일의 금 기대현물가격: 10온스 × @190,000 = 1,900,000

        ② 2월 28일의 금 기대현물가격: 10온스 × @220,000 = 2,200,000

    (3) 기타포괄손익으로 처리할 금액(효과적인 부분): Min[200,000, 300,000] = 200,000

    (4) 20×2년도 당기손익으로 인식할 파생상품평가손익: (-)50,000 손실(회계처리 참고)

20×1년 10월 1일		-회계처리 없음-		
20×1년 12월 31일	차) 금선도	100,000	대) 현금흐름위험회피적립금	50,000
			금선도평가이익	50,000
20×2년 3월 31일	차) 금선도	100,000	대) 현금흐름위험회피적립금	150,000
	원유선도평가손실	50,000		
	차) 금	2,200,000	대) 현금	2,200,000
	차) 현금흐름위험회피적립금	200,000	대) 금	200,000

06 ② 지분법적용투자주식과 연결대상 종속기업에 대한 투자주식은 투자주식의 공정가치 변동 대신에 피투자기업의 손익 중 투자기업의 몫이나 종속기업의 손익을 당기손익으로 인식하기 때문에 공정가치 변동위험에 노출되어 있지 않다. 따라서 공정가치 위험회피대상항목이 될 수 없다.

07 ⑤ 사업결합에서 사업을 취득하기로 하는 확정계약은 위험회피대상항목이 될 수 없다. 다만, 외화위험에 대하여는 위험회피대상항목으로 지정할 수 있다. 그 이유는 외화위험이 아닌 다른 회피대상위험은 특정하여 식별할 수도 없고 측정할 수도 없기 때문이다. 이러한 다른 위험은 일반적인 사업위험이다.

08 ④ 1) 위험회피수단의 공정가치

구분	20×1년 12월 1일	20×1년 12월 31일	20×2년 3월 31일
받을 돈	12,000 × 100 = 1,200,000	12,000 × 100 = 1,200,000	12,000 × 100 = 1,200,000
(-)줄 돈	12,000 × 100 = 1,200,000	11,300 × 100 = 1,130,000	10,500 × 100 = 1,050,000
	0	70,000	150,000

2) 위험회피대상항목의 누적예상현금흐름 변동

구분	20×1년 12월 1일	20×1년 12월 31일	20×2년 3월 31일
계약체결일 기대현물가격	13,000 × 100 = 1,300,000	13,000 × 100 = 1,300,000	13,000 × 100 = 1,300,000
특정시점 기대현물가격	13,000 × 100 = 1,300,000	12,500 × 100 = 1,250,000	10,500 × 100 = 1,050,000
	0	(-)50,000	(-)250,000

3) 위험회피에 효과적인 부분
   (1) 20×1년: Min[70,000, 50,000] = 50,000
   (2) 20×2년: Min[150,000, 250,000] = 150,000

4) 회계처리

20×1년 12월 1일	-회계처리 없음-			
20×1년 12월 31일	차) 파생상품자산	70,000	대) 현금흐름위험회피적립금(OCI)	50,000
			파생상품평가이익(N/I)	20,000
20×2년 3월 31일	차) 파생상품자산	80,000	대) 현금흐름위험회피적립금(OCI)	100,000
	파생상품평가손실(N/I)	20,000		
	차) 현금	1,200,000	대) 현금	1,050,000
			파생상품자산	150,000
	차) 현금	1,050,000	대) 매출	1,050,000
	차) 매출원가	1,000,000	대) 재고자산	1,000,000
	차) 현금흐름위험회피적립금(OCI)	150,000	대) 파생상품평가이익(N/I)	150,000

● 20×2년 당기순이익에 미친 영향: (-)20,000 + 1,050,000 - 1,000,000 + 150,000 = 180,000

01 ① 문서에는 위험회피수단, 위험회피대상항목, 회피대상위험의 특성과 위험회피관계가 위험회피효과에 대한 요구사항을 충족하는지를 평가하는 방법이 포함되어야 한다. 한편, 문서화 된 경우에도 위험회피효과에 관한 요구사항을 모두 충족하여야만 위험회피회계를 적용한다.

02 ⑤ 1) 위험회피수단으로 지정한 경우

(1) 20×1년 12월 31일 통화선도계약의 공정가치
: 받을 금액 $500 × @1,050 - 줄 금액 $500 × @1,020 = 15,000

(2) 예상미래현금흐름의 변동누계액
: 12월 31일 예상현금흐름 $500 × @1,040 - 계약체결일의 예상현금흐름 $500 × @1,060
= (-)10,000

(3) 기타포괄손익으로 처리할 금액(효과적인 부분): Min[15,000, 10,000] = 10,000

(4) 당기손익으로 처리할 금액(효과적이지 않은 부분): 15,000 - 10,000 = 5,000

(5) 회계처리

20×1년 12월 31일	차) 통화선도	15,000	대) 현금흐름위험회피적립금	10,000
			통화선도평가이익	5,000

2) 위험회피수단으로 지정하지 않는 경우

20×1년 12월 31일	차) 통화선도	15,000	대) 통화선도평가이익	15,000

해커스 IFRS 정윤돈 객관식 재무회계 정답 및 해설

제23장 파생상품 및 위험회피회계

┃이 책의 저자

정윤돈

학력
성균관대학교 경영학과 졸업

경력
현 ┃ 해커스 경영아카데미 교수
　　해커스공무원 교수
　　해커스금융 교수
　　미래세무회계 대표 회계사
　　삼일아카데미 외부교육 강사
전 ┃ 삼정회계법인 감사본부(CM본부)
　　한영회계법인 금융감사본부(FSO)
　　한영회계법인 금융세무본부(FSO TAX)
　　대안회계법인 이사
　　이그잼 경영아카데미 재무회계 전임(회계사, 세무사)
　　합격의 법학원 재무회계 전임(관세사, 감평사)
　　와우패스 강사(CFA-FRA, 신용분석사, 경영지도사)
　　KEB하나은행, KB국민은행, 신한은행, IBK기업은행,
　　부산은행 외부교육 강사

자격증
한국공인회계사, 세무사

저서
해커스 IFRS 정윤돈 회계원리
해커스 IFRS 정윤돈 중급회계 1/2
해커스 IFRS 정윤돈 고급회계
해커스 IFRS 정윤돈 재무회계 키 핸드북
해커스 IFRS 정윤돈 객관식 재무회계
해커스 세무사 IFRS 정윤돈 재무회계 1차 FINAL
해커스 IFRS 정윤돈 재무회계연습
해커스공무원 정윤돈 회계학 재무회계 기본서
해커스공무원 정윤돈 회계학 원가관리회계 · 정부회계 기본서
해커스공무원 정윤돈 회계학 단원별 기출문제집
해커스 신용분석사 1부 이론 + 적중문제 + 모의고사
IFRS 중급회계 스터디가이드
IFRS 재무회계 기출 Choice 1/2
IFRS 객관식 재무회계 1/2
신용분석사 완전정복 이론 및 문제 1/2
신용분석사 기출 유형 정리 1부
신용분석사 최종정리문제집 1/2부

해커스
IFRS
정윤돈
객관식 재무회계

정답 및 해설

개정 7판 1쇄 발행 2024년 8월 30일

지은이	정윤돈
펴낸곳	해커스패스
펴낸이	해커스 경영아카데미 출판팀

주소	서울특별시 강남구 강남대로 428 해커스 경영아카데미
고객센터	02-537-5000
교재 관련 문의	publishing@hackers.com
학원 강의 및 동영상강의	cpa.Hackers.com

ISBN	정답 및 해설: 979-11-7244-314-6 (14320)
	세트: 979-11-7244-312-2 (14320)
Serial Number	07-01-01